PÉRIMÈTRE
DE SÉCURITÉ

MICHAEL PITRE

PÉRIMÈTRE
DE SÉCURITÉ

roman

TRADUIT DE L'ANGLAIS (ÉTATS-UNIS)
PAR EMMANUELLE ET PHILIPPE ARONSON

ÉDITIONS DU SEUIL
25, bd Romain-Rolland, Paris XIVe

Ce livre est édité par Marion Duvert

Titre original : *Fives And Twenty-Fives*
Éditeur original : Bloomsbury USA, New York
© original : Michael Pitre, 2014
ISBN original : 978-1-62040-754-7

Extraits : Mark Twain, *Aventures de Huckleberry Finn*,
traduit de l'anglais (États-Unis) par Bernard Hoepffner,
Editions Tristram, Auch, 2008

Carte en début d'ouvrage : © 2014 Jeffrey L. Ward

ISBN : 978-2-02-117774-9
Ce titre est également disponible en e-book
sous l'e-pub 978-2-02-117776-3

© Mars 2016, Éditions du Seuil pour la traduction française

www.seuil.com

À Stephen
À Shawn

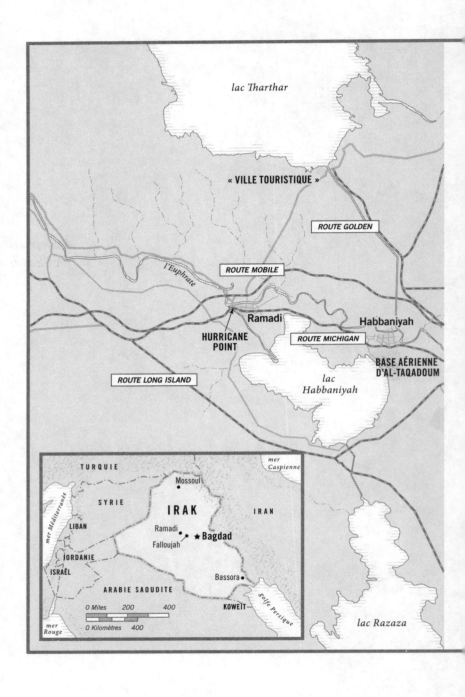

lac Tharthar

« VILLE TOURISTIQUE »

ROUTE GOLDEN

ROUTE MOBILE

l'Euphrate

Ramadi

Habbaniyah

HURRICANE
POINT

ROUTE MICHIGAN

BASE AÉRIENNE
D'AL-TAQADOUM

ROUTE LONG ISLAND

lac
Habbaniyah

lac Razaza

TURQUIE

mer
Caspienne

Mossoul

SYRIE

IRAK

IRAN

mer Méditerranée

LIBAN

Ramadi

★ Bagdad

Falloujah

JORDANIE

ISRAËL

Bassora

ARABIE SAOUDITE

0 Miles   200   400

KOWEÏT

golfe Persique

mer
Rouge

0 Kilomètres   400

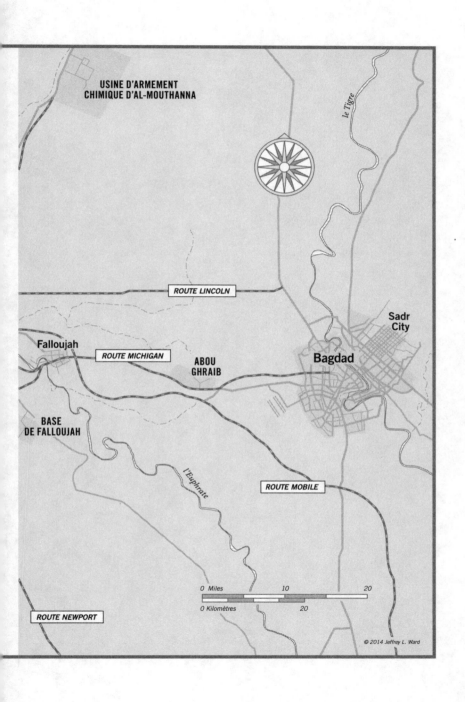

USINE D'ARMEMENT
CHIMIQUE D'AL-MOUTHANNA

le Tigre

ROUTE LINCOLN

Sadr
City

Falloujah

ROUTE MICHIGAN

ABOU
GHRAIB

Bagdad

BASE
DE FALLOUJAH

l'Euphrate

ROUTE MOBILE

0 Miles   10   20

0 Kilomètres   20

ROUTE NEWPORT

© 2014 Jeffrey L. Ward

Lieutenant P. E. Donovan, corps des Marines des États-Unis
Au Secrétaire d'État à la Marine

Via : le quartier général du corps des Marines

Je souhaite par la présente démissionner de mon poste d'officier
du corps des Marines des États-Unis.

Le Secrétaire d'État à la Marine américaine, au nom du Pré-
sident, peut accepter la démission d'un officier si les effectifs du
corps des Marines le permettent, si les obligations militaires de
l'officier en question sont remplies, et si ses états de service sont
satisfaisants.

J'ai rempli mes obligations militaires. En conséquence, je ne vois
pas comment le corps des Marines pourrait vouloir encore me
compter dans ses rangs ou avoir besoin de moi. Et même si mes
états de service peuvent être sujets à caution, je vous demande,
Monsieur, de bien vouloir accepter ma démission.

Avec mon plus profond respect,
Lieutenant P. E. Donovan

Le Marine que je connaissais

Je cours dans le désert. Je le sais au bruit de ma respiration.

L'air brûlant décape mes poumons tandis que j'inspire avec peine à contretemps du fusil qui rebondit sur ma poitrine. Mon gilet pare-balles est trop grand. Les passants sur les épaules sont lâches, et treize kilos d'armure s'abattent sur ma colonne vertébrale chaque fois que mes talons percutent la terre compacte. Sous le Kevlar dans mon cou, la crasse fait mousser la transpiration qui se transforme en pâte à récurer. La peau derrière mes oreilles commence à s'écorcher.

Le soleil de l'après-midi m'éblouit ; les autres sens compensent. Des broussailles desséchées criblées de sacs-poubelle et des bouteilles en plastique vides s'écrasent sous mes bottes. L'équipement sanglé sur mon uniforme cliquette comme le bric-à-brac d'un rétameur ambulant. Le garrot que je garde toujours à portée de la main gauche heurte ma veste. Des chargeurs de trente cartouches s'entrechoquent dans les poches à munitions que je porte à la taille. Capacité trente, mais ne jamais en mettre plus de vingt-huit, je sais. Il faut ménager les ressorts. Éviter l'enrayement.

Cet attirail fait corps avec moi de façon si familière, si précise, que l'espace d'un instant j'ai vraiment l'impression d'y être.

Mes yeux accommodent et je distingue le convoi devant moi. Quatre Humvee et deux sept tonnes. Je comprends soudain, avec une pénible certitude, pourquoi je cours. Je dois les avertir : un système de mise à feu par pression est camouflé dans une fissure de la route. Un tube en caoutchouc cousu de fil de cuivre. Le chauffeur ne le verra pas. Ils n'ont aucune chance.

Le Humvee de tête arrive dessus. Le pneu avant roule sur le tube. Les fils se touchent. Le courant d'une pile invisible se propage dans le cordon détonant enroulé autour de plusieurs obus qui sont enterrés avec des bidons d'essence et des paillettes de savon.

J'agite les bras, une seconde avant que ce sale serpent ne se déchaîne, et inspire pour hurler.

Là, comme toujours, je me réveille.

D'un coup de pied je repousse les draps, puis je scrute la pénombre de mon studio. De minces rais de lumière matinale filtrent à travers les stores de la fenêtre. Je suis fatigué. Je songe à me rendormir, mais les neuf bouteilles de bière vides sur le comptoir du coin cuisine me promettent de tourner et virer sur mon petit matelas à la recherche d'une position susceptible de soulager mon mal de tête sans pour autant comprimer ma vessie. Mieux vaut se lever, et faire face.

C'est un compromis, boire pour dormir. Je gagnais au change au début, mais depuis quelque temps les profits sont en baisse. Trois ou quatre bières ne suffisent plus. Pire, je suis passé aux artisanales, plus fortes et plus onctueuses, et j'ai cru ce faisant rendre acceptable cette triste habitude. Franchement, aucun alcoolo digne de ce nom ne gaspillerait son argent dans des bières de luxe, n'est-ce pas ? Je suis un jeune homme bien élevé. Un ancien combattant valeureux qui mérite un peu de bon temps durant ce bref interlude universitaire, après quoi, pleinement formé, j'intégrerai le monde des affaires, armé d'un nouveau vocabulaire qui me permettra de décrire avec précision les parfums les plus intenses de ces breuvages riches et merveilleux. En attendant, les gueules de bois sont intenses aussi. C'est le prix à payer pour sauvegarder l'estime de moi-même, j'imagine. Avec ça en tête, je décide de m'infliger un long footing.

L'air est étonnamment frais. C'est le premier véritable matin d'hiver à La Nouvelle-Orléans. La rosée recouvre le gazon frais de l'allée centrale de Saint Charles Avenue. Je zigzague pour éviter les tramways verts. Le mal s'atténue, et vers le septième kilomètre je me sens mieux.

À une époque, ces sorties matinales étaient au cœur d'un méticuleux programme d'entraînement censé brûler ma petite mais persistante bedaine, marque de faiblesse qui me différenciait des autres lieutenants incroyablement sveltes du bataillon de Quantico. J'ai abandonné ce rêve, et courir est devenu un plaisir en soi, une façon de concentrer mes pensées sur la journée à venir.

Je récapitule ce que j'ai à faire. Économie. Comptabilité. Marketing. Dissertations à rendre à la fin du semestre. Exposés à préparer et fiches à revoir pour les examens. Il faudrait que je trouve le temps d'appeler ma mère et mon père, chez moi à Birmingham. Et ma sœur à Mobile.

Attends. Je ne suis pas censé sortir ce soir ? Il n'y a pas quelqu'un qui passe en ville ?

Zahn. Merde. J'ai dit à Zahn que je le retrouverais quelque part.

Zahn a déniché mon adresse e-mail il y a quelques mois. Je ne sais pas trop comment. Je limite autant que possible ma présence sur Internet, mais tout à coup il s'est mis à m'envoyer des messages pour me dire qu'il venait à La Nouvelle-Orléans. Pour un mariage, je crois. Quelques lignes décousues sans majuscules ni ponctuation. Ces gamins n'ont que quelques années de moins que moi, et pourtant c'est comme s'ils parlaient une autre langue. J'ai toujours pensé qu'ils me détestaient, Zahn et les autres caporaux. Je suis surpris qu'il veuille me voir.

Je rentre chez moi, me douche, et passe le reste de mon samedi à travailler, parcourant avec nonchalance mes cours tout en regardant par la fenêtre ouverte. La brise fraîche fait du bien, et l'idée d'une bière devient de plus en plus alléchante.

Je résiste à la tentation. Une bière ou deux maintenant ne fera qu'atténuer l'effet des six dont j'aurai besoin pour dormir.

L'après-midi n'est même pas fini que j'ai tout bouclé. Je croyais que les études de commerce me demanderaient plus d'efforts. J'aurais aimé que ce soit moins facile. Si j'avais davantage de travail, j'aurais un prétexte légitime pour annuler Zahn.

Je passe quelques heures à élaborer des excuses, évaluant la crédibilité de divers mensonges. Finalement, le moment venu, je saute comme un automate dans mes bottes avant de survoler les piles de livres près de mon matelas à la recherche de quelque chose d'utile à lire dans le tram. Mon manuel d'économie, lourd et intimidant, maintient en place un tas de notes et de livres pratiques sur le sujet. À côté, soigneusement empilée, s'élève ma collection sans cesse grandissante d'ouvrages sur les bateaux à voiles.

Vingt Petits Voiliers pour vous emmener n'importe où de John Vigor trône au sommet, je ne peux pas le rater. Un condensé d'Alberg, de Bristol, de Pearson et de Catalina qui attendent d'être restaurés dans les marinas d'Amérique. Des légions d'épaves mises sur cales pour cause de crise ou, dans le cas de La Nouvelle-Orléans, pour cause d'ouragan.

Il ne faudrait pas beaucoup de travail pour en ramener une à la vie, c'est du moins ce que j'ai lu. Commencer par la quille en fibre de verre, percée et rayée. Boucher les trous au mastic et refaire une peinture de coque. Poncer et huiler le pont en teck. Polir les cuivres. Changer les bouts et remettre le bateau à flot. Faire un ravitaillement et hisser de nouvelles voiles.

Un voilier ressuscité peut vous emmener n'importe où, à votre rythme.

J'opte pour le Vigor, même si je connais quasiment chaque page par cœur. Sur le point de m'emparer de la jaquette en papier glacé, j'aperçois, derrière, un livre de poche défraîchi. C'est un roman. Coincé contre la plinthe, presque invisible. Je le libère pour l'examiner. La couverture a disparu. J'observe le dos abîmé, feuillette les pages jaunies, et quelques grains de sable tombent à mes pieds.

C'est l'exemplaire des *Aventures de Huckleberry Finn* de Dodge, bardé d'annotations frénétiques, moitié en arabe, moitié en anglais.

Laissant pour une fois les bateaux de côté, je glisse le triste orphelin dans ma poche arrière. Je m'en veux un peu, sachant qu'il s'agit d'un stratagème plutôt malhonnête : j'espère que Zahn le remarquera, roulé et corné, et pensera à Dodge. Ce qui me donnerait l'occasion de parler de lui. Qui sait ? Zahn a peut-être de ses nouvelles.

Je marche jusqu'à Saint Charles Avenue et, après avoir attendu le tramway dans le froid, j'arrive au bar avec trente minutes de retard. C'est un de ces endroits à faux plafond. Dans le nord de la ville, près du campus. Billards, et néons affreux. Il fait froid. Je resserre ma veste autour de mes épaules et, les mains dans les poches, pousse l'épaisse bâche en plastique faisant office de porte.

La voix de Zahn me frappe de plein fouet comme un coup de ceinture au visage. La même que dans mon souvenir. Il aboie des ordres à une bande d'hommes jeunes. Mais je ne le vois pas. Je ne distingue que des gars endimanchés, regroupés devant un jeu vidéo au comptoir. Un géant hirsute se fraie alors un chemin dans la masse. L'ourlet décousu de son pantalon trop large lui tombe sur les chaussures.

Il les domine tous d'une tête, et crie : « Là ! Là ! Le bas n'est pas de la même couleur ! »

Affligé, je m'aperçois qu'il s'agit de Zahn.

Ses gros doigts flasques tripotent l'écran – de toute évidence, il boit du matin au soir. De la bière blonde déborde du gobelet en plastique qu'il tient dans l'autre main.

Je m'approche et lui tape sur l'épaule. Il pivote, prend un moment pour me remettre, puis sourit et me serre dans ses bras. Ma tête se cale au beau milieu de sa poitrine. De la bière me coule dans le dos.

« Mon lieutenant », bredouille-t-il doucement.

Je marmonne dans sa chemise : « Non, plus maintenant. » Et soudain je me rends compte à quel point je suis content de le revoir.

Le reste du costume lui va encore moins bien que le pantalon. On dirait qu'il l'a emprunté à son père. Il a grossi et s'est laissé pousser la barbe. Le Zahn que je connaissais avait les cheveux blonds coupés ras. À présent, ils sont longs et emmêlés ; difficile de savoir où finit la tignasse et où commence la barbe.

Il ne porte pas son alliance, ni les plaques d'identité militaire auxquelles il l'attachait autrefois. Je m'efforce de retrouver le Marine que je connaissais derrière le costume ridicule et le visage bouffi. Sans succès.

Zahn me présente ses amis. Des potes de lycée qui ne l'ont pas vu depuis des années, apparemment. Ils reviennent tous d'un dîner censé parfaire l'organisation du mariage où ils sont tous conviés le lendemain, mais j'ai l'impression que Zahn est le seul à être saoul.

« Je vous offre une bière, mon lieutenant, lance-t-il. Vous buvez quoi ? Moi je suis à la bière. Je vais nous en chercher deux autres. Vous ne bougez pas, d'accord ? Restez là. »

D'un pas lourd, il se dirige vers le comptoir, et me laisse avec eux. Des commerciaux qui jouent les jeunes gens bien élevés. Ils se relaient pour m'occuper. Se présentent un par un, me serrent vigoureusement la main. Me regardent droit dans les yeux comme leurs pères le leur ont appris. Ça flatte le client potentiel.

« Très heureux de vous rencontrer.

– Walter nous a beaucoup parlé de vous. Il arrête pas. Vous deux et la guerre, et tout.

– C'est vraiment super de venir le voir. »

Ils s'éloignent pour se rassembler à deux ou trois, échangeant à voix basse, comme si ces conciliabules improvisés devaient rester secrets. Ou comme si, trop impressionné par les petits discours d'étudiants appliqués qu'ils viennent de me servir, j'étais supposé ne pas les entendre. Mais ce n'est pas le cas ; je reste à l'affût.

Ils parlent de Zahn. De ce qu'il faut faire de lui.

Il tue leur enthousiasme, ce gros balourd déprimé. Cet intrus presque oublié qui monopolise leur soirée. Tous ces jeunes mecs avec leurs beaux costumes. Zahn s'est incrusté, mais il n'a plus rien à voir avec eux. Même moi je le sais. Zahn, non.

Je comprends soudain pourquoi ils se montrent si aimables à mon égard. Pourquoi ils s'empressent de se lier d'amitié, de m'interroger sur ma vie, mes études de commerce, La Nouvelle-Orléans. Ils font comme s'ils s'intéressaient sincèrement à moi, mais ramènent toujours la conversation sur Zahn. Mentionnant au passage ses « problèmes ». S'approchant étape par étape du diagnostic final. Problèmes. Difficultés. Troubles.

Ils créent le contact, je m'en rends compte, pour plus tard dans la nuit, lorsque Zahn perdra inévitablement connaissance ou qu'il flanquera un coup de poing dans une vitre. Un de ses copains me prendra alors à part et me dira : « Hé, ça vous ennuierait de le ramener chez vous ? On ne peut pas rentrer à l'hôtel avec lui comme ça. »

Une vague de nausée me submerge, et j'essaie de trouver une excuse pour partir tôt avec Zahn, mon ancien caporal-chef. Quelque chose qui ne le mettra pas mal à l'aise. Quelque chose de sensé. N'importe quoi pour le sortir de là.

C'est à ce moment qu'une bagarre éclate au fond de la salle.

Un verre de bière se fracasse contre un mur en parpaings. « Tu veux te battre, fils de pute ? » gueule une voix jeune.

Instantanément, je me dis que Zahn, qui est parti depuis plus de cinq minutes chercher des bières, s'est attiré des ennuis. Je me précipite avec les autres dans la mêlée. Ils sont cinq ; nous aussi. Mais Zahn n'est nulle part.

J'évalue la situation. D'après ce que je comprends, un étudiant en licence à Tulane a balancé le verre en réaction à ce qu'il a perçu comme une offense de la part d'un ami de Zahn, l'un des plus inoffensifs du groupe. L'étudiant en question porte le col de son polo élimé remonté sur le cou et une casquette à l'envers. Une mèche de cheveux bruns tombe impeccablement sur son front.

Il avance, l'air menaçant, vers l'ami de Zahn jusqu'à ce que le pauvre gosse se retrouve dos au mur. Il se penche alors vers lui, bras tendus, bandant ses gros muscles inutiles qu'il a sûrement passé des heures à sculpter au gymnase de la fac, et sourit comme s'il avait attendu ce moment toute la journée.

Je m'approche dans l'espoir incertain de raisonner le garçon. Il devinera peut-être, à mon âge et à mon attitude, que j'ai quelques tours de piste au compteur. Il m'a peut-être même vu sur le campus. On est camarades de classe, en quelque sorte, ce qui devrait suffire à éviter une baston inutile. Je pose une main sur son épaule, pour dire quelque chose du genre : « Hé, on se calme, d'accord ? On va partir. Y'a pas de problème. »

Mais avant que je puisse ouvrir la bouche, il fait volte-face et me repousse. Violemment, des deux mains sur le torse. Ravi que les choses s'enveniment. Il sourit, et je sais qu'il est déterminé à en découdre.

Donc je prends appui sur mon pied arrière.

C'est alors que Zahn surgit. Avec la force d'une boule de bowling lancée à pleine vitesse, il fend la foule et s'interpose entre nous deux.

Col Remonté sent tout de suite que le vent tourne et s'avance pour se battre. Mais Zahn lui saisit le poignet. Tandis que Col Remonté s'efforce de rester en équilibre, Zahn s'empare de son bras, le fait pivoter d'un coup sec et lui bloque le coude dans le dos avant de l'obliger à se plier en deux. Le pauvre gars en a le souffle coupé. C'est moche.

Mais il ne s'agit que du premier round. Juste un éclair de douleur pour faire diversion. La main fermement plaquée sur le bas du dos de sa victime, Zahn appuie maintenant de tout son poids. Les muscles et ligaments de l'épaule, du coude et du poignet de Col Remonté se tordent méchamment.

À l'encontre de toutes les règles de bienséance, Col Remonté laisse échapper une plainte aiguë, presque un gémissement, tandis qu'une nouvelle douleur, plus intense, lui foudroie le bras. Zahn, comme s'il tenait un vélo entre les mains, fait avancer sa proie vers un coin du bar, et lui enfonce profondément un genou dans les adducteurs pour la clouer au mur.

« La différence entre toi et moi, souffle-t-il à Col Remonté avec un calme effrayant, c'est que je ne rigole pas quand je te dis que je vais te tuer. »

Enfin je le retrouve. Le Marine que je connaissais.

Col Remonté comprend aussi. Un frisson d'effroi lui parcourt l'échine : il sait instinctivement qu'il a affaire à un prédateur.

Je jette un coup d'œil aux amis de Zahn qui gardent tant bien que mal leur calme. Sans toutefois pouvoir se retenir de reculer imperceptiblement de quelques pas. Ils sont terrifiés, et cela me fait sourire. C'est Zahn l'adulte à présent. Et ses amis ? Des gamins affublés du costume de papa.

Je vérifie mon pouls. Stable. À peine plus rapide qu'en temps normal. La plupart des gens, les amis de Zahn par exemple, diraient que nous assistons à une bagarre. Cela ne me viendrait jamais à l'idée.

Nous sommes dans le monde animal. Il n'y a pas de règles. J'ai appris ça le jour où j'ai compris pour la première fois, vraiment compris, qu'un étranger cherchait à me tuer et que rien ne le ferait changer d'avis. Aucune parole ne me sauverait la mise. Pas de police à appeler. Et pour finir, rien entre moi et l'homme mort dans le fossé sinon la volonté que j'avais eu de l'y mettre, de déchiqueter son corps en petits morceaux sans même prendre le temps de me demander : Qu'est-ce qui se passe ? Où va cette étincelle ? Cette âme ? Un animal n'y pense pas. Ce genre de chose ne lui traverse pas l'esprit.

Col Remonté amorce un geste pour se libérer, comme s'il avait encore l'envie ou la fierté de se battre. Mais Zahn resserre sa prise et enfonce de plus belle son genou. Col Remonté grimace.

« Écoute-moi, souffle Zahn, je vais te laisser te relever maintenant. Et tu vas sortir directement par cette porte sans te retourner. »

Zahn a envie d'en dire plus, je le sens. Il voudrait expliquer à Col Remonté à quel point il lui serait facile de lui écraser la trachée. Il voudrait en apporter une froide démonstration. D'abord avancer sur sa proie en faisant mine de lui arracher les yeux. Puis, alors qu'elle panique pour se protéger et découvre sa gorge, lui faucher les jambes tout en la tenant fermement par un bras. Enfin, quand elle est au sol sans défense, soigneusement enfoncer l'arête du talon dans la gorge offerte.

Mais Zahn n'est plus caporal-chef, et l'homme qu'il a cloué au mur n'est pas un bleu auquel il peut donner des ordres. Donc il se contente de faire simple. « Ça me ferait ni chaud ni froid de te regarder mourir. Compris ? Ça t'amuse, ce genre de truc ? Moi pas. »

Zahn laisse à ses paroles le temps de prendre tout leur sens avant de lâcher prise. Col Remonté se lève. J'ai des fourmis dans le bout des doigts à l'idée que ce type puisse être assez bête pour ouvrir la bouche, mais il se dirige droit vers la porte sans un mot. Ses amis se hâtent de le suivre, dans le calme, comme on dit. En rang par deux. Des maternelles en plein exercice d'évacuation incendie.

Les amis de Zahn s'éclipsent aussi, après quelques brèves excuses. Donc Zahn et moi on retourne au bar finir nos bières comme si de rien n'était.

Puis Zahn remarque le livre dans ma poche. Je l'avais complètement oublié. « C'est Dodge qui vous a donné ce livre, mon lieutenant ? demande-t-il en souriant. Ou vous l'avez volé ?

– Je ne suis pas trop sûr, dis-je en culpabilisant du fait que mon plan ait si bien fonctionné. Je l'ai trouvé dans mes affaires le lendemain de son départ. Soit il l'a laissé là, soit quelqu'un l'a mis par erreur avec mon matériel après Ramadi… » Je déglutis. Gêné par la désinvolture avec laquelle j'évoque la question. Comme si Ramadi était une expérience que Zahn et moi partagions. Comme si ce n'était pas pire pour lui.

J'enchaîne, pour faire diversion : « Je l'ai lu quand j'étais gosse. Je me replonge un peu dedans. Il a pris plein de notes. Principalement en arabe, mais celles en anglais, c'est drôle. » J'avale une gorgée et ajoute : « Allez, arrête avec "mon lieutenant", maintenant.

– Vous avez eu des nouvelles de lui ?

– Qui ? Dodge ? » Comme si l'idée de le retrouver ne m'avait jamais effleuré. « Je ne connais même pas son vrai nom.

– Doc sait comment il s'appelle, je crois. Vous n'avez pas repris contact avec lui ? »

Doc. Mon sentiment de culpabilité s'estompe tandis que mon plan prend une tournure inattendue. Zahn me fait clairement comprendre que si je veux l'interroger sur Dodge, je vais devoir parler de Doc Pleasant.

De toute évidence, Zahn n'a pas oublié. Comment pourrait-il en être autrement ?

Avant que nous n'entrions dans le vif du sujet, le barman s'avance pour nous demander de partir.

Nous rentrons chez moi à pied par le chemin le plus long en savourant la fraîcheur de la nuit et en bavardant normalement, comme deux amis. Omettant tout ce qui devrait rendre la chose impossible.

Une fois chez moi, Zahn voit mon niveau de vie : un vieux canapé déchiré, une chaise unique et un matelas posé dans un coin. Cela semble le mettre à l'aise.

Il commence par parcourir mes piles de livres. « C'est quand même très révélateur, mon lieutenant.

– Ah oui ? De quoi ?

– Ces livres-là ? Ils sont tous sur les bateaux, non ? Et ils sont parfaitement alignés. Mais ceux-là ? C'est un bordel sans nom. J'ai l'impression que vous ne pensez pas tellement à la finance. »

Je me dirige vers le frigidaire pour prendre deux bières. « Ouais, ce n'est pas complètement vrai. La finance, ce n'est pas ce que je préfère, mais… ça va. J'ai toujours aimé les maths.

– Pourquoi vous reprenez les études ? Je croyais que vous en aviez fini avec tout ça y'a un moment déjà ?

– Je passe mon master. Se faire payer ses études par l'armée, c'est trop bien pour rater l'occasion. » Je lui ouvre une bière. « Et toi ? Tu penses en profiter ? »

Je regrette instantanément ma question. Nous discutions tranquillement, à l'abri des tensions hiérarchiques qui empoisonnaient si souvent notre Humvee, et il a fallu que je ruine le moment, alors qu'il ne m'avait rien demandé, avec mes conseils de lieutenant zélé.

Mais Zahn n'a pas trop l'air de se formaliser. « J'ai jamais vraiment été doué pour les études », répond-il, et on en reste là.

Nous buvons toutes les bières de mon frigo, et finissons fin saouls. Il s'assied sur le canapé, je m'allonge par terre sur le dos et nous restons ainsi, à parler jusqu'au bout de la nuit. De tout. De l'adjudant Stout. De Doc Pleasant et de Dodge.

Nous évoquons le jour où Marceau s'est mis aux claquettes. C'était de la satire au début, un truc pour couper court à l'angoisse précédant une attaque au mortier. Une nuit, alors que la sirène hurlait et que chacun se dépêchait d'enfiler son gilet pare-balles pour se protéger des impacts, Marceau avait traversé le cantonnement en enchaînant quelques pas de son cru, le casque sur la poitrine en guise de haut-de-forme de danseuse de cabaret, avant de conclure avec une belle série de moulinets. C'était devenu sa marque de fabrique. Même si j'ai assisté une douzaine de fois à ce numéro, c'était toujours aussi surprenant et hilarant. Tout entier dévoué à son art, il avait même commandé un coffret de DVD qu'il regardait sur son ordinateur pour apprendre les combinaisons pendant les heures de quartier libre.

Plus tard, à court d'histoires drôles, nous parlons de Gomez. Zahn est allé la voir à Dallas et a rencontré sa sœur.

Au début, quand je l'interroge sur elle, je l'appelle « le sergent Gomez ». Il me répond en la nommant par son prénom, Michelle. C'est un aveu de sa part, comme si je n'étais pas déjà au courant. Mais cela semble important pour lui, cette confession. Je me demande si son absence d'alliance a quelque chose à voir avec la question.

Je n'insiste pas.

« Et toi ? dis-je pour changer de sujet. Quoi de neuf ? »

Il hausse les épaules. « Je suis divorcé, lâche-t-il.

– J'allais te demander. Désolé.

– Et j'ai des migraines. Genre celles qui vous anéantissent. Je deviens bon à rien, vous voyez ? Je perds la notion du temps. Pendant des heures. Je me réveille dans des endroits où je sais même pas comment je suis arrivé.

– Je sais », je réponds, et quelque part c'est vrai.

« Je vais pas dire que c'est pour ça que j'arrive pas à garder un boulot. Mais bon, ça aide pas. Je suis allé au département des Anciens Combattants mais les commotions cérébrales, elles figurent pas dans mon dossier. C'est pas pris en compte.

– C'est parce que tu n'as pas eu la médaille violette des blessés de guerre, je dis avant qu'il ait à le faire.

– Ouais, c'est vrai. Je l'ai pas eue. »

Et c'est ma faute, évidemment. Lorsque Zahn a été touché, nous avons demandé une évacuation d'urgence ; sa température avait grimpé en flèche et son pouls était descendu en dessous de trente. Mais ça n'a pas compté. Il ne s'était pas évanoui plus de trente secondes, et il n'y avait pas de trou, pas de sang. Juste une commotion cérébrale. Donc pas de médaille. C'était la règle à l'époque. Je ne le savais pas. J'aurais menti sur les papiers si j'avais su.

« Et je fais des cauchemars, ajoute-t-il.

– Ouais, j'en faisais aussi, avant. » Je me redresse, relâche les épaules et affiche un air confiant. Comme lorsque j'étais lieutenant.

Ça m'aide à mentir. « Je rêve encore, d'ailleurs. Mais c'est différent maintenant. Deux fois par semaine, je me retrouve dans le ciel au-dessus d'un grand lac. J'observe. Des Marines à al-Taqadoum chargent des convois. Des hommes de Ramadi rôdent dans leurs taxis pleins de vieilles caisses et passent les postes de contrôle avec un calme imperturbable. Partout autour de Habbaniyah et de Falloujah. Juste au pied du plateau. Sous notre nez, le coffre truffé d'engins improvisés.

– Ouais, soupire-t-il. Je connais ça.

– Sauf que depuis peu, j'en fais un autre. Je traverse l'Atlantique en bateau à voiles. En solitaire. Une tempête s'annonce, le grain est noir et mauvais. Mais je ne suis même pas inquiet. Je grée les voiles tempête, tiens le bateau bout au vent et je m'attache au rail de fargues. La tempête se déchaîne, les vagues déferlent sur moi, mais je ne panique pas. Je laisse le vent m'emporter, je n'ai pas peur du tout.

– Hum, marmonne Zahn, attendant de voir où je veux en venir.

– Ça prend du temps, c'est tout, je mens. Au début, t'es dedans. Après, tu regardes. Ensuite, au bout d'un petit moment, tu fais des rêves complètement différents. Faut du temps. »

Il se lève pour aller chercher les deux dernières bières. « Et Doc Pleasant ? demande-t-il encore. Vous avez eu des nouvelles ? Il aurait peut-être besoin d'entendre ce genre de truc.

– Non. Enfin, je sais qu'il vit par ici. En Louisiane, quelque part.

– Vous devriez reprendre contact. Juste pour savoir comment il va.

– Peut-être.

– Ça serait bien pour vous aussi, si ça se trouve, mon lieutenant.

– M'appelle pas comme ça. »

Infirmier militaire Lester Pleasant
Au commandant de la première force expéditionnaire des Marines

Objet : Procès-verbal

J'ai appris par un avocat que je suis accusé d'avoir violé l'article 121 du Code unifié de justice militaire et que les charges retenues contre moi sont vol et appropriation illicite de la propriété du gouvernement.

Je sais que je suis l'objet d'une procédure de renvoi pour manquement à l'honneur. Je sais aussi que j'ai le droit de présenter une demande d'annulation de cette décision devant un tribunal administratif.

Toutefois, je renonce par la présente à cette possibilité. J'accepterai la décision de ma hiérarchie. Je n'ai aucune déclaration à faire pour ma défense.

Lester Pleasant

Marceau faisait le café tellement serré qu'on pouvait y planter une cuillère. Il disait qu'il avait appris à le préparer dans le sous-sol de l'église méthodiste de Cedar Rapids où il allait avec ses parents. Pendant qu'ils installaient les chaises pour les réunions, ils lui demandaient de s'en charger. Histoire de l'occuper, j'imagine.

Les toxicomanes et les alcooliques aiment le café fort, mais le petit Marceau l'ignorait. Il a juste grandi en pensant que c'était normal. Que le café, s'il était pas aussi épais que du goudron, il valait que dalle.

Les autres Marines de la section l'ont trouvé dégueulasse, au début. Ils ont viré Marceau de la machine à café du mess. Mais au bout d'un moment, quand les nuits sans sommeil ont commencé à s'accumuler, le sergent Gomez l'a réaffecté au café. En l'engueulant un bon coup, pour la forme, évidemment. Comme si c'était lui qui avait décidé de cesser de le faire. Mais il s'en foutait, Marceau. Il s'est contenté de sourire. Ça semblait jamais l'atteindre, ce genre de truc.

Du vrai café, comme celui que Marceau préparait ? Voilà pourquoi je continue de venir à ces réunions. Évidemment, j'ai pas grand-chose d'autre à foutre ces temps-ci. Mais du vrai café ? Ça m'attirerait dans n'importe quelle circonstance.

J'avale trois gorgées pendant qu'un gros dur barbu s'avance pour recevoir sa médaille de trente jours de sobriété. Rentre tout juste du Golfe, ce gars. À peine débarqué du navire de soutien. Il porte encore sa combinaison bleue pleine de vase. S'est même pas arrêté

26

chez lui pour se changer ou prendre une douche. On l'applaudit et il sourit comme s'il venait de gagner quelque chose.

Il la voulait tellement, cette médaille. Il voulait l'avoir dans la poche avant de rentrer chez lui et de passer devant tous les bars qui bordent la route. Des endroits qui lui encaisseraient son chèque sans problème. Je le vois bien quitter le navire de soutien en panique, démarrer en trombe en faisant crisser le gravier, laisser les quais derrière lui, et griller les feux rouges jusqu'à l'église baptiste de Houma. Un vrai stressé, quoi. Il empoigne cette médaille comme si c'était une question de vie ou de mort. Comme si ça signifiait vraiment quelque chose. Mais tôt ou tard, quand il se rendra compte que c'est juste une putain de médaille, il laissera tomber. Il entrera dans le premier bar venu et il craquera avec bonheur.

Les applaudissements faiblissent et la réunion s'achève.

Les baptistes se rassemblent en cercle pour prier.

Les athées se rapprochent du café pour demander à l'univers, ou autre, un peu de sérénité.

Je me fraye un chemin entre ces derniers, sors par la double porte vitrée et me retrouve sur le parking désert.

La nuit est froide maintenant. Première nuit froide de l'hiver. Je cours jusqu'à ma camionnette, les mains enfoncées dans les poches. Le chauffage ne fonctionne plus depuis des années, et la vitre côté conducteur ne ferme pas complètement. J'ai retiré le tapis de sol pour éviter que ça pue quand il pleut à l'intérieur. Je ferme jamais à clé. Après une petite ronde d'inspection – une vieille habitude, j'imagine –, je m'installe au volant.

Mon sac médical est posé sur le siège passager. Une autre vieille habitude. J'ai des ciseaux et des compresses là-dedans. Quelques rouleaux de sparadrap. Une bande élastique et un garrot. Je l'ai fabriqué moi-même. Une sangle attachée à une cuillère en bois avec du velcro cousu dessus. Ça marche bien.

J'ai aussi une attelle que j'ai découpée dans une vieille tête de lit, et trois mètres cinquante de cordes. J'ai même un paquet de pansements hémostatiques. Que j'ai piqué au poste médical avancé de Baharia et passé en contrebande à travers le Koweït quand ils m'ont renvoyé au pays. Ça réagit au fer présent dans le sang, ce truc. Ça cautérise tout. Suffit de l'appliquer sur une sale blessure et de laisser cramer. Ça sent carrément le brûlé.

J'ai tout mis dans mon vieux sac à dos du lycée. Un JanSports vert. Ça rentre. Même si j'aimerais avoir plus de place. Pouvoir m'organiser comme il faut. J'aurais besoin de plus de compartiments. Y'a que le gros pour les livres et le petit pour les stylos.

Le sac, il est couvert de graffitis au marqueur noir. Des trucs que je griffonnais à l'époque. Des noms de groupes principalement. Et nuls, avec ça. Des groupes que même Dodge aimait. Genre Judas Priest. Quand je vois ça maintenant, je me dis : *Merde, Judas Priest.* Bref, c'est comme des peintures rupestres pour moi. Gribouillées à la lumière d'une torche avec un morceau de charbon par un homme des cavernes qu'avait rien d'autre à foutre.

J'ai presque tout ce qu'il me faut, pourtant, là-dedans. Et stratégiquement organisé, avec ça. Les bretelles et les boucles sont sécurisées au ruban adhésif toilé. Y'a rien qui bouge. Rien qui fait du bruit. Mais bon, j'aimerais quand même avoir plus de compartiments.

Je quitte le parking et prends la route de la levée, en direction du sud. Il est tard et il fait froid, mais papa est sûrement encore dehors, dans la grange. Mon sang ne fait qu'un tour rien que d'y penser ; et maintenant je vais ruminer ça pendant tout le trajet. Quel con.

C'était pas une coïncidence, qu'il se lance dans cette histoire de tracteur au moment où je suis rentré à la maison. Il avait besoin de penser à autre chose que mes conneries, et je le comprends. Mais ça fait des années maintenant, et il continue d'essayer de réparer ce truc. Et il est pas adroit, avec ça. Il va faire basculer un cric un de ces quatre en attrapant une clé ou je ne sais quoi. Il va trébucher dessus, à pas regarder où il met les pieds. Faut faire gaffe où on met les pieds.

Il s'est réfugié dans la grange, et je suis allé dans ma chambre rassembler le matos pour mon sac médical. Deux boxeurs qu'en finissent pas d'attendre la cloche, chacun dans son coin. Et depuis tout ce temps, je réfléchis au chemin le plus rapide pour accéder à la grange. J'organise mon sac. Soigneusement.

Ça m'a aidé à me concentrer, au début. À me calmer. Je l'ai même emporté avec moi à mon premier entretien de boulot. Un poste d'ambulancier. Je pensais arriver et dire au réceptionniste : « Hé, je suis infirmier militaire. Je rentre juste d'Irak. J'étais au front avec les Marines là-bas. J'ai tout vu. Blessures par balles. Amputations. Tout. Donc je saute dans la prochaine ambulance et je commence maintenant si vous voulez. »

C'était pas si simple, évidemment. En plus de la candidature, ils voulaient voir des trucs. Des documents militaires et tout. Je me suis énervé, j'ai menti et j'ai dit à la femme que j'avais ça dans ma camionnette. Elle m'a regardé, avec mon gros sac à dos sur l'épaule, et elle a haussé les sourcils. Genre : « Et qu'est-ce que vous avez là-dedans, alors ? »

Je suis reparti dans ma camionnette et j'ai frappé le plafond. Encore et encore. J'ai fini avec le poing en sang. Espèce d'abruti. Tu croyais qu'ils demanderaient rien ?

Donc je suis resté à me tourner les pouces pendant quelques mois, jusqu'à ce que j'aie plus du tout d'argent. Ensuite, j'ai repris un boulot au centre de vidange express. Là où je travaillais quand j'étais au lycée, à faire les mêmes trucs qu'avant. Tous mes potes sont partis maintenant, et depuis des années. Ils finissent leurs études à Nicholls ou ils bossent sur les plateformes pétrolières. Certains, comme Landry et Paul, glandouillent à La Nouvelle-Orléans.

Je suis allé les voir là-bas, Landry et Paul, plusieurs fois. Ils m'envoient encore des messages de temps à autre pour m'inviter à passer le week-end avec eux. Ils essaient toujours de me convaincre de déménager de chez mon père. Landry m'a écrit il y a deux ou trois jours. Avec Paul, ils commencent un nouveau groupe, et il veut que j'aille les voir jouer. Ils tentent un nouveau truc, juste tous les deux. Y'aura des filles au concert, il a dit. Des étudiantes.

Je rentre à la maison plus vite que je devrais ; je fonce, quitte l'autoroute et fais crisser le gravier en arrivant. Les lumières sont allumées dans la grange. Je m'en doutais. Quel con.

Je me gare et trimballe mon sac médical jusqu'aux marches du perron. La porte grince sur ses gonds et je pense aux crics rouillés qui surélèvent ce putain de tracteur. Les tiges vont lâcher un de ces quatre, et le tracteur va lui tomber dessus. Je l'imagine coincé sous l'essieu, la jambe écrasée qui pisse le sang. Tout ce sang épais et rouge. Épaissi par l'oxygène qui va pas là où il devrait. L'oxygène qui détrempe le sol.

Et quand le sang coule directement sur la terre, les plantes poussent super bien. Je savais pas ça avant. Là-bas, on passait tout le temps par les mêmes chemins, et aux endroits où je savais qu'il y avait eu beaucoup de sang... c'était vert, pardi !

Mais papa... il a toujours été maladroit. M'a fait sauter l'incisive supérieure gauche quand j'avais douze ans. On travaillait sur ma camionnette, enfin celle qui est devenue la mienne. Il s'est retourné sans faire attention et il m'a flanqué un coup de clé à molette. Ça m'a fait un beau gros trou dans le sourire. Quand je me suis engagé, c'était comme si j'avais écrit sur la figure : LESTER PLEASANT : S'ENGAGE DANS LA MARINE POUR FUIR LA PAUVRETÉ DU SUD. Je ne m'étais jamais vu sous cet angle. Savais même pas que ma dent en moins sautait aux yeux comme ça. Mais à l'armée, on m'a tout de suite repéré.

Les autres recrues de la formation paramédicale, tous ces premiers de la classe, ils arrêtaient pas de dire que grâce à l'armée ils allaient pouvoir se dégoter des boulots bien payés comme urgentistes ou ambulanciers une fois rentrés à la maison. Qu'ils étaient là seulement pour la bourse d'études.

« La bourse d'études..., ils disaient. Je vais faire mes quatre ans à la pharmacie à distribuer des cachets, et après je m'inscrirai à l'école d'infirmiers avec cet argent. »

Là-dessus, ils me regardaient comme si quatre ans avec moi était le prix à payer. Mais putain je leur ai montré de quoi j'étais capable, à la minute où j'ai mis les mains sur la trousse de secours. C'était comme si j'étais né pour ça. Ils ont bien vu. Tous ces premiers de la classe. Et les instructeurs aussi. Aucun d'entre eux savait poser un drain thoracique comme moi, ou fixer une attelle, ou pratiquer une trachéotomie d'urgence. J'ai eu tout bon aux examens aussi. Un talent inné, quoi.

J'ai eu les meilleurs résultats. Donc, à la remise des diplômes, ils m'ont laissé choisir mon affectation. J'ai pris infirmier dans la première force expéditionnaire des Marines. Une recrue, une fille de l'Ohio, a carrément éclaté de rire pendant la cérémonie. Genre : « Mais pourquoi il a choisi les Marines ? »

Si je la revoyais aujourd'hui, je lui dirais qu'avec les Marines, j'ai pas entendu une seule fois les mots « bourse d'études ».

Mais quand je suis rentré à la maison, j'ai eu l'impression de revenir dans le temps. À commencer par la fête de bienvenue. « Alors, tu vas aller à la fac maintenant ? Tu vas profiter d'une bourse d'études ? »

C'est papa qui avait organisé cette fête. Pourtant, je lui avais demandé de ne pas le faire. Je crois qu'il avait pas du tout compris ce que « renvoyé au pays » signifiait. Il était juste fier, j'imagine. Vraiment fier.

Oncle Chuck et tante Linda lui ont prêté leur maison au bord du Bayou Teche. Ils avaient accroché une banderole qui disait QUE DIEU BÉNISSE L'AMÉRIQUE. Le genre de banderole qu'on trouve à l'hypermarché. Avec lettres capitales et drapeau. Oncle Chuck et tante Linda ont tout payé. Ils ont invité beaucoup de gens que je connaissais pas. Y'avait plein d'enfants. Et toute la nuit, ils ont chahuté dans la piscine en criant. Bon Dieu, ils ont pas arrêté de crier.

Mes cousins sont venus en voiture de Baton Rouge aussi. Ils commençaient juste la fac à l'époque. Ils se sont rassemblés autour de moi pour me poser des questions.

« T'as tué des gens ? » « C'est comment de tirer à la mitrailleuse ? » « Devait faire chaud dans le désert, hein ? »

Ensuite, ils se sont raconté des histoires, de bars principalement. Même pas des histoires, en fait. Juste qui était là, et comment ils se sont saoulés. Au bout d'un moment, ils ont commencé à parler de ce qu'ils allaient faire à Baton Rouge ce soir-là, donc je suis parti vers la glacière pour prendre un Coca.

En chemin, j'ai entendu oncle Chuck dire à mon père : « Je ne comprends pas ce qu'il entend par "réformé". Franchement, si c'est pas avec les honneurs, c'est que c'est autre chose. Merde, dans l'aviation, j'ai été libéré de mes obligations militaires avec les honneurs après être resté trois ans à rien faire en Allemagne. C'est pas si dur ! »

Et je peux pas dire que je suis devenu aveugle, pas vraiment. Parce que j'ai vu des choses. Mais l'espace de quelques minutes, je me suis retrouvé en dehors du monde. J'entendais, pourtant. Comme si j'étais assis à une table de cuisine et que j'écoutais deux adultes en train de se battre dans le salon.

Je suis revenu à la réalité alors qu'on se bagarrait dans le patio. J'avais un goût de sang dans la bouche et j'ai senti celui d'oncle Chuck étalé sur ma joue. Sa lèvre était ouverte. J'ai entendu les gamins crier à nouveau, mais plus de bruits d'eau. Mes cousins, les fils d'oncle Chuck, nous ont séparés pendant qu'il me traitait de putain de psychopathe. Tous les deux on se débattait pour continuer de se taper dessus.

J'ai senti une autre main, rêche et calleuse, sur mon front. C'était mon père.

« S'il te plaît, Les, m'a-t-il chuchoté à l'oreille. Allez, s'il te plaît ? »

Donc j'ai laissé tomber. Me suis détendu, et mes cousins ont fini par me lâcher. Pendant tout ce temps, mon père a maintenu sa main sur mon front, doucement. Il m'a escorté en dehors du patio bondé, et a voulu me prendre dans ses bras. Mais je l'ai repoussé. En m'éloignant, je l'ai entendu s'excuser auprès d'oncle Chuck et tante Linda pendant qu'ils le sermonnaient en lui rappelant combien ça leur avait coûté d'organiser cette fête et combien je m'étais montré ingrat même avant que ça dégénère.

Fin des discours héroïques après ça. Fin des vacances en famille, aussi. Je suis parti en camionnette le long de la levée et j'ai trouvé un coin tranquille sous des cyprès au bord de l'eau. Y'avait que les insectes qui bourdonnaient, rien que des branches par terre, et des feuilles exactement là où les arbres les avaient laissées tomber.

Après m'être calmé quelques heures, je suis rentré à la maison et j'ai demandé pardon à mon père. C'est à ce moment-là que j'ai décidé de rester à Houma avec lui. Abandonné l'idée de déménager et de me trouver un chez-moi.

Papa. Il va geler là-dehors, dans cette grange. Je m'approche de ma fenêtre de chambre et sens l'air froid s'infiltrer. Est-ce que je vais devoir le traîner par le col de chemise pour le ramener à la maison ?

Je secoue la tête, toute cette frustration qui me bouffe, et je retourne à mon ordinateur, où le message de Paul et Landry apparaît sur l'écran, encore ouvert. C'est une invitation Facebook d'un nouveau groupe de heavy metal baptisé Vermin Uprising, autrement dit « la révolte de la vermine ». Ils donnent un concert à La Nouvelle-Orléans. Dans un bar qui s'appelle Siberia. Peut-être qu'ils invitent tous ceux qu'ils connaissent à ce truc. Et alors ? Je vais faire un aller-retour en voiture pour la soirée. Histoire de dire bonjour. Je clique sur « accepter », après quoi je navigue sur Facebook pendant un moment. Je regarde les gens que je connaissais au lycée. Sont tous mariés et ont tous des gosses maintenant.

Sur un coup de tête, je décide de chercher Dodge. J'utilise son vrai nom d'abord – Kateb. Rien. Donc je lance une recherche sur Google avec « interprète irakien Dodge ». Toujours rien.

Il a peut-être changé de nom, ce qui ne serait pas une mauvaise idée. Ou peut-être qu'il est mort. J'abandonne, ferme l'ordinateur portable et retourne à la fenêtre pour observer les lumières dans la grange, en me demandant quand il va s'arrêter là-dedans, que je puisse dormir.

---

*Département d'État américain
à M. Kateb al-Hariri. Sousse, Tunisie.*

Le bureau des Affaires consulaires n'a pas été en mesure de véri-fier que vous avez bien été employé en tant qu'interprète par les forces armées américaines au service de l'opération « Liberté pour l'Irak ». Les archives du département de la Défense ne font aucune mention de votre nom, ni du pseudonyme (Dodge) sous lequel vous affirmez avoir travaillé. En conséquence, votre demande de statut d'immigrant particulier a été refusée. Vous pouvez faire appel de cette décision en présentant un nouveau formulaire I-360, incluant d'autres détails, documents et réfé-rences, à la personne du service social qui étudiera votre dossier. Pour l'année 2009, le département de la Défense des États-Unis permet de délivrer jusqu'à 500 visas d'immigrant particulier aux traducteurs et interprètes irakiens qui ont œuvré pour l'armée américaine, mais selon nos estimations le nombre de demandes va excéder le quota annuel. Nous vous suggérons donc d'envisa-ger plutôt une demande de visa étudiant.

Ces gamins, ces gamins du Missouri

Les Américains m'ont envoyé cette lettre par la poste tunisienne. Quelqu'un au bureau de tri, un agent de la police secrète, a ouvert le courrier avant que le facteur ne l'apporte ici chez moi. Un aigle et une branche d'olivier, les symboles américains, figurent sur l'enveloppe. L'agent de la police secrète a certainement fait une copie de la lettre, noté l'adresse, et inscrit mon nom sur une liste. Pire encore, les intégristes d'en bas, avec leurs grosses barbes et leur air revêche, m'ont vu prendre l'enveloppe et doivent maintenant se demander qui est vraiment ce petit Irakien timide.

Les Américains cherchent encore à se débarrasser de moi.

Dans les toilettes au fond du couloir sombre, je brûle la lettre et l'enveloppe au-dessus de la cuvette et tire la chasse d'eau. Je devrais moins penser à l'Amérique et plus à poursuivre mes études à l'université de Sousse. Leur campus est joli, près de la mer, avec ses bâtiments anciens blanchis à la chaux rehaussés de bleu. Franchement, tous les édifices ici à Sousse sont beaux, bon nombre d'entre eux sont même décorés de motifs élégants. Pas étonnant que les Européens affluent avec leurs appareils photo et leurs crèmes solaires, et se prélassent sur la plage en attendant que je leur serve un verre.

Les façades blanchies à la chaux me font penser à Tom Sawyer et sa clôture, ce qui me rappelle encore une fois que je devrais plus me concentrer sur ma thèse et moins sur le rêve américain. Ma thèse reste la clé de tout. Il faut que je me souvienne des parties que j'ai perdues à Bagdad, et que j'approfondisse mes nouvelles idées. C'est mon seul moyen pour prétendre à une carrière académique.

Plein de bonnes intentions, j'ouvre le document dans mon ordinateur et je ris. Parce que c'est impossible, bien sûr. Ma thèse ? Elle est entièrement consacrée à l'Amérique, mec. Là où je n'ai jamais mis les pieds. De toute façon, inutile d'essayer d'écrire avec le vacarme des émeutes. C'est trop bruyant pour penser.

Dehors, les étudiants lancent des briques et scandent le nom du président. Ils appellent la jeunesse à descendre dans la rue pour soutenir leur révolution. Ils chantent l'hymne national tunisien et *Touness bledna* (« Tunisie notre pays ») du rappeur El Général. Ce qui ne lui rend pas vraiment service. Je parie que le président Ben Ali ne va pas tarder à le faire arrêter.

Maintenant, ils appellent aussi le président à les rejoindre. En pensant qu'il va répondre de ses actes ? Absurde.

Toutes les nuits depuis une semaine, la foule se rapproche des bureaux du gouvernorat et de la place principale. Aujourd'hui, j'ai entendu des touristes anglais sur la plage qui se demandaient s'ils devaient quitter le pays. Ils racontaient que les émeutiers à Tunis ont atteint les grilles en fer forgé du palais présidentiel la nuit dernière. C'était de la folie. La police antiémeute les a repoussés et a fait couler quelques gouttes de sang dans les rues. Le président Ben Ali va leur envoyer l'armée et là, le vrai bain de sang va commencer.

Par ma fenêtre, je vois les gyrophares rouges des forces de l'ordre qui clignotent à travers la fumée et les gaz lacrymogènes. Les heurts n'étaient pas si près de notre appartement il y a une heure. La police pourchasse les manifestants. Ils se dirigent par ici, et les services secrets vont suivre avec des listes. Si ça se trouve, ils auront une copie de cette lettre américaine. Ils vont peut-être se présenter à ma porte et se rendre compte que le nom sur mon passeport syrien n'est pas celui qui figure sur la lettre.

Mes colocataires sont là, dehors. Des étudiants un peu coincés de l'université qui s'éclatent avec les filles et les jeunes dans la rue. Ils voulaient que je les accompagne ce soir, mais j'ai décliné. « Sortez vous amuser sans moi », je leur ai dit. « J'ai déjà donné chez moi. En plus, je dois travailler demain matin. Les touristes anglais sur la plage ont encore besoin de boire des coups avant de décider quoi faire. »

Je m'assieds devant mon ordinateur et rouvre ma thèse. Les doigts sur le clavier, je me demande par où commencer et m'efforce de me rappeler où je me suis arrêté. Je me souviens de Bagdad, des années plus tôt, de mon premier rendez-vous avec le professeur al-Rawi. Le jour où nous avons discuté des *Aventures de Huckleberry Finn*, de Mark Twain, son livre favori et son Américain favori.

Il m'avait spécialement demandé de lire le livre pendant les vacances, alors que les autres étudiants d'anglais bullaient chez eux. Chaque jour, je me rendais dans son bureau sur le campus de Karrada et il m'expliquait ce que je n'aurais jamais pu comprendre seul à l'époque.

Franchement, tout m'échappait au début. L'écriture de Mark Twain. La façon de parler des personnages du livre, si ignorants et rustres. La raison pour laquelle les Américains de nos jours considèrent cette histoire de sales gosses comme un chef-d'œuvre.

« Kateb, il faut que tu replaces les choses dans leur contexte, me disait le professeur al-Rawi. Ce que le lecteur américain savait à l'époque, ce que les Américains d'aujourd'hui ont oublié, et ce que tu ne peux certainement pas comprendre. Ce n'était pas juste des gamins qui élaboraient des plans stupides dans des grottes. Ils grandissaient à la veille d'une guerre. Comploter pour mettre sur pied un gang de voleurs, c'était humoristique comme lecture pour les Américains du XIXe siècle.

– Et pour les Américains d'aujourd'hui ? »

Il a allumé une cigarette.

« Aussi. Mais pour d'autres raisons. Tu vois, les Américains d'aujourd'hui… ont la mémoire courte. La guerre de Sécession a éclaté dix ans après les manigances de Huck et de Tom. Ces gamins, ces gamins du Missouri, ils se seraient entre-égorgés dans cette guerre. Et pour quel camp ils auraient combattu ? Ils n'auraient pas eu le choix. Ça se serait décidé dans leur enfance, tu comprends. »

Nous sommes restés silencieux tandis que je réfléchissais à ce qu'il venait de dire.

« As-tu déjà imaginé Huck Finn en train d'égorger Tom Sawyer ? a-t-il demandé.

– Non.

– Tu devrais, Kateb. Tu devrais y penser. » Puis il a souri, comme s'il savait depuis le début ce qui allait nous arriver.

Une grenade explose dehors. Une grenade assourdissante, je dirais, ça fait un vrai barouf mais je n'entends pas de projection de shrapnel sur les pavés. Les grenades mortelles, je le sais, font juste le bruit nécessaire.

L'émeute se rapproche. L'électricité va bientôt être coupée, et je n'ai que ce vieil ordinateur de bureau sans batterie de secours. Du coup, écrire est risqué, il faut que je sauvegarde souvent mon travail. Je m'interromps, enregistre mon document et le ferme. Ensuite, je me dis que tant qu'il y a de l'électricité je devrais surfer sur Internet pour passer le temps. Je vais sur quelques sites porno pour me changer les idées, mais ça ne marche pas.

Très vite, je lance une recherche sur Pleasant, et sur le *mulazim* aussi. C'est ce que la lettre américaine me suggérait de faire. Trouver des Américains qui me connaissent. Des Américains susceptibles de confirmer ma bonne foi. Des Américains en mesure d'écrire une lettre affirmant : « Kateb. Oui, je le connais. Il a servi avec nous. C'est un homme bien. Il nous a aidés. »

Je trouve rapidement Pleasant, sur Facebook. Mais le *mulazim* ? Insaisissable, comme s'il se cachait.

Je commence à écrire à Pleasant : « Salut mon pote, cinglé de Lester, c'est Dodge. » Puis je quitte Facebook sans envoyer mon message.

Après quoi, même si je sais que je ne devrais pas, que c'est inutile et que rien de bon ne pourra en sortir, je visionne à nouveau la vidéo de Mohamed Bouazizi. Celui par qui le soulèvement a commencé. Quand il s'est immolé devant la préfecture de Sidi Bouzid. Je l'ai déjà beaucoup regardée. On a quasiment le même âge. Et il est mince, comme moi. Il pleure et se frappe le visage. Il s'arrose le dos de white-spirit en hurlant comme une bête sauvage, et quand il craque l'allumette, il se calme soudain. Comme s'il savait que ça marcherait. Que la révolution éclaterait après lui.

Les médias étrangers, ceux qu'on peut encore consulter sur le Net, affirment que Mohamed Bouazizi est à l'hôpital, toujours vivant. Je vérifie plusieurs fois par jour l'évolution de son état de santé, sans raison valable. Je ne le connaissais pas. Je ne suis même pas tunisien. Pourquoi ça me touche autant ?

Quoi qu'il en soit, je trouve quand même idiot de descendre dans la rue pour scander son nom. Qu'est-ce qu'ils croient ? Que le président Ben Ali va démissionner parce qu'un vendeur ambulant de fruits et légumes a fait craquer une allumette ? Que sous prétexte que les jeunes ont tous des caméras sur leurs portables maintenant, il va se priver de les éliminer à la mitraillette ou à coups de barre de fer ?

Une idée me vient et je retourne à ma thèse pour écrire quelques lignes, vite fait, avant de cesser de travailler pour la soirée. Je cherche le passage sur la culpabilité de Huck et ajoute un paragraphe.

« Huck a confiance en la veuve Douglas. Il croit tout ce qu'elle dit sur le bien et le mal. Il admet même qu'il ira en enfer, comme elle l'affirme, en ajoutant toutefois que peu lui importe à condition que Tom l'y rejoigne. Il veut faire ce qui est bien pour ses amis tant qu'il est sur terre, même s'il sait que c'est mal. Son envie constante d'aider le vieux Jim, en particulier, suscite en lui un terrible sentiment de culpabilité, comme s'il trahissait la veuve. »

Tout à coup, un bruit sourd retentit et le courant est coupé. L'écran de mon ordinateur devient noir et je perds ces lignes. Mais peu importe. J'ai déjà changé d'avis sur la question.

Je reste assis dans la pénombre et écoute les clameurs dehors avant de me lever pour m'approcher de la fenêtre. Il n'y a plus de chauffage. Je cherche à tâtons mon manteau et l'enfile par-dessus mon pull. C'est un beau manteau, oublié par un touriste français à l'hôtel. Les patrons m'ont autorisé à le prendre quand ils ont compris que je n'avais pas beaucoup de vêtements d'hiver.

La foule va déboucher au coin de la rue d'un moment à l'autre, et je me demande si mes colocataires seront parmi les manifestants. Je me demande si je devrais descendre pour prendre part aux événements. À cette révolution.

Ensuite, je pense à Lester, sa photo sur Facebook me revient à l'esprit. Je me demande s'il m'aidera, s'il a même intérêt à le faire. Je me demande où trouver le *mulazim* Donovan, si ce n'est pas sur Facebook. Je prends des notes dans le noir. Universités. Journaux. Endroits où le chercher.

Professeur Liebert,

Comme convenu, veuillez trouver ci-joint l'extrait de mon dossier militaire, ainsi que le détail du module de formation à l'exercice de l'autorité (équivalant à plus de trente heures par semestre) que j'ai suivi en tant qu'élève officier à la base du corps des Marines de Quantico. Encore une fois, je vous demande de bien vouloir prendre en considération ces acquis afin que je sois dispensé du cours Management 901 : dynamiques du leadership et éthique des affaires.

Avec mes salutations respectueuses,
Peter Donovan

Dynamiques du leadership

Les chaises avec tablette intégrée sont disposées en amphi-théâtre. Les rangées en demi-cercles concentriques s'élèvent de l'estrade en terrasses successives recouvertes de moquette. Un ancien élève fortuné – dont le nom figure sur une plaque de bronze fixée à la porte que je n'ai jamais pris le temps de lire – a payé les travaux de rénovation dans le cadre du financement de la chaire « Leadership et éthique des affaires » du professeur Liebert.

L'université a conçu cette salle de conférences pour un ensei-gnement moderne et multimédia, mais n'a manifestement jamais soumis l'idée à Liebert. Cela fait trente ans qu'il est titulaire de son poste, donc personne ne peut se plaindre s'il refuse de com-muniquer par e-mails ou d'utiliser Powerpoint. Même les tableaux blancs lui déplaisent. Il peste constamment sur la disparition des craies.

Voûté, Liebert parcourt la salle, les mains croisées dans le dos. Ses cheveux gris et hirsutes se balancent légèrement d'un côté à l'autre tandis qu'il jette des coups d'œil à nos écrans d'ordinateur pour s'assurer que nous ne sommes pas en train de relever nos e-mails ou de visionner une vidéo, alors que, sur l'estrade, Paige Dufossat présente l'étude de cas de la semaine. Le semestre touche à sa fin. Nous rendrons nos dernières dissertations dans quelques semaines, et je commencerai mon stage d'hiver chez Poydras Capital, une société d'investissements du centre-ville.

Après ma nuit avec Zahn, j'ai encore une sérieuse gueule de bois. Connaissant les habitudes de Liebert maintenant, j'ai dissi-

42

mulé *Vingt Petits Voiliers pour vous emmener n'importe où* dans mon manuel de cours. C'est la seule chose qui m'empêche de piquer du nez. Je passe l'heure à examiner les dimensions et les caractéristiques d'un Pearson Triton de huit mètres cinquante car j'ai appris qu'une épave de ce modèle avait été abandonnée à West End après Katrina. Le capitaine du port me la laissera peut-être gratuitement si je me débrouille pour venir la chercher à mes frais.

Je n'ai pas lu le sujet de la semaine, mais d'après ce que j'ai entendu d'une oreille distraite, il s'agit d'une chaîne de fast-foods qui s'implante sur le marché chinois. Paige formule ses conclusions. C'est maintenant qu'elle ne peut que se vautrer. Liebert a coutume de torpiller toutes les idées qui ne sont pas les siennes. Nous le savons tous à présent. Elle s'appuie sur le bureau et rejette, d'un bref mouvement de tête, ses longs cheveux bruns derrière ses épaules tout en se tournant vers le professeur Liebert.

« Donc, selon moi, déclare-t-elle, stoïque, le manque d'empathie du responsable pour une culture étrangère et ses réticences à s'adapter à la mentalité chinoise ont conduit aux difficultés de management dans la chaîne d'approvisionnement ce qui, en conséquence, a freiné les efforts de développement. »

Elle sait ce qui l'attend. Je le vois sur son visage. Ou peut-être est-ce l'expression normale de ses traits délicats que je prends pour de la peur. Elle n'a pas franchement l'allure d'une « femme d'affaires sans merci », comme certaines autres filles de la classe. La plupart se pointent sur le campus en tailleur et talons hauts, mais Paige est plus jean et tee-shirt, sans maquillage la plupart du temps. Ce qui lui va bien et fait ressortir ses yeux bleu pâle et son nez retroussé.

Je ne saurais dire de quelle couleur sont les yeux de mes autres camarades de classe. Et encore moins imaginer quiconque affirmer que le « manque d'empathie » puisse causer l'échec d'une entreprise. Paige ne peut pas s'attendre à ce que le professeur Liebert accueille favorablement ses hypothèses. Elles en deviennent intéressantes, du coup. Je me demande où elle veut en venir. Je ferme mon manuel et son passager clandestin, me redressant pour la première fois depuis une heure.

Liebert monte sur l'estrade, pose une main sur le bureau, suffisamment près de celle de Paige pour la mettre mal à l'aise, et dit, dos à la salle : « A-t-il vraiment manqué d'empathie, mademoiselle Dufossat ? Il me semble au contraire que le responsable en avait beaucoup. Il a de toute évidence compris les sentiments de ses collègues chinois. Mais il a simplement refusé leurs standards médiocres. Refusé de mener ainsi les affaires de cette société et de son employeur. Est-ce faire preuve d'empathie, mademoiselle Dufossat, que de se plier à la médiocrité ? Ou est-ce au contraire faire preuve d'une capacité de leadership hors du commun que de s'y refuser ? »

Paige se garde bien de répondre. Elle serre les lèvres, recule d'un pas sur l'estrade. Mais, alors que Liebert avance pour prendre sa place, quelque chose dans le bref signe de tête qu'elle lui adresse m'interpelle. Derrière cette bouche tendre et ce petit nez, je distingue un vague mais déterminé « Va te faire foutre ».

« N'importe quel dirigeant digne de ce nom aurait cherché à modifier l'approche chinoise », reprend Liebert avec assurance. Comme s'il formulait une évidence, certes, mais essentielle. « Un dirigeant doit faire preuve d'empathie, bien sûr, pour comprendre la mentalité de ses subordonnés. Mais un bon dirigeant se sert de ce savoir pour la modifier, justement. Le leadership, ma petite, la capacité à diriger ses subordonnés, c'est les amener à évoluer afin qu'ils soient mieux équipés, plus motivés, pour atteindre les buts que vous avez fixés. »

Je gémis involontairement, pour réprimer une nausée. Je replie mes jambes sous ma chaise, plante mes coudes sur la table et me prends la tête dans les mains. Lorsque je relève les yeux, toute la classe m'observe.

« Vous songez à quelque chose, monsieur Donovan ? demande Liebert en souriant.

– Non, j'ai juste un peu mal partout. » Je mens. « Je ne voulais pas vous interrompre.

– Voyons, monsieur Donovan, j'espérais vous entendre vous exprimer sur la question ce semestre. Étant donné l'expérience approfondie que vous avez en matière de leadership, paraît-il.

– Oui, enfin, pas tant que ça.

– Je vous en prie, monsieur Donovan. Vous avez fait la guerre, n'est-ce pas ? Vous étiez officier dans... quel corps d'armée déjà ?

– Le corps des Marines.

– Et vous étiez au front, non ? En Irak, c'est ça ?

– Oui. » Il sait tout cela, et il commence à m'énerver. Mes camarades de classe se tournent sur leurs sièges pour mieux voir, pressentant, comme moi, que cet interrogatoire va durer jusqu'à la fin du cours.

« Donc on peut supposer que vous avez eu recours aux principes du leadership pour aborder cette culture étrangère, n'est-ce pas ?

– Pas vraiment, je réplique en haussant les épaules. J'avais une arme. »

Mais après une timide vague de rires dans la salle, Liebert repasse à l'offensive. « J'ai l'impression que vous n'avez pas très envie de vous exprimer sur la question. Donc permettez-moi de formuler les choses autrement : vous bénéficiez d'une bourse réservée aux anciens combattants pour financer vos études, n'est-ce pas ?

– Oui.

– Eh bien, en tant que contribuables, je crois que vos petits camarades sont en droit de profiter de votre expérience, non ? »

Les rires sont plus sonores cette fois, chacun tentant de calmer le jeu. Ils sont plus jeunes que moi, tout juste sortis de premier cycle et avides de partager leurs expériences, un stage ici, un voyage là. Ils ne peuvent imaginer à quel point j'ai envie de casser le bras de Liebert en ce moment précis.

J'envisage de quitter la salle en silence et d'aller au secrétariat pour annuler mon inscription à ce cours. Mais cela ne ferait que confirmer aux yeux de tous que je suis le vétéran dérangé. C'est ma faute, je n'aurais pas dû lui faire part de mon expérience militaire. Son sourire suffisant n'est qu'une juste punition.

Mes camarades affichent aussi un air réjoui. Des coquilles vides qui attendent leur maître. Tous, sauf Paige Dufossat. Elle se tient immobile derrière Liebert et m'observe, circonspecte. Nerveuse, peut-être, à l'idée de subir des dommages collatéraux si c'est à elle que je décide de m'en prendre au lieu de Liebert. À moins qu'elle ne garde confiance, pensant que nous faisons équipe maintenant. Quel que soit le cas, elle se trompe.

Ces pensées me déconcentrent un instant, et je reprends la conversation légèrement à contretemps : « Excusez-moi. Pourriez-vous répéter la question ? »

Cette fois personne ne rit.

Liebert quitte l'estrade et fait signe à Paige de regagner sa place. « Bien. Reprenons. Mlle Dufossat affirme que l'empathie est nécessaire pour diriger. D'après votre expérience d'ancien combattant, en qualité de meneur d'hommes, de soldats, en temps de guerre, êtes-vous d'accord avec elle ? »

Elle me fixe à présent. Ses yeux bleus contrastent avec ses cheveux bruns. Elle a peut-être raison. Nous faisons peut-être équipe.

« D'abord, j'ai commandé des hommes *et* des femmes. Pas seulement des hommes. Et on ne se dit pas soldats dans les Marines. Des soldats, c'est comme ça que les gens appellent les militaires en règle générale. Mais bon, oui : je suis d'accord avec Paige. L'empathie est une qualité nécessaire quand on dirige d'autres personnes. Peut-être même essentielle, même si j'hésite à aller jusque-là. »

Les yeux bleus de Paige se plissent, et je distingue quelque chose ressemblant à un sourire sur ses lèvres. Le professeur Liebert reprend la parole, mais je n'écoute plus. Je vois sa bouche remuer, mais je suis ailleurs.

Debout en uniforme sur la terre compacte de la zone de rassemblement, j'écoute l'adjudant Stout décrire les grandes lignes de notre mission. En observant les visages de Zahn, Marceau, Gomez et Pleasant s'illuminer tandis qu'il leur parle, aussi sûrement qu'ils fronceront les sourcils lorsque je prendrai le commandement.

Ensuite, je suis de retour dans un dortoir à Quantico, tête rasée, désespérément déterminé à tenir jusqu'à la remise des diplômes et des insignes, sachant depuis le premier jour où les sergents instructeurs nous ont rassemblés sur la place d'armes, bavant comme des chiens enragés à cause de la chaleur, que je ne suis pas fait pour ce métier. Je m'en tire, alors que des mecs plus doués que moi craquent, ou se cassent la jambe et se font réformer. À l'entraînement, je ferme la marche, j'avance péniblement sur la terre rouge dans la chaleur brutale de l'été pendant que les autres candidats, les vrais leaders, les athlètes universitaires, les présidents de fraternité, parcourent résolument les collines qui s'étendent à perte de vue. Je souffre sous le poids de mon paquetage et de mon fusil, respire avec difficulté en cherchant à tout prix à les rattraper. La transpiration dégouline sur mon visage tandis que les sergents instructeurs me crient en courant près de moi : « Alors, on traîne, nabot ? Qu'est-ce qui se passe ? C'est trop dur ? »

Puis retour à la case départ. Avant Quantico. Sur le campus de la fac, avec le sergent recruteur. Je me renseigne pour m'inscrire à l'école militaire. Il m'annonce qu'il a son quota pour l'année, et même si je n'ai vraisemblablement aucune chance de passer la première sélection sur dossier, je remplis malgré tout une demande. Après quoi, j'appelle mon père en espérant quelques encouragements. Mais il ne fait que ronchonner et me conseiller d'emporter plusieurs paires de chaussettes supplémentaires.

« Ceux qui dirigent doivent avoir un grand sens des responsabilités au sein de leur équipe », je lâche, interrompant Liebert. Je dois crier, voire aboyer comme un instructeur de l'armée parce que Liebert laisse sa phrase en suspens.

« Ceux qui dirigent doivent avoir un grand sens des responsabilités au sein de leur équipe, je répète. Parce que les ressources qu'ils utiliseront en temps de guerre, ce sont des vies humaines. »

Liebert reste interdit un instant, puis sourit. « Poursuivez, monsieur Donovan.

– C'est ce qu'on apprend à l'école militaire. Et c'est vrai. Tellement vrai que je crois que mon expérience dans l'armée ne s'applique pas ici. À moins qu'il n'existe une ligne réservée aux vies humaines dans les bilans comptables, mais ça m'étonnerait. Donc, j'avais tort. Excusez-moi d'avoir cherché à me faire dispenser de ce cours. »

Les lèvres de Paige sont entrouvertes, et elle me regarde, tête inclinée sur le côté.

« Même si Paige a raison, dis-je. Quand on dirige vraiment les gens, ce que je ne pense pas avoir fait, il faut leur faire croire qu'ils comptent pour vous. Que vous comprenez ce qu'ils ressentent. Et souvent, c'est le cas. Mais en temps de guerre, avoir trop d'empathie pour ceux qui vont peut-être mourir à cause des décisions que vous prenez… »

Le professeur Liebert et les élèves me fixent en silence, avant de comprendre que j'ai fini.

« Bien, fait Liebert, très intéressant, monsieur Donovan. Et merci, mademoiselle Dufossat, vous pouvez aller vous asseoir. Maintenant, passons à la suite. Le texte de la semaine prochaine… »

Il continue pendant un petit moment, mais je n'écoute pas. Je reprends mes esprits au bruit des livres et des sacs à dos que chacun range. C'est la fin du cours. Je me lève, me frotte les yeux, puis commence à rassembler mes affaires. Il me faut quelque temps pour remarquer Paige Dufossat assise près de moi. Initialement, elle était installée de l'autre côté de la salle, je ne sais pas ce qu'elle fait là.

Elle me regarde avec un air féroce et étrangement délicat, comme si son absurde petit nez avait été sculpté dans le marbre, et dit : « Merci, Pete.

— De rien, réponds-je en haussant les épaules. Pas de quoi. »

Elle effleure la couverture de mon livre. « Tu fais du bateau ?

— Non, dis-je en toute franchise. Je n'ai jamais mis les pieds sur un voilier. Jamais de ma vie.

— Ah bon, fait-elle en fronçant les sourcils, confuse.

— À la semaine prochaine », je lance en lui tournant le dos. C'est plus facile de tourner le dos à une jolie fille quand je pense à l'adjudant Stout.

Je traverse le foyer des étudiants qui jouxte la salle de cours et attrape mon manteau à la patère fixée près de ma boîte aux lettres. Un écran plat installé au-dessus du canapé diffuse des images de la Tunisie. Des forces de police dans la nuit. Équipement antiémeute, gilets pare-balles et armes à feu. Les silhouettes des civils se dessinent devant des flammes. Je détourne les yeux.

_____

Papa,

J'ai quelques jours de repos la semaine prochaine.

Après le boulot, ce soir, je vais aller à La Nouvelle-Orléans.

Je te verrai sûrement pas avant.

T'as besoin que je te rapporte un truc de là-bas ? Je pense que je vais dormir sur le canapé de Landry. Je t'appelle si changement.

Les

La règle

Je laisse un mot à mon père sur la table de la cuisine et sors par la porte de devant aussi discrètement que possible. Je file dans ma camionnette avant qu'il se réveille. Pieds nus sur les graviers durs et froids pour pas faire de bruit. Une fois derrière le volant, j'enfile mes bottes, des gants en cuir doublés et un vieux bonnet de laine que je m'enfonce bien sur la tête. J'ai jeté mon sac avec mes affaires pour la nuit sur le plateau arrière. Et posé mon sac médical sur le siège passager à côté de moi. Je l'emporte toujours pour les longs trajets. Pourquoi pas ? Ça peut être utile, on sait jamais.

La camionnette avance lentement et sans bruit dans l'allée. Je ne touche la pédale d'accélérateur qu'une fois sur la route. Je parcours mentalement le trajet jusqu'à La Nouvelle-Orléans pour ce soir. Visualise toutes les routes, les villes, les carrefours à venir. Dans les moindres détails, comme un briefing avant le départ d'un convoi. Comme ceux de l'adjudant Stout avant chaque opération. Avant que le lieutenant Donovan prenne le commandement, en tout cas.

L'adjudant Stout faisait soupeser mon sac d'infirmier aux Marines pour qu'ils sachent que c'était lourd, pour leur montrer que j'étais pas un figurant. Ni un tire-au-flanc – comme ces recrues à la noix qui font du tourisme de guerre.

« Fais ton propre paquetage, ils disaient, les Marines. T'es là pour bosser. »

Personne ne préparait son paquetage comme l'adjudant Stout.

50

« La règle des cinq et des vingt-cinq », il a dit. L'adjudant Stout avait beaucoup de règles, mais celle des cinq et des vingt-cinq mètres était la plus importante.

Il était petit, l'adjudant, à peu près 1,70 mètre, et il avait les cheveux blond vénitien et des taches de rousseur. Il devait approcher les quarante ans, mais en tenue de combat avec les lunettes, on aurait dit un gamin. Les lunettes dissimulaient les rides autour de ses yeux, et le gilet pare-balles plaquait les bourrelets qu'il avait à la taille à cause de l'âge.

« À chaque halte, vous restez dans votre véhicule et vous examinez le terrain, il a dit. Vous regardez autour de vous, à cinq mètres dans toutes les directions. À moins de cinq mètres, nos gilets pare-balles peuvent ne pas tenir le choc. Ils se fragmentent sous la pression d'une explosion. Une onde de choc arrache les portières. Si vous voyez un fil, ou deux pierres posées l'une sur l'autre, ou un endroit où le sol ne vous paraît pas normal, vous le signalez. Si vous voyez une poubelle qui a l'air trop pleine, vous le signalez. Si quoi que ce soit retient votre attention plus de deux secondes, vous le signalez. »

Je me tenais près de l'adjudant Stout quand il faisait son briefing. Il disait que ça aidait les Marines de voir un infirmier près d'un démineur. Personne bougeait quand il parlait. Le seul Marine autorisé à circuler pendant qu'il donnait ses instructions, c'était le sergent Gomez. Elle passait entre nous comme un chien de garde, pour s'assurer qu'on écoutait tous. Michelle Gomez, c'était son nom. Je l'ai appris bien après.

Le sergent Gomez régnait sur la section. Elle et le caporal-chef Zahn, les deux. Ils fonctionnaient en équipe. C'est pas qu'elle avait besoin de Zahn pour quoi que ce soit. Gomez avait de la motivation à revendre. Les Marines qui la dépassaient d'une tête flippaient quand elle leur adressait la parole. Rien que sa voix te brisait les os. Une voix forte, avec l'accent du Texas.

Elle avait le profil de l'emploi, en plus. Ses cheveux étaient noirs et brillants comme des plumes. Elle les attachait tout le temps pour se dégager les yeux. Si une ou deux mèches s'échappaient et lui chatouillaient la joue, elle râlait et s'éloignait pour se recoiffer immédiatement. Je l'ai vue faire une fois, avant le réveil, derrière les baraquements, quand tout le monde dormait encore. Assise sur les marches, les cheveux relâchés, elle les rassemblait en chignon. J'ai pas pu m'empêcher de l'observer. Quand elle m'a repéré, elle a plissé les yeux d'un air mauvais. Genre : Tu veux ma photo ? Dégage. Retourne bosser, connard.

L'adjudant Stout s'est interrompu quand un avion-cargo a survolé le lac à basse altitude, juste au-dessus de nos têtes. Il élevait jamais la voix, l'adjudant Stout. Et il regardait jamais les avions, contrairement aux autres Marines. Même le lieutenant Donovan et les autres officiers, qui se tenaient sur le côté pendant le briefing, ils ont tous levé le nez comme si c'était la première fois qu'ils voyaient un truc voler.

Le lieutenant Donovan était brun, il avait les yeux marron, et des dents vraiment belles. Il avait quelques kilos en trop aussi, mais ça se voyait à peine parce qu'il était assez grand. Un vrai étudiant du Sud, le lieutenant. On aurait dit qu'il s'était retrouvé dans les Marines par hasard, comme si, en route pour un festival de rock en plein air, il s'était trompé de chemin. Il s'asseyait sur le capot de son Humvee, gilet pare-balles et casque posés près de lui, pendant que l'adjudant Stout donnait ses instructions. Et nous autres, les hommes du rang ? Bah, on se ramenait avec tout notre attirail sur le dos. Le sergent Gomez était là pour s'en assurer. Le lieutenant, lui, il pouvait prendre son temps, j'imagine. Croiser les bras et regarder, avec ses galons dorés au col. Content de se faire appeler « mon lieutenant ». Content de laisser l'adjudant Stout gérer le convoi. Content de laisser le sergent Gomez et le caporal-chef Zahn gérer sa section.

L'adjudant Stout travaillait pas pour lui, en vérité. C'était le lieutenant Donovan qui dirigeait la section chargée des travaux. Les gars bouchaient des nids-de-poule toute la journée. Rien que cette section était composée de six véhicules avec assez de Marines pour sécuriser les accès quand ils colmataient les trous. C'était difficile comme boulot, en plus. Sous le gilet pare-balles, ça transpirait dur. Et il faisait une chaleur d'enfer. Mais, pire, y'avait toujours une bombe sous les gravats dans ces nids-de-poule. Et quand je dis toujours, c'était toujours.

Donc on les accompagnait, normal. Nous, l'équipe du déminage, on tenait tous dans un seul véhicule. L'adjudant Stout, le sergent-chef Thompson, le chauffeur et moi. On n'avait même pas quelqu'un pour se poster dans la tourelle, mais n'importe qui pouvait grimper là-haut en moins de deux au besoin.

On était les premiers à sortir, on examinait le trou et on désamorçait n'importe quel engin explosif qu'avait été caché là pendant la nuit. Ensuite, les gars du lieutenant Donovan, ils rappliquaient et se mettaient au boulot. Ils bouchaient le trou avec du ciment. Avant ça, ils découpaient proprement l'asphalte abîmé et ils transportaient de gros sacs de ciment jusqu'à une vieille bétonneuse. Ils transpiraient dans leurs gilets pare-balles, je te dis pas. Fallait surveiller les tireurs embusqués, aussi. On pouvait jamais rester longtemps au même endroit, sinon ils nous prenaient pour cible. Le sergent Gomez était toujours sur leur dos à leur dire de se magner.

L'adjudant Stout a repris, une fois l'avion passé : « Quand les chefs de bord l'ordonneront, il a dit, vérifiez votre périmètre à cinq mètres. Ensuite une équipe débarquera et examinera le terrain dans un rayon de vingt-cinq mètres, à mon commandement. » La voix de Stout est devenue ferme. Pas forte, juste ferme. « L'équipe au sol, on lève les yeux. »

La plupart des Marines regardaient par terre pendant les briefings. Les mains coincées dans le gilet pare-balles, et le menton posé contre la plaque de protection. Mais quand l'adjudant Stout disait « On lève les yeux », ils se redressaient et le fixaient tous. Tous en même temps, tu vois ? Comme un seul et même animal.

« Et quand je dis "On y va", on n'hésite pas. Trois secondes. » Il a brandi trois doigts. « Je veux entendre chaque porte s'ouvrir et se refermer en même temps. Je vous donne trois secondes pour inspecter votre périmètre. Il faut trois secondes à un terroriste pour déclencher son engin, et vous ne pouvez pas vous permettre de le laisser agir pendant que vous êtes dehors. Alors on avance droit vers son but. On ne discute pas avec son coéquipier. On ne rigole pas. »

Le sergent Gomez m'a expliqué une fois comment les Marines arrivent à tout faire dans les temps, en silence ou presque. Elle a souri et a fait : « Oh, tu veux dire les interjections ? »

C'est comme ça qu'ils parlent, les Marines. Qu'ils exécutent tous les petits trucs : par souci de concision et de rapidité de réaction, ils s'expriment avec des sons, genre, d'une seule syllabe.

Satisfait, l'adjudant Stout a tapoté ses notes. « Bien. Chef de l'équipe au sol, quand vous confirmez que le champ est libre, qu'il n'y a pas d'engin explosif, qu'on peut déployer les troupes dans un périmètre de vingt-cinq mètres, vous faites remonter vos gars dans leurs véhicules. Et à mon commandement ou, en fonction de là où vous êtes, sur ordre du lieutenant, on établit un cordon de sécurité. » Il a désigné du doigt le lieutenant Donovan. « Vous êtes d'accord, mon lieutenant ? »

Le lieutenant Donovan a levé les yeux et souri. « Absolument, mon adjudant. » Il a croisé les bras et balancé les pieds dans le vide, assis sur le capot de son Humvee.

Il avait la voix traînante d'un homme de l'Alabama, le lieutenant. J'arrivais jamais à savoir s'il écoutait vraiment, ou s'il était juste cool. Le lieutenant Donovan avait son propre adjudant. L'adjudant Dole. Mais ce gars sortait jamais de l'enceinte de la base. C'était sa dernière mission et il pensait qu'au fric. Il parcourait les bureaux de la compagnie en parlant de la prochaine session de promotion. De sa retraite. De ses missions aux Philippines dans les années 1990. Comme c'était *sympa*. Pas comme ce merdier, il disait.

L'adjudant Stout ne parlait jamais d'autre chose que de l'opération en cours. Il a souri et nous a observés un moment.

Les tireurs des tourelles avaient des bandanas pour éviter que la transpiration leur coule dans les yeux. Sous son casque, Gomez utilisait une manche de tee-shirt verte en guise de bonnet. Le caporal-chef Zahn avait des pochettes à grenades sur son gilet dans lesquelles il mettait des boîtes de tabac à chiquer. On portait tous des combinaisons beiges. Résistantes au feu. Petite protection supplémentaire.

L'adjudant Stout s'est tourné vers le lieutenant Donovan. « Vous avez quelque chose à ajouter, mon lieutenant ?

– Oui, a fait ce dernier en hochant la tête. Juste un petit truc. »
Il a sauté de son Humvee et parcouru la section, jetant un bref coup
d'œil au bâtiment de l'état-major pour s'assurer, avant de prendre la
parole, que le commandant Leighton suivait bien la scène depuis
le perron. « Ce n'est pas le meilleur moment pour vous remonter
les bretelles, je sais. Mais le commandant de cette compagnie m'a
demandé de faire passer le message à tous les Marines avant midi :
il en a marre des graffitis dans les sanitaires. Il dit que ça suffit.
Les toilettes vont être repeintes aujourd'hui, et on est censés recevoir de nouvelles cabines mobiles demain. Donc, tout sera nickel.
Sans aucun graffiti. À partir de demain, si des dessins de pénis
ou n'importe quel commentaire sur le personnel féminin de cette
compagnie apparaissent dans les sanitaires… » Il a marqué une
pause et lancé un rapide coup d'œil au sergent Gomez, l'air un peu
embarrassé. « Si le commandant de la compagnie voit quoi que ce
soit, il demandera au sergent Gomez de faire surveiller les chiottes
vingt-quatre heures sur vingt-quatre pour vérifier chaque sanitaire
après chaque utilisation. »

Le caporal-chef Zahn a fermé les yeux et s'est mordu les lèvres.
Sûrement pour éviter d'éclater de rire.

L'adjudant Stout a enchaîné : « Entendu, mon lieutenant. Merci
pour la leçon. Autre chose ?

– Non, j'ai tout dit. » Le lieutenant est retourné tranquillement
à son Humvee enfiler son gilet pare-balles et son casque.

Ensuite, à voix basse pour que le lieutenant puisse pas entendre,
l'adjudant Stout nous a dit : « Je vais foncer aux chiottes quand
j'aurai fini. D'ailleurs, je donnerai trois minutes à tout le monde
pour faire la même chose. Vous voyez la magnifique bite luisante
dans la dernière cabine sur la droite ? J'en veux une photo avant
qu'elle disparaisse. L'un de vous, bande de vauriens, est un Léo-
nard de Vinci des bites, et je ne voudrais pas qu'on en efface la
preuve à tout jamais. Ce serait une putain de tragédie. »

Après un petit rire discret, l'adjudant Stout s'est tourné vers moi,
m'a mis la main sur l'épaule et a dit : « Doc Pleasant est dans
le deuxième véhicule, avec moi. Il va vous parler très vite de la
conduite à tenir s'il y a des blessés. »

Et je me suis planté là, devant tous ces Marines. Juste là. J'avais dix-neuf ans. Avec mes grandes oreilles, mes cheveux roux et ma dent en moins. Deux douzaines de Marines qui m'ont écouté leur expliquer les différentes façons de procéder et ce que je ferais pour leur sauver la vie le cas échéant.

« Si vous êtes touché, suivez les étapes, j'ai dit. Appliquez-vous les premiers soins. Avec votre trousse de secours. Faites ce que vous pouvez. On s'occupe de soi avant les autres. Ensuite le Marine le plus proche de vous prendra le relais. Il faut utiliser la trousse de secours du Marine blessé. Et garder la vôtre pour vous. Soyez sûr d'avoir votre garrot à portée de main. Apprenez à l'appliquer en moins de dix secondes. Quand une artère est atteinte, le sang mousse et il est rouge vif. Il faut faire un point de compression avec un garrot. Et si vous êtes blessé, restez couché et ne vous agitez pas dans tous les sens. Je viendrai jusqu'à vous. »

Ensuite, comme toujours, tout le monde s'est rassemblé en cercle autour du sergent Gomez.

« Allez, on fait une mêlée », elle a dit.

On s'est tous pliés en deux pour se prendre par les épaules. Même le lieutenant Donovan. Il pouvait pas juste regarder. Pas pour la grande respiration.

Le sergent Gomez a rempli ses poumons. Et nous aussi.

Ensuite elle a expiré, bruyamment, en exagérant. Et nous aussi.

« C'est ça. » Elle a ri. « On respire profondément, on ne panique pas. »

Elle a passé la parole au caporal-chef Zahn qui a récité une prière, et on a embarqué.

On a roulé jusqu'à l'entrée de la base et attendu qu'un gros convoi de ravitaillement dégage le passage au poste de contrôle. J'étais assis à l'arrière, non loin de l'adjudant Stout. J'ai entendu la voix du lieutenant Donovan, distincte et confiante, informer par radio le centre opérationnel qu'on était vingt-deux répartis dans six véhicules, en partance pour Saqlawiya via le centre de Falloujah. Ils nous ont immédiatement accordé l'autorisation de sortir de l'enceinte. En nous donnant même la priorité sur d'autres convois qui attendaient aussi. C'était la procédure pour les équipes chargées de la sécurisation des routes.

On a tourné à gauche sur la route Long Island et on a accéléré. Le véhicule de tête a pris environ deux cents mètres d'avance. Les autres se sont positionnés à cinquante mètres les uns des autres. On s'étalait dans le désert et on se regroupait dans les villes. Chaque véhicule faisait voler dans son sillage une gerbe d'ordures en tous genres qui retombaient comme des confettis sur le suivant. En dehors de la route, tout était beige. C'était difficile de distinguer l'horizon : le désert se fondait dans les bâtiments qui se fondaient dans l'atmosphère polluée.

On a traversé quelques petites villes sans nom tout en remontant vers Falloujah au nord. Deux ou trois immeubles de chaque côté, sales et en ruine. Les Irakiens avaient posé des planches de contreplaqué sur les fossés d'évacuation pour entrer et sortir de leurs maisons. Quelquefois, par une porte ouverte, on apercevait la cour intérieure verte et fleurie d'une de ces petites forteresses privées. Qui étaient au juste ces gens avec leurs eaux usées, leurs feux d'ordures et leurs jolies cours verdoyantes, on se demandait à voix haute.

Autre chose : là-bas, au Moyen-Orient, ils délimitent les chaussées avec des bordures d'accotement jaune et noir. Ils le font sur toutes les routes, même sur une autoroute de cent cinquante kilomètres. Je le savais pas avant d'y aller. Quand tu regardes sur le côté par la vitre, tu sais à quelle vitesse tu roules en fonction de la rapidité avec laquelle le jaune et le noir défilent. J'imagine que c'est le but de la manœuvre.

Les tireurs des tourelles agitaient des drapeaux rouges pour alerter les civils. Les Irakiens, dans leurs petites camionnettes défoncées et leurs voitures japonaises vieilles de vingt ans, ils dégageaient la route en s'immobilisant tous sur le bas-côté. Ils savaient ce que le drapeau rouge signifiait. Ça voulait dire : On ne s'arrête pas. N'approchez pas. Les tireurs gardaient aussi, attachées aux tourelles, des boîtes de munitions pleines de fusées éclairantes. Si une voiture ignorait le drapeau et nous collait à moins de cent mètres, le tireur balançait une fusée. À cinquante mètres, il tirait deux rafales de M16 sur la route, juste devant la voiture en question. Ils chargeaient des balles traçantes pour les cinq premiers coups, comme ça les Irakiens voyaient bien les tirs.

À moins de vingt-cinq mètres, c'était fatal. Si un véhicule franchissait cette limite ou accélérait sur nous à n'importe quel moment, le tireur se mettait en position et faisait feu sur l'intrus. Quelques rafales dans le pare-brise et le moteur jusqu'à ce que le véhicule soit stoppé. Ensuite, le tireur descendait dans l'habitacle du Humvee pour se protéger. On pouvait être sûrs qu'un véhicule qui accélérait sur nous était piégé. Presque toujours.

Par le pare-brise avant, j'ai reconnu le caporal Marceau, debout derrière le fusil-mitrailleur de la tourelle du Humvee du lieutenant Donovan. Les autres caporaux travaillaient dur pour établir leur place dans l'ordre de passage à ce poste. Pas Marceau. Il prenait rien au sérieux. Même pas ses propres galons. Juste comme je me concentrais sur lui, j'ai entendu sa voix à la radio.

« Gomez, Zahn. C'est Marceau. Passez sur Convoi-Deux. »

Convoi-Deux était une fréquence que seuls les sous-officiers utilisaient d'habitude. Une fréquence sur laquelle ils pouvaient parler en privé sans s'inquiéter de savoir si le lieutenant ou l'adjudant Stout les écoutaient. J'ai décidé d'espionner et j'ai changé de fréquence aussi.

« Écoutez, Marceau a dit. Il faut que vous sachiez que la plupart des dessins de pénis, c'est moi. Et pour être honnête, je crois pas que je vais pouvoir m'arrêter comme ça. À vous. »

Zahn et Gomez, chacun dans son véhicule, ont réglé leurs radios pour que Marceau les entende rigoler en même temps.

Marceau a poursuivi, pince-sans-rire : « Donc, voilà ce que je propose : je vais continuer de faire des pénis, et vous pourrez me coller volontaire pour la surveillance de nuit des chiottes. Terminé. »

J'ai souri et suis revenu sur la fréquence habituelle.

Tandis qu'on traversait les espaces de bataille, de petits territoires signalés sur la carte, le lieutenant Donovan a contacté par radio l'unité qui contrôlait la zone vers laquelle on se dirigeait pour demander une autorisation de passage. Avant d'arriver au pont qui menait à Falloujah, il a contacté le bataillon amphibie. Ils contrôlent la voie rapide à cet endroit. On les appelle « les chenilles » parce qu'ils passent tout leur temps dans des chars flottants. Des chars d'assaut amphibies. *Chenilles*, c'est plus court. Ça fait toujours bizarre, tu sais ? De voir des chars amphibies dans le désert.

Le lieutenant Donovan a demandé de passer par Phase Line Fran, la voie rapide qui part du pont de l'Euphrate, traverse le centre-ville et rejoint l'échangeur autoroutier à l'est. C'est la route principale de Falloujah. Une voie exposée, bondée, mais le chemin le plus rapide pour atteindre le char endommagé par un engin explosif improvisé sur la route Lincoln. L'adjudant Stout voulait arriver rapidement pour s'assurer qu'il n'y avait pas de doublette, c'est-à-dire pas d'autres bombes planquées. Le commandant de bord du char était dans la tourelle et avait été salement touché. Donc l'officier en charge du poste de contrôle savait exactement de quoi parlait le lieutenant Donovan. Il nous a autorisés à emprunter Phase Line Fran sans trop discuter.

Les Marines en poste sur le pont nous ont salués de la main, et Phase Line Fran s'est ouverte. Des convois devant nous se sont écartés sur le bas-côté et ont bloqué les routes adjacentes. On a accéléré, tous bien compacts les uns derrière les autres, six animaux fonçant sur leur proie. J'étais assis à l'arrière, côté conducteur, l'adjudant Stout en face de moi. La chaleur entrait par la trappe de la tourelle. Une chaleur telle qu'on pouvait à peine ouvrir les yeux. Ça puait l'essence, en plus. Une goutte de sueur au goût de sel et de savon a glissé sur mes lèvres. Je me suis léché le pourtour de la bouche pour en avoir plus. N'importe quoi pour me débarrasser de ces odeurs d'essence et d'ordures.

Ça parlait arabe dans les rues autour de nous. La voix d'un imam en train de prêcher dans une mosquée a retenti plus fort sur notre passage, plus vindicative aussi. Les immeubles le long de Fran étaient criblés d'impacts de balles. En regardant dans une ruelle, j'ai aperçu deux gars en jogging et tee-shirt miteux avec un foulard sur le visage. Pas sur tout le visage. Juste la bouche. Ils se sont mis à courir.

J'allais le signaler à la radio, mais l'adjudant Stout les avait vus avant moi et réglait déjà son émetteur. « Actual, c'est Hellbox. J'ai deux types, la vingtaine, qui courent au sud, en direction de la route George *a priori*. Et devant, à deux cents mètres, j'ai un camion-benne rouge à l'arrêt. On dirait qu'il y a deux mecs dans la cabine. Jeunes. Je vois pas leurs mains. À vous. »

Gomez a pris la parole sur les ondes. « Bien reçu. Je les vois aussi. À vous. »

Donovan, l'air un peu blasé, a ajouté : « Bien reçu. Je les vois. À vous de décider, Stout. »

L'adjudant a jeté un coup d'œil à sa carte, un autre au camion-benne et a froncé les sourcils. Il s'est mordu la lèvre et a fait : « On continue. »

On est passés devant le camion-benne, les deux gars dans la cabine nous ont matés tout du long.

« Mon adjudant ? » j'ai dû crier.

Il a levé les yeux de sa carte.

« Pourquoi on continue ?

– Deux types dans un camion, il a répondu en haussant les épaules. Les kamikazes sont seuls d'habitude. »

À l'échangeur, on a pris vers le nord, et on a roulé dix kilomètres jusqu'au croisement des routes Lincoln et Golden. On a repéré le char endommagé. Carbonisé d'un côté, il avait basculé sur le flanc droit et piquait du nez. L'explosion avait arraché une chenille et éventré la tourelle. Y'avait pas de fumée pourtant. Un autre char, intact, était arrêté juste au-delà du périmètre de sécurité, plus loin sur la route. Quelqu'un à l'intérieur faisait tourner la tourelle pour observer le désert.

On a sauté de notre véhicule. Appliqué la règle des cinq et des vingt-cinq mètres.

Le lieutenant Donovan nous a fait signe, à moi et à l'adjudant Stout. Il était à la limite de la zone de sécurité, les yeux baissés vers le char explosé. Il allait et venait, s'agenouillait toutes les trois ou quatre secondes pour examiner les chenilles sous différents angles.

Le sergent Gomez s'est dirigée vers Donovan. Ils ont échangé quelques mots à voix basse, puis elle est repartie au pas de course.

Elle a désigné du doigt les Marines chargés de la sécurité, leur a crié de reculer.

Le char qui avait sauté était le deuxième à passer, donc ce n'était pas une mise à feu par pression qui avait déclenché la bombe. Quelqu'un avait laissé avancer le premier char, puis avait fait exploser l'engin au passage du second. Et ce quelqu'un devait être en train de nous observer.

Le lieutenant Donovan nous a fait signe d'avancer. Moi, l'adjudant Stout et l'autre démineur, le sergent-chef Thompson. Ils ont examiné la route pendant qu'on approchait, en scrutant chaque fissure.

L'adjudant s'est tourné vers moi en souriant. « Ça se présente bien, Doc. Ça devrait pas être long.

– OK, mon adjudant.

– Tu me fais confiance, hein ? » Il s'est marré pour me faire comprendre qu'il ne me posait pas vraiment la question. Qu'il ne me demanderait jamais mon accord, ne pourrait jamais le faire.

Mais les choses n'avaient pas l'air de si bien se présenter. Ça s'est vu tout de suite, à la façon dont Stout et Thompson se parlaient à voix basse. À la façon dont le char explosé avait retenu l'attention du lieutenant Donovan. Depuis quand ce gars faisait gaffe à quelque chose ?

C'était des chars légers, équipés de lance-grenades.

Tu vois, pas un vrai char de combat. C'était des véhicules de transport de troupes blindés. Ils doivent être légers pour flotter. Leur blindage est moins solide, et ils ont un lance-grenade automatique dans la tourelle au lieu d'un canon.

L'explosion, elle avait éventré la tourelle et la caisse de sous-munitions à l'intérieur de l'habitacle. Donc des grenades non explosées s'étaient éparpillées partout dans le désert comme des œufs de Pâques. Personne ne nous avait prévenus pour les grenades avant qu'on sorte des véhicules. Ça a compliqué les choses et fait flipper tout le monde. L'équipement de l'adjudant Stout repérait les explosifs, et ça sonnait à tout-va. Mais c'était parce qu'il y avait des grenades partout, ou parce qu'une deuxième bombe était dissimulée quelque part ?

L'adjudant Stout et le sergent-chef Thompson ont commencé à explorer les lieux avec le robot. Le lieutenant Donovan et moi, on s'est appuyés sur le Humvee et on les a regardés travailler. J'avais mon sac d'infirmier et ma civière posés sur le capot, prêts à l'emploi. Le lieutenant Donovan avait sorti sa radio par la fenêtre pour pouvoir répondre quand le commandant de la compagnie viendrait aux nouvelles. Peut-être parce qu'on était les deux seuls à se tourner les pouces, il a commencé à me parler.

« D'où tu viens en Louisiane ? » « Tu suis le foot universitaire ? » « Tu reçois ton courrier, ça va ? » Des conneries, sans intérêt. J'ai essayé de l'ignorer. Pour finir, la radio a braillé et il a eu quelqu'un d'autre à qui parler. C'était les Chenilles, qui voulaient savoir où on en était.

« Bien reçu. On est sur place. Ils travaillent avec le robot, là. Aucune idée pour l'instant du temps que ça va prendre… Oui, faut attendre. J'en saurai plus dans cinq minutes. »

L'adjudant Stout s'est approché, les épaules crispées. « Je trouve rien, mon lieutenant.

– Vous pensez que le champ est libre alors ? »

Stout a haussé les sourcils et s'est mordu la lèvre.

Mais le lieutenant avait besoin d'une réponse. « On dégage le char de la route et on attend qu'ils viennent le chercher ? On bouche le trou pendant ce temps-là ?

– Oui, mon lieutenant, a répondu Stout. Ça me paraît une bonne idée. Mais d'abord, il va falloir qu'on ramasse les grenades. »

Le lieutenant Donovan a sifflé. « Avec le robot ?

– Non. Je vais devoir le faire à la main. Une par une. Les empiler et faire un puits d'éclatement. »

Donovan a fait la grimace. « Putain, Stout. Vous êtes sûr ? »

L'adjudant a haussé les épaules. « J'ai pas le choix, mon lieutenant. »

Et ils en sont restés là. Fin de la discussion. Stout est reparti vers la zone de l'explosion, sans même enfiler sa combinaison de protection. Il a dit au lieutenant qu'avec cet équipement encombrant, il ne pourrait pas ramasser autant de grenades qu'il voudrait, et le lieutenant a pas discuté. Il a juste hoché la tête et il est reparti rappeler à ses hommes de couvrir leurs secteurs.

Mais personne pouvait s'empêcher de regarder Stout. On n'avait jamais vu un truc pareil. Il se penchait et cueillait les grenades une par une. Tout seul, à cent mètres de nous. Une par une, avec un calme absolu.

Tout le monde se taisait.

J'avais ma civière et ma trousse d'urgence au cas où. C'était moi le plus proche de lui. Le soleil qui irradiait juste au-dessus de ma tête transformait mon casque en plaque électrique chauffée à bloc. La transpiration ruisselait sur mon visage et de minuscules grains de sable portés par le vent me picotaient la peau. En basculant d'un pied sur l'autre, je roulais les épaules en arrière toutes les deux, trois minutes pour remonter mon gilet pare-balles.

L'adjudant Stout communiquait par signes dans la zone de l'explosion. Les radios étaient pas recommandées. Les ondes pouvaient déclencher des explosifs. Il avait creusé un petit trou dans le sable pour les grenades et faisait signe à Thompson chaque fois qu'il en mettait une dedans. Encore trois grenades. Deux. Une. Quand il a posé la dernière dans le trou, il s'est redressé, les deux poings en l'air, pour indiquer qu'il revenait dans la zone sécurisée.

Derrière moi, quelqu'un a soupiré et a crié : « Bien joué ! » Quelqu'un d'autre s'est mis à applaudir. Le sergent Gomez leur a foncé dessus en moins de deux pour leur dire de la fermer.

L'adjudant Stout a posé les mains sur son fusil. Alors qu'il s'approchait, j'ai distingué son visage, il a souri et a articulé : « Tu me fais confiance ? »

J'ai souri avec un temps de retard. J'ai vu ses traits se crisper. Et son regard me traverser.

Il m'a fallu une seconde pour entendre les tirs, mais quand j'ai fait volte-face, j'ai vu un camion-benne rouge approcher du périmètre de sécurité par le sud. Avec deux jeunes types dans la cabine. Zahn était là-bas, déjà en train de tirer des balles traçantes par terre. Je me suis alors retourné vers l'adjudant. Il était sur le point de se mettre à courir. L'instant suivant, je l'ai vu se disloquer en l'air, cinq mètres au-dessus du sol, avec son fusil et ses bottes qui tournoyaient autour de lui.

Ce son. Ce gémissement qui a suivi la détonation. Il m'est parvenu une seconde après. L'onde de choc m'a fait tomber à la renverse et mon casque a heurté le bitume. Une pluie de poussière et de gravier s'est abattue sur mon visage. Je n'ai plus rien entendu.

Je me suis tourné sur le ventre pour le voir. Je me suis concentré sur la silhouette au milieu de la route. Je l'ai vu rouler. J'en suis sûr.

J'ai réussi à m'agenouiller et j'ai cherché mon sac. Thompson, déjà debout, s'est mis à courir vers moi. Il avait fait vingt mètres quand un autre engin a explosé. Ça venait de sa gauche. Un nuage gris et diaphane.

J'étais toujours sourd, mais je me suis rendu compte que l'explosion était moins violente que la première. Des fragments ont tailladé la jambe gauche de Thompson et lui ont fauché les pieds. Il a fait un soleil. Sa joue gauche a touché le sol avant le reste de son corps. Il s'est cambré et s'est emparé de sa cuisse.

Ensuite, il a serré les dents et a continué d'avancer en rampant vers l'adjudant.

Je me suis levé et j'ai trouvé mon sac. Je sentais toujours pas mes jambes. Je pouvais à peine marcher. J'ai fait un pas en direction du corps sur la route. Mon ouïe est revenue et j'ai entendu des cris à l'arrière du convoi et des tirs. Je me suis retourné et j'ai vu Zahn qui tirait dans le pare-brise du camion-benne, qui se teinta de rouge. Le verre se lézardait un peu plus à chaque impact, et au bout du compte le camion a foncé dans le sable, moteur fumant et crachant de l'huile chaude.

J'ai retrouvé mon équilibre et fait un autre pas en avant. Les sensations me revenaient dans les extrémités. J'ai à nouveau soulevé un pied et fait un pas. Je commençais juste à me sentir capable de courir quand quelque chose m'a frappé par-derrière et m'a plaqué à terre. J'ai cru que c'était encore une bombe au début. Mais je me suis aperçu que deux bras me ceinturaient.

« Reste couché, Doc. Couché. »

C'était le lieutenant Donovan.

« Non. Je vais chercher l'adjudant.

– Doc, il est mort avant de toucher le sol.

– Non, je l'ai vu rouler sur le côté. Je peux aller le chercher.

– Doc. T'as rien vu. Il a pas roulé sur le côté. »

Je lui ai donné un coup de coude dans les côtes. Pour tenter de me dégager. Ensuite, j'ai frappé plus fort et j'ai pu me libérer une seconde, mais il a glissé son coude sous mon épaule, a plaqué sa main sur ma nuque pour me forcer à rester couché. Ma joue a raclé l'asphalte noir et brûlant.

« Lieutenant, laissez-moi me lever. Faut que j'aille le chercher.

– C'était pas une grenade, Doc. OK ? Ils ont raté quelque chose. C'est truffé d'explosifs ici. »

J'ai encore essayé de me débattre, mais j'ai à peine réussi à soulever le bassin du sol. À plat ventre, les bras tendus en avant et les paumes ouvertes, je distinguais juste la silhouette allongée, par-dessous le bord de mon casque. J'ai planté les ongles dans le bitume et me suis brûlé le bout des doigts en cherchant à ramper vers elle.

« On va aller chercher le sergent-chef Thompson, Doc, a dit le lieutenant Donovan. On va le ramener dans le périmètre de sécurité.

– Allez vous faire foutre.

– Écoute…

– Rien à foutre de Thompson », j'ai dit. Je l'ai vraiment dit.

« Doc. Regarde à droite. » Le lieutenant Donovan a baissé la voix. « L'accotement dans le virage », il a murmuré.

J'ai compris de quoi il s'agissait à la seconde où j'ai posé les yeux dessus. Une bordure noire pas cimentée comme les autres. Elle était plus claire aussi. Plus grise que noire. Apparemment neuve. Sans rayure.

« Ils les ont enfilées comme des perles, Doc. La zone en est truffée, il n'y a aucun moyen de s'en sortir. Ils n'ont rien vu. Ils regardaient la terre. OK ? Maintenant, on va chercher Thompson. L'adjudant reste où il est. »

J'ai cessé de me débattre. J'ai fermé les yeux et me suis détendu. Il a desserré son emprise, s'est relevé et m'a soulevé par le gilet

pare-balles. « Regarde où tu mets les pieds, d'accord ? Doucement, maintenant. »

Mais je n'ai pas avancé. Je suis resté là, debout, à fixer le sol. Le
lieutenant est parti chercher Thompson pendant que je restais là.
Je sais même pas qui est venu me tirer par-derrière, mais quand la
personne m'a touché, j'ai levé les yeux et la silhouette sur la route
m'est apparue dans une mer noire luisante. Dix minutes s'étaient
écoulées, au moins.

Je n'ai plus revu son corps après ça. Plus tard ce jour-là, quand
les Marines ont eu fini de sécuriser la zone, l'équipe de relevage
est venue le chercher. Ils ont mis tous les morceaux dans un sac.

L'état-major a dissous l'équipe de démineurs, renvoyé le sergent-
chef Thompson à la maison pour qu'il réapprenne à marcher, et ils
m'ont muté dans la section du lieutenant Donovan.

Alors que le duc et le roi attachent le radeau pour aller tenter leur chance dans une autre ville, Jim se plaint d'avoir à attendre dans le bateau. Il a peur d'être découvert. Le duc décide alors de le déguiser. Il lui fait enfiler une robe en calicot et lui peint le visage en bleu. Ensuite, il pose sur Jim une pancarte indiquant : « Arabe malade – mais sans danger quand il n'est pas en crise. »

Cette idée qu'un visage tout simplement peint en bleu puisse convaincre les habitants de la ville que Jim était arabe, et non noir, est choquante pour les lecteurs du monde arabe. Cette scène montre une fois encore le mépris de l'auteur pour ses compatriotes et leur ignorance des cultures étrangères.

Dodge

Sans électricité pour chauffer, la fraîcheur de la nuit pénètre tous les recoins de notre appartement. Cela fait une heure, au moins, que nous n'avons plus de courant. Long, pour une coupure. Ce qui m'incite à penser que ce n'est pas un hasard. Que le président Ben Ali s'est arrangé pour priver la ville de son éclairage public. Ils espèrent que les gens resteront chez eux afin de limiter les manifestations.

Je ris intérieurement en imaginant Ben Ali à son bureau dans son palais, devant de gros interrupteurs ridicules marqués TÉLÉPHONE, INTERNET et ÉLECTRICITÉ, tous positionnés sur ARRÊT.

Je commence à croire que mon extravagant manteau français est fait pour une femme. Il a de drôles de finitions en tissu soyeux aux manches qui ne font pas très masculin. Il me tient chaud, mais pas assez pour éviter un frisson de temps à autre, ce qui me déconcentre. Puisque je n'ai pas d'ordinateur pour noter mes nouvelles idées sur Huck, j'ai pris un carnet. J'écris à la flamme vacillante d'une petite bougie qui éclaire tout sauf la page. Frustré, je souffle la mèche et retourne à la fenêtre.

Une vague odeur de gaz lacrymogène s'infiltre par le cadre rouillé. Les manifestants approchent. J'entends leurs clameurs plus distinctement et je vois des éclairs de lumière sur les murs du bâtiment d'en face et dans les ruelles alentour. Il est trop tôt pour dormir, et sans électricité il n'y a pas grand-chose à faire, sinon écouter.

Ce doit être l'ennui qui me pousse à sortir pour errer dans les rues et observer les gens. Ou peut-être est-ce plus qu'une simple distraction. Plutôt une sage précaution. Si la police secrète fait effectivement une descente, quel meilleur endroit pour se cacher que la foule ? Mieux vaut être ici dehors que dans l'appartement où les Américains ont écrit à un certain Kateb al-Hariri.

Je ferme notre porte d'entrée derrière moi et longe les murs de notre couloir dans la pénombre pour atteindre les escaliers. Je descends ensuite les marches une à une en tâtonnant.

Je heurte alors un voisin sur le palier sombre. Un des barbus les plus vieux, qui m'a vu prendre la lettre plus tôt dans la journée. Mon épaule s'est enfoncée dans sa poitrine, on dirait qu'il a bien écarté les pieds pour prendre un maximum de place et m'obliger à lui rentrer dedans. Il a dû m'entendre arriver.

« Pardon, monsieur, je dis en reculant d'un pas. Je ne vous avais pas vu.

– C'est moi, répond-il sans bouger d'un millimètre pour me laisser passer. J'espère que je ne t'ai pas fait peur. Rappelle-moi ton nom, fiston, déjà ? Fadi, c'est ça ? »

Un frisson glacial, qui n'a rien à voir avec la fraîcheur de la nuit, monte de mon cœur et me parcourt la nuque.

« Oui, j'articule. Je m'appelle Fadi.

– Ah ! Fadi. C'est bon de connaître ses voisins, hein ? Surtout par les temps qui courent, non ? »

Il allume une cigarette et je distingue clairement son visage. Il a les rides plus marquées que d'habitude pour un homme de son âge. La peau usée par la rage, maintenant figée et fripée par une foi à toute épreuve. Il a fouillé dans le courrier et a vu ma lettre des États-Unis. J'en suis certain.

Je m'écarte doucement pour le dépasser et atteindre les marches suivantes. Je m'efforce de rester calme. « Oui, monsieur. Excusez-moi. Il faut que je retrouve mes colocataires.

– Bien sûr. Que la paix soit avec toi, Fadi.

– Avec vous aussi. »

Je me dépêche de descendre, en me demandant quel nom je choisirai la prochaine fois que je serai en fuite. Je me souviens du premier.

Les Américains m'appelaient encore par mon vrai nom, la première nuit où je les ai rejoints au QG du gouvernement, mais ils le prononçaient comme si c'était un mensonge.

« Alors… euh, Kateb, c'est bien ça ? » disaient-ils les uns après les autres, cherchant gentiment à me faire admettre que j'étais un terroriste. On aurait dit que c'était un truc marrant à partager entre eux et moi.

Même après m'avoir couvert le visage, m'avoir embarqué dans leur Humvee, et m'avoir emmené loin de mes amis du lac, ils se sont comportés comme si c'était mon idée de me cacher dans leur base à Ramadi. Comme si j'avais tout préparé à l'avance.

Mais durant les deux premiers interrogatoires, j'ai prouvé que je n'étais pas un total abruti, et ils m'ont escorté dans une grande pièce carrelée et très éclairée. De vieux Irakiens, assis sur des lits de camp, fixaient le sol. Il y avait trop de lumière pour dormir. Des Marines montaient la garde à chaque porte, mais souriaient comme si nous étions des invités.

Les Américains nous ont gardés deux jours à Ramadi, en nous chaperonnant constamment, les vieux et moi, tels des bédouins leur troupeau de chèvres. Pour aller au mess manger, trois fois par jour. Retourner à la tente qui abritait les services administratifs pour remplir des documents. Et repartir dans les cabanes en bois à l'atmosphère étouffante pour qu'ils nous interrogent. Toujours à l'ombre des parois de béton qui formaient l'enceinte afin que personne de la ville ne nous voie.

Les murs en T, comme les appelaient les Américains. Les grands formats. Larges à la base et minces en haut.

Les Américains nous posaient toujours les mêmes questions, à tous. Des questions filtres, comme ils disaient.

Ils m'ont demandé si j'étais chiite ou sunnite.

Je leur ai répondu que je ne savais pas, que cela m'avait perturbé toute ma vie. Que c'était très troublant.

Ils m'ont demandé qui était mon père.

Je leur ai répondu que j'étais orphelin, ce qui expliquait mes incertitudes religieuses.

Ils m'ont demandé comment un orphelin avait pu apprendre à parler si bien anglais.

Je leur ai répondu qu'il y avait une très bonne bibliothèque à l'orphelinat.

Ils m'ont demandé si je pensais qu'ils étaient assez crédules pour avaler un mensonge aussi évident.

J'ai haussé les épaules.

Ils ont supputé que je venais d'une bonne famille en vérité, si j'étais prêt à risquer autant pour l'épargner. Sans compter, ont-il ajouté, que j'avais tout d'un sunnite issu d'un milieu privilégié, élevé par un père à coup sûr baathiste donc laïque, et que, contrairement à la populace chiite qui rejoignait en masse les rangs de la nouvelle armée irakienne, j'étais un homme avec lequel les Américains pouvaient travailler. « Quel est le nom de ton père ? ont-ils répété. N'aie pas peur, dis-le-nous. Nous pouvons te protéger, toi et ta famille. »

Je suis resté silencieux et parfaitement immobile. Prêt à ce qu'ils me renvoient au lac et à en subir les conséquences. Ou peut-être à ce qu'ils m'expédient à Abou Ghraib.

Je ne sais pas comment mais je les ai convaincus, parce que le troisième matin ils m'ont donné une carte d'identité, comme aux vieux messieurs. Elles étaient signées par un Américain, ces cartes, avec nos photos et nos noms. De précieux sésames pour les autres, mais pas pour moi. Je ne croyais toujours pas en eux.

Ils nous ont mis dans un camion après ça, et les vieux ont souffert. Leurs gilets n'allaient pas. Les Marines les avaient habillés un par un comme des bébés, en tentant de les ajuster autour de leurs ventres flasques.

Ils avaient demandé en riant : « Vous pouvez encore respirer ? »

Ils avaient demandé en riant : « C'est trop serré ? »

Ensuite, ils avaient glissé les plaques de Kevlar à l'intérieur, avaient ri encore, et demandé : « Et maintenant ? Vous pouvez respirer maintenant ? »

Toujours à rire et sourire, les Américains.

Moi, mon gilet m'allait bien, maigre comme j'étais, et j'avais le même âge qu'eux. Quand ils me parlaient, les Marines, ils oubliaient leur statut. Ils oubliaient où on était. Ils disaient des trucs comme : « Hé, mec. Tu peux me filer ce casque ? »

« Hé, mec » ils disaient. Comme si on était juste de vieux potes de lycée, ou comme si même dans mon propre pays j'étais une espèce d'étudiant étranger.

Mon tee-shirt Metallica et mon jean usé ont sûrement aidé. Et je gardais le Mark Twain roulé dans ma poche arrière. Partout où j'allais, chaque fois qu'ils me fouillaient, il fallait que je le feuillette pour montrer qu'il s'agissait d'un simple livre, pas d'un subterfuge servant à dissimuler quelque chose. Chaque fois qu'un Américain me fouillait, il souriait et demandait : « Tu lis vraiment ce bouquin ?

– Non, je répondais. C'est pour me porter chance, mec. »

Les vieux étaient vêtus de leurs plus beaux complets, même si d'antiques taches subsistaient sur leurs chemises soigneusement repassées. Ils avaient des chaussures en cuir, déformées et raides mais malgré tout cirées. Et des alliances trop lâches qui glissaient à leurs doigts.

Ces alliances me faisaient sourire et secouer la tête. Ils se comportaient comme des Européens, ces vieux. Un mythe auquel ils avaient fini par croire du temps de Saddam, avant que les guerres, les bombes et l'arrivée des islamistes ne leur rappellent qui nous étions vraiment. Un peuple de péquenots du désert. Un peuple que les Européens regardaient de haut.

Sous leurs casques mal ajustés, les vieux avaient les cheveux soigneusement peignés. Ils gardaient la mine renfrognée tout en lissant leurs moustaches. Avec dignité, croyaient-ils. Des universitaires, des professionnels. Des hommes compétents. Des hommes qui ont toujours compté – et l'ont toujours su.

Nous avons franchi le portail de la base américaine qui était protégé par un dispositif en serpentin, puis avons traversé l'Euphrate à vive allure. Une fois sur l'autoroute, coincés entre deux autres camions américains, nous avons pris une vitesse de croisière.

Empaquetés dans leurs gilets pare-balles, les vieux gigotaient. Inquiets d'être reconnus par quelqu'un à bord, un espion, ils fixaient le plancher. Mais dans un virage serré, ils ont dû se pencher pour ne pas tomber. Leurs gilets pare-balles sont remontés et leur ont pincé la nuque. Leurs casques ont basculé sur leurs yeux. Nous avons tous avalé la poussière qui s'élevait de la route.

Assis près du hayon, je m'imaginais entre deux jolies filles. Je me suis enfoncé dans mon siège et j'ai étendu les bras sur le dossier comme pour leur toucher les épaules. Ça m'a aidé à rester calme. Je savais les dégâts que faisait une bombe sur ce genre de camion. J'avais vu le carnage. Les Américains, avec toutes leurs armes, ne pourraient pas nous en protéger. Ils seraient incapables de se protéger eux-mêmes. Dans la tête de nos concitoyens, n'étions-nous pas la cible parfaite pour ce genre de bain de sang ? Nous autres, Irakiens assis de leur plein gré à l'arrière d'un camion américain ?

J'ai commencé à taper du pied en fredonnant doucement et à m'agiter tandis que le camion poursuivait sa route. Puis j'ai décidé qu'on était bêtes à tous s'efforcer de ne pas se regarder. Je me suis donc mis à parler aux vieux ridicules.

Ils m'ont ignoré, au début. Ont tourné la tête, se sont raclé la gorge en levant les yeux. Ça m'a vexé, alors je me suis redressé et j'ai crié par-dessus le bruit du moteur : « *Shako Mako ! Assalam alaykoum !* »

Les vieux se sont tournés.

J'ai écarté les bras et j'ai hurlé en anglais : « Qu'est-ce qui se passe, messieurs ? »

Rien. Je me suis renfoncé dans mon siège et j'ai soupiré. « Nous sommes tous condamnés. Oui, messieurs. C'est vrai. Mais est-ce qu'on doit s'emmerder, en plus ? »

Quelqu'un a marmonné, donc je me suis à nouveau redressé.

« Vous êtes d'accord, monsieur ? C'est vrai ? Alors, faisons les présentations. Je commence. Je m'appelle Hans Blix. On m'envoie pour savoir si l'un d'entre vous possède des armes de destruction massive. Chez vous peut-être ? Dans votre jardin ? Même une arme de destruction massive de rien du tout fera l'affaire. » Marrant, je pensais.

Le plus vieux des hommes, celui avec la moustache d'un gris uniforme, a pris la parole. Il a regardé droit devant lui et a dit en arabe littéraire : « Tu as appris l'anglais à la télévision ? »

J'ai souri et répondu en anglais : « Oui, monsieur. Absolument. Et vous ?

– C'est ce que tu veux nous faire croire. » Le vieil homme parlait toujours en arabe. « Je crois que tu as grandi à Mansour. C'est à l'université de Bagdad que tu as appris ?

– Pourquoi ? Vous me reconnaissez ? Vous étiez professeur ?

– J'identifie les hommes à la morgue. Avant ça, on ne se connaît pas.

– Alors, c'est maintenant ou jamais qu'il faut faire les présentations, monsieur, non ? »

Le vieil homme a tourné enfin le visage vers moi. « Ces blagues, jeune homme, a-t-il fait en anglais, ce sont des blagues de potache. Des blagues d'un homme qui n'a pas d'enfant. Tu devrais les garder pour toi. »

J'ai hoché la tête. « Je comprends, monsieur. Je m'excuse. » J'ai posé la main sur mon cœur. « Je vais penser à des blagues sur Saddam. Ça ira ? Non ? »

Personne n'a ri.

Le convoi a contourné le lac Habbaniyah, vaste et vert. Par la longue route cahoteuse. Nous nous sommes faufilés dans l'ombre du plateau d'al-Taqadoum, l'endroit longtemps interdit où Saddam avait installé sa base aérienne. Puis avons bifurqué devant les falaises arides pour retourner vers la rivière, les champs verts, les palmiers et les roseaux.

Enfin, le camion a pris brusquement à gauche sur une route goudronnée, presque cachée, et nous avons commencé à grimper le dédale de reliefs. La rivière s'est éloignée. Le bruit du moteur s'est intensifié et les pneus ont glissé avant de trouver leur prise sur le bitume. Un portail est apparu et, au-delà, l'étendue plate et décatie de la vieille base aérienne.

Les vieux ont écarquillé les yeux. Ils se sont penchés au bout de leur banc, puis levés pour essayer de mieux voir à travers le rideau de poussière et de gaz d'échappement l'endroit où le grand homme conservait ses avions de chasse et ses bombes. Où certains de leurs amis avaient été emmenés en pleine nuit, il y a bien longtemps, pour disparaître à jamais. Où les Américains vivaient à présent, contemplant la rivière en contrebas et leur butin de guerre.

Je suis resté assis à regarder derrière nous, au-delà du portail, la rivière serpentant vers le nord, les rubans de verdure accrochés à la rive et les nuages de poussière du désert qui assiégeaient l'horizon. Puis le camion a redémarré, tourné, et la rivière a disparu.

Nous nous sommes encore arrêtés pour laisser monter à bord un jeune Marine afin qu'il vérifie nos cartes d'identité. La transpiration dégoulinait sur son visage pâle, mais il n'y prêtait pas attention. La jugulaire verte de son casque était détrempée.

Les vieux ont brandi leurs papiers des deux mains juste devant leurs visages, les tenant entre le pouce et l'index et regardant par-dessus comme des écoliers. Ils hochaient la tête et s'efforçaient de sourire à l'américaine. Un large sourire carnassier.

Le Marine posait un doigt ganté sur chaque carte tout en stabilisant de l'autre main le fusil qu'il portait en travers de la poitrine. Puis les vieux continuaient de parcourir la paperasse qu'on nous avait remise à Ramadi pour lui fournir quelque chose de plus, mais lui, satisfait, était déjà passé au suivant.

Quand mon tour est arrivé, j'ai sorti ma carte de ma poche arrière et l'ai tendue au-dessus de ma tête avec flegme.

Le Marine l'a tapotée d'un doigt, puis une main sur le cœur il a dit : « *Shoukran*.

– C'est vrai, mec. Je m'appelle MCA, et j'ai un permis de tuer », ai-je lancé en citant les Beastie Boys. J'ai toujours pensé que c'était un truc marrant à dire. En tout cas, j'ai fait rire le jeune Marine.

Le chauffeur a embrayé et le camion a franchi le portail au pas. Nous sommes passés devant une file de véhicules américains qui attendaient de partir en sens contraire. Une douzaine de camions de transport militaire et plusieurs Humvee. Des hommes, et quelques femmes à l'air sévère, étaient appuyés contre les carrosseries. Vêtus de combinaisons beiges qui les couvraient de la tête aux pieds. Je les ai regardés mettre leur casque et boucler leur gilet pare-balles, en me demandant ce qu'ils allaient faire dehors. Tuer quelqu'un ? Que je connaissais, peut-être ?

Notre convoi s'est scindé. Les escortes avec leurs mitrailleuses embarquées se sont éloignées à vive allure vers leur zone du plateau. Notre camion a tourné et nous sommes arrivés en Amérique. Des hommes en tenue de camouflage du désert se baladaient, le fusil en bandoulière dans le dos. Des civils, gros et engoncés dans des chemises et pantalons beiges, bravaient le vent chaud tête baissée.

Nous sommes passés à proximité d'hélicoptères soigneusement alignés derrière des barbelés, et avons longé un terrain vague sur lequel on érigeait une ville. Une grue mobile déchargeait d'une file de camions à plateforme des préfabriqués métalliques de cinq mètres carrés, et les déposait en rang les uns à côté des autres. Il y en avait cinq par camion. Ces boîtes semblaient assez grandes pour contenir deux lits et possédaient chacune un climatiseur individuel afin de maintenir au frais les veinards. Les autres, les Américains sans air conditionné, vivaient à douze dans de longs baraquements en contreplaqué.

Un camion-benne suivait la grue avec du gravier que des ouvriers étrangers, des Pakistanais me suis-je dit, étalaient pour faire des allées tandis que des gardes armés les surveillaient étroitement. Des générateurs, compresseurs et autres ventilateurs vrombissaient tous azimuts.

Un avion-cargo a décollé. J'ai senti l'odeur des gaz et la chaleur des moteurs, et la rivière m'a manqué.

Pour finir, nous sommes arrivés devant plusieurs bunkers en béton, isolés derrière un portail et une clôture métallique à l'extrémité de la base. Ces casemates étaient conçues pour résister aux bombardements. Un Américain avec un pantalon beige et des lunettes de soleil nous a ouvert le passage. Notre camion s'est immobilisé et les freins ont expulsé un souffle d'air comprimé. Les vieux se sont empressés de desserrer leurs gilets pare-balles pour respirer bruyamment, les poumons enfin libres de fonctionner sans entrave.

Le hayon s'est abaissé et un homme a lancé en arabe : « Laissez vos gilets pare-balles et vos casques dans le camion. Ils retournent à Ramadi. On va vous en donner de nouveaux ici. »

Je me suis libéré de mon attirail et j'ai sauté à l'extérieur, franchissant les quelques deux mètres de dénivelé comme un chef et atterrissant d'un coup sec sur le sol. Les Américains allaient m'apprendre à dire ça – *comme un chef* –, et ils rigoleraient bien quand je l'emploierais à mauvais escient.

« Aidez-vous les uns les autres pour descendre du camion, a crié l'homme. Si ça ne suffit pas, appelez un Marine à la rescousse. »

J'ai enfoncé mes mains dans mes poches en humant l'air et me suis éloigné de quelques pas. Tandis que des Américains s'approchaient du camion pour aider les vieux à sortir, j'ai marché en cercles en shootant dans des mottes de terre et des petits cailloux.

« Venez par là. Mettez-vous en ligne devant moi. Il faut que je vous compte. »

J'ai parcouru l'assemblée du regard à la recherche de la voix, me disant qu'il devait s'agir d'un Arabe en tunique jusqu'aux chevilles. Qu'il avait au moins la peau mate.

« Devant moi ! Préparez vos papiers ! »

Et je l'ai trouvé, un Marine avec de luxueuses lunettes de soleil. Il avait tout bonnement l'air d'un Américain, à peine plus âgé que moi. Il agitait un bloc-notes à pince au-dessus de sa tête. Malgré son uniforme, j'ai immédiatement pensé qu'il n'était pas Marine. Ses cheveux bruns dépassaient de sa casquette militaire et le bas de son pantalon tombait sur ses bottes. Les vrais Marines rentraient soigneusement le leur dans leurs chaussures. Et ils se coupaient toujours les cheveux très, très court.

Je me suis approché de lui pendant que les vieux glissaient à plat ventre par-dessus le hayon, s'efforçant de trouver le courage de lâcher prise.

« Fais-moi voir tes papiers, a dit l'homme en anglais.

– Bien sûr, mec. » J'ai laissé tomber ma carte sur son bloc-notes.

« Merci. » L'homme a cherché mon nom sur sa liste et a glissé ma carte sous la pince métallique. Puis il en a sorti une neuve de sa poche. « Voici ta nouvelle identité. » Ma photo figurait déjà sur la carte. « Je garde l'ancienne. À partir de maintenant, tu l'oublies, tu la récupéreras quand tu rentreras chez toi. Il n'y a pas de nom sur ta nouvelle carte. Juste un chiffre. C'est pour ta sécurité et celle de ta famille. Maintenant, descends les escaliers qui sont là. »

L'homme a désigné la porte du bunker le plus proche.

Je me suis penché vers lui et j'ai souri. « Je peux te poser une question, mec ?

— Oui, il a soupiré. Mais vite.

— Tu viens d'où ? »

Il a haussé les épaules. « C'est pas vraiment un truc qu'on demande par ici. Mais bon. D'Amérique. Du Michigan.

— Désolé, je n'ai pas été clair. Je veux dire, avant ça.

— Du Liban. »

J'ai ri. À qui il voulait faire croire ça ? Aux Américains ? Comme si le Liban, ça sonnait mieux.

« OK, mec, j'ai fait en m'éloignant vers le bunker. Garde ça pour les filles.

— Quoi ?

— De Syrie, c'est ce que tu voulais dire, non ? » Une fois devant la porte, j'ai ajouté par-dessus mon épaule : « Quand tu rentreras à Damas, dis ça aux filles. Le Liban ! Invite-les à la plage.

— Du Michigan, a-t-il répété, l'air austère.

— Oui, c'est comme moi : je suis allé en Jordanie une fois, mais je serai toujours de Bagdad. »

La porte s'ouvrait sur des escaliers sombres et raides. J'ai aperçu de la lumière en contrebas et entendu des hommes rire et parler anglais. Les mains sur le mur, j'ai descendu les marches une après l'autre, tâtant de la pointe du pied droit la distance avec la suivante. Une fois en bas, j'ai tourné au coin et me suis retrouvé dans une pièce lumineuse. J'ai compris d'un coup à quoi servait le bunker initialement. Ce n'était pas un trou insalubre, destiné au stockage. C'était un endroit luxueux que Saddam avait construit pour protéger ses officiers des bombes américaines sans rien changer à leur confort habituel. Et maintenant, dans le nouvel Irak, les anciens adversaires de Saddam l'avaient trouvé et s'y étaient bien installés.

« *Shlonak !* s'est exclamé un Américain. *Assalam alaykoum !* »

Mes yeux ont fini d'accommoder et j'ai vu un civil en treillis, les mains sur les hanches et le torse bombé. Il portait des bottes et une chemise ornée d'un logo brodé. Le fait qu'il ne soit pas armé m'a frappé. Il avait la cinquantaine, mais semblait en forme physiquement.

Un Marine à peu près du même âge se tenait derrière lui ; un officier, ai-je pensé, à la vue de l'insigne étincelant sur son col. Il a souri en me saluant lui aussi d'un signe de la main.

« Asseyez-vous où vous voulez », a dit le civil. Il a désigné les rangées de chaises en plastique soigneusement alignées sur le sol en marbre.

« OK. » J'ai haussé les épaules. Les mains dans les poches, j'ai évalué mes choix. Les jurons et les respirations bruyantes des vieux descendant les escaliers s'intensifiaient.

L'officier a pris la parole. S'adressant à moi. À moi seulement. « Bon voyage ?

– Oui. Très bon. »

Dans les entrailles du bunker, au fond du couloir derrière les Américains, un homme a crié. Des mots hargneux, en arabe, lancés dans la pénombre.

« C'est rien, a fait le civil, pointant le pouce dans la direction du couloir. Le ton monte parfois là-bas. Ne vous inquiétez pas. »

De la pénombre a surgi un Arabe, plus vieux, gros et moustachu. Il portait un uniforme de Marine, mais, comme l'homme aux lunettes de soleil et au bloc-notes à pince, n'en était pas un. En passant devant l'officier et son ami, il a vociféré, excédé : « Menteurs ! Assez de menteurs pour aujourd'hui ! Je vais fumer. »

L'officier a ri et lui a tapoté l'épaule. « Tu es un saint, Cadillac. »

Je suis resté immobile. Cadillac m'a frôlé en se dirigeant vers l'escalier.

L'officier s'est tourné vers moi. « Allez, allez. *Min fadlak !* Détendez-vous. » J'ai obtempéré.

Puis les vieux sont entrés dans la pièce, un par un, essoufflés. Quand nous avons tous été assis, le civil au torse musclé a commencé par nous souhaiter la bienvenue en arabe, comme s'il avait répété la phrase toute la journée. Il est passé ensuite à l'anglais.

« Tout d'abord, permettez-moi de saluer votre courage. Même si l'on vous paie, il est évident que ce que vous faites est héroïque. »

Il s'est interrompu pour nous regarder à tour de rôle dans les yeux. « Vous êtes de véritables héros irakiens. Ensuite, sachez que nous sommes très conscients des dangers que courent vos familles. C'est pourquoi, quand vous quitterez ce bunker, vous n'utiliserez plus vos vrais noms. Ni avec moi. Ni avec le colonel Davis. Ni avec les Marines avec lesquels vous travaillerez. Nous allons vous donner à tous un pseudonyme. » Il a secoué la tête en grimaçant. « C'est-à-dire un faux nom. Désolé. »

J'ai regardé autour de moi. Les vieux hochaient la tête comme s'ils comprenaient de quoi il retournait.

« OK. » Le civil a examiné ses notes. « Bon, parlons d'abord des catégories. Au QG du gouvernement à Ramadi, les Marines chargés du recrutement vous ont classés par catégories. Catégorie un, deux ou trois. Ceux d'entre vous qui sont catégorie deux ou trois bénéficieront d'une habilitation de sécurité provisoire, c'est-à-dire un accès provisoire aux informations classifiées, et travailleront en tant que traducteurs et interprètes. » Il a baissé les yeux sur ses notes et a fait la moue comme s'il n'était pas d'accord avec ce qu'il avait lui-même écrit. « Je dis "provisoire" parce que les habilitations ne sont normalement délivrées qu'aux citoyens américains. Mais étant donné vos capacités et la loyauté dont vous avez fait preuve, eh bien, une habilitation provisoire vous a été accordée. »

Les vieux ont souri.

« OK, ensuite : les interprètes de catégorie deux ou trois vivront dans ce bunker et travailleront avec les services secrets. Pour parler aux détenus. Traduire des documents. Vous ne quitterez jamais la base d'al-Taqadoum, à moins que l'on vous escorte chez vous pour congé personnel. » Puis, doucement, à l'intention de l'officier, il a demandé : « On a des catégorie un ? »

L'officier a hoché la tête et levé un doigt.

« La catégorie un ne peut pas bénéficier d'habilitation provisoire, je ne sais pas pourquoi. Donc, si vous êtes catégorie un, vous travaillerez avec les Marines au front. Vous participerez aux patrouilles. Vivrez avec eux. Bien. Maintenant, vérifiez sur les cartes qu'on vous a données là-haut. »

Nous avons tous baissé la tête.

« Qui est catégorie un ? »

Je l'ai vu sur ma carte, un gros chiffre vert dans le coin. J'ai levé la main.

« Dans ce cas, quittez votre siège. Vous allez devoir sortir maintenant. Remontez et voyez avec Frank, d'accord ? On vous donnera bientôt des instructions. La suite de cette réunion ne s'adresse qu'aux interprètes habilités. »

Le civil m'a souri comme si nous étions amis.

« Monsieur, j'ai dit en arabe au vieux qui m'avait parlé dans le camion, profitez bien de votre séjour ici. J'espère que vous poserez beaucoup de bonnes questions.

– À une prochaine fois. Ce sera avec plaisir », a-t-il répondu.

J'ai traversé la pièce et monté les escaliers.

Derrière moi, j'ai entendu le civil demander : « Quelqu'un a faim ? »

Quand j'ai surgi à la surface, Frank, l'homme aux lunettes de soleil, celui du Michigan, a ri. « Déjà de retour ?

– Catégorie un.

– Tu rigoles ? » a-t-il fait, sarcastique, en feuilletant son bloc-notes. Il s'est arrêté sur une page où figuraient trois colonnes de mots, la plupart rayés. « Voyons ce qui reste. » Il a parcouru de la pointe du stylo la page jusqu'à ce qu'il trouve un nom à son goût.

« Dodge. » Il a souri. « À partir de maintenant, tu t'appelles Dodge. Compris ?

– Entendu. » J'ignorais ce que cela signifiait et je n'ai pas posé de questions.

Mais il a éclairé ma lanterne : « C'est une marque de voiture. Solide, fiable. » D'un geste, il m'a invité à le suivre vers une rangée de camionnettes Toyota blanches, flambant neuves.

« Bon, Dodge. Tu as des affaires ? Des effets personnels ?

– Non. À Ramadi, ils nous ont dit de tout laisser là-bas.

– OK. Dans ce cas, la première chose à faire c'est de te trouver un équipement. Tiens, celle-là », a-t-il fait en désignant la camionnette en bout de rangée.

Nous sommes montés à bord et Frank a allumé la radio. J'ai reconnu la station de Falloujah, et la voix de la chanteuse. Gehan

Rateb. La présentatrice sexy de la télévision égyptienne. Et j'ai songé à ce que les djihadistes feraient au disc-jockey de Falloujah pour avoir eu l'audace de passer sa musique, si jamais ils lui mettaient le grappin dessus.

Frank a tourné le bouton avant que j'aie le temps de lui demander s'il aimait Gehan ou la trouvait sexy. Il est tombé sur une station avec un disc-jockey américain. Une femme.

Bienvenue sur Country Convoy, avec votre spécialiste, Kristy…

« On va laisser tomber le magasin du corps. Je vais te déposer directement dans ton unité », a déclaré Frank.

Nous émettons en direct depuis la zone verte sur la radio des forces armées…

« Le régiment du génie c'est ce qu'il y a de mieux pour un interprète, donc tu vas commencer avec eux. Tu feras peut-être une autre unité après. »

Avant de retourner à notre chère musique country, un rapide résumé des événements du jour en zone verte…

« On va te donner des uniformes, un gilet pare-balles, un casque, une cagoule, des lunettes de soleil et des bottes. Peut-être une trousse de secours… »

À treize heures, on a yoga au bord de la piscine sud…

« Mais pas d'arme. Les interprètes n'ont pas d'arme. »

À quinze heures, gym aquatique dans la piscine ouest…

« Les gars du génie sortent souvent de l'enceinte. Ils réparent des trucs. Les routes et les trottoirs. Ils construisent des postes de contrôle aussi. »

À vingt heures, il y a la projection cinéma hebdomadaire au bord de la piscine nord…

« Tu les accompagneras et géreras les civils. Des fois, les civils s'approchent trop près et les Marines tirent sur leurs voitures. »

Le film cette semaine : Seul au monde, *avec Tom Hanks.*

« Ils tirent sur beaucoup de véhicules par accident. Tu devras y aller et t'excuser. Compris ? » Frank a allumé une cigarette et coupé la radio. « Tu parleras aussi à l'armée irakienne pour eux. Des *joundis* principalement, mais quelques officiers aussi. Donc si tu as des opinions politiques, de la famille dans la politique, ou de la famille tout court, ou une préférence religieuse, ou un avis sur quoi que ce soit… bah, maintenant c'est fini. Compris ? »

Nous sommes passés devant l'hôpital et le mess. D'énormes tentes en plastique blanc, avec générateurs et climatiseurs sur le côté.

« Alors, Dodge, chiite ou sunnite ? »

J'ai regardé par la vitre. Les Américains attendaient pour déjeuner. « Ni l'un ni l'autre. Je suis juif. »

Frank a ri. « C'est ça. Moi aussi. Bon, sérieusement… » Il m'a tapé sur la cuisse. « Hé, tu écoutes ?

– Oui, j'écoute, mec.

– Tu ne leur dis rien. Rien. À personne. Absolument rien. Compris ? La semaine dernière, on était avec des soldats du côté de Falloujah, et on a trouvé quinze têtes dans une maison. Sans déconner. Quinze putain de têtes décapitées. Ma famille vit dans le Michigan, OK ? C'est tout ce que les gens savent. Personne ne connaît mon nom. Personne ne sait rien sur moi, et je suis américain, mec. » Frank a tiré sur sa cigarette. « Donc, c'est quoi ton nom ?

– Dodge. Je m'appelle Dodge.

– Bien. »

Nous avons dépassé un panneau indiquant VILLAGE DU GÉNIE. BIENVENUE. ICI LA SÉCURITÉ EST PRIMOR-DIALE. VITESSE LIMITÉE À 10 KM/H EN PERMANENCE.

Frank a levé le pied et la camionnette a continué de rouler devant une multitude de véhicules blindés. Je n'en avais jamais vu de pareils auparavant. Des Marines, en pantalon de camouflage du désert et tee-shirt vert, allaient et venaient avec des glacières, des fusils d'assaut et des boîtes de munitions.

La camionnette a fini par s'arrêter près d'un bâtiment en béton, reste de l'ancienne armée de l'air de Saddam. Sur la porte, une inscription à la peinture délavée annonçait en arabe BASE AÉRIENNE DE TAMMOUZ, 14e ESCADRON. Je me suis demandé si les Américains le savaient. Si quelqu'un s'était jamais renseigné.

Une forêt d'antennes radio hérissait le toit terrasse. Un panneau devant, fait au pochoir sur une plaque de gros contreplaqué, disait : RÉGIMENT DU GÉNIE. C'EST NOUS LES MEILLEURS. COMMANDANT R. E. LEIGHTON.

Frank s'est garé et a écrasé sa cigarette. « Nous y voilà, Dodge. »

Nous sommes descendus de voiture et avons marché sous l'auvent, jusqu'à une porte en contreplaqué fixée dans le mur. Du mauvais travail de charpentier, cette porte. « Du à la va-comme-je-te-pousse », comme les Américains m'apprendraient à le dire.

Frank a frappé et un Marine, pistolet à la ceinture, a ouvert. Jeune et grand. Blond. Musclé. Une vague d'air frais a glissé sur nous.

« Bonjour, c'est pour quoi ?

– Ouais, bonjour. Je travaille avec les renseignements. Je viens vous déposer votre nouvel interprète.

– Il est habilité ?

– Catégorie un. Donc, il peut vivre avec vous mais il n'a pas le droit d'accéder aux zones classées secret défense.

– Il n'entre pas ici, alors. » Le lieutenant est sorti sur le seuil, laissant la porte bricolée se refermer derrière lui.

« Attendez, lieutenant Cobb. Mon lieutenant ! » La voix venait de l'intérieur. La porte s'est rouverte et un autre Marine est sorti. Plus vieux, moins en forme. Un sourire mielleux aux lèvres.

« Quoi, Dole ?

– C'est au tour du génie travaux d'avoir un interprète, mon lieutenant.

– Et comment vous êtes arrivé à cette conclusion, Dole ?

– Le lieutenant Wong de la section de distribution de carburant a eu le dernier interprète. Avant ça, vous, à la construction, vous avez eu l'écran plat pour les briefings. Je dis ça comme ça, mon lieutenant. J'essaie juste de trouver un équilibre. C'est pour vous, mon lieutenant. C'est tout.

– Très bien. Faites-le entrer. Et voyez pour les autorisations avec le commandant Leighton quand il sera de retour. »

Une autre voix a retenti, celle-là autoritaire. « Je suis là. Laissez-moi passer. » Il s'est approché, le commandant Leighton, large

84

d'épaules, chauve, le cuir chevelu rougi par le soleil. Il s'est frayé un chemin entre nous et a pénétré à l'intérieur, au frais. « La cérémonie funéraire est terminée, a-t-il dit après le seuil de la porte. Tout le monde devrait être bientôt de retour. Réglez-moi ce merdier. »

Le lieutenant et l'adjudant Dole se tenaient droits comme des I. « À vos ordres, mon commandant », ont-ils répliqué en chœur.

Une fois Leighton parti, le lieutenant s'est tourné vers son adjudant : « Écoutez, Dole. Faites ce que vous voulez. J'ai pas de temps à perdre.

— Merci, mon lieutenant. Le caporal-chef Jones peut prendre ma place pendant que je m'absente.

— Ouais. Je sais qu'il peut le faire. » Le lieutenant s'est éclipsé derrière la porte en contreplaqué, sans même essayer de cacher son mépris pour ce Marine empâté, ce politicien tout sourire. Je ne l'aimais pas non plus.

« Salut, ça va ? Je suis l'adjudant Dole. » Il a glissé sa main dans celle de Frank et l'a serrée vigoureusement. En l'agitant de haut en bas comme un fouet. « Je chapeaute la section travaux. Je passe presque tout mon temps ici. Je bosse avec les gars qui sortent en opération. Pour s'assurer que tout roule. Le lieutenant Donovan et le sergent Gomez se débrouillent très bien tout seuls sur le terrain, mais bon. Ils n'ont pas vraiment besoin de moi. »

Toutes ces explications, toutes ces excuses, et nous venions de nous rencontrer.

« Donc, c'est qui lui ? a-t-il fait en me désignant du doigt.

— Dodge », j'ai répondu avant Frank. J'ai posé une main sur ma poitrine. « Une voiture fiable. »

L'adjudant Dole m'a donné une tape sur l'épaule. « J'ai eu une Dodge Dart pendant presque dix ans. Mais c'était y'a un bail ! » Il a ri, tout seul. « Allez, suis-moi. On va rejoindre la section et te trouver un lit. »

Nous avons contourné le bâtiment compact en béton pour arriver sur une parcelle de terre cernée de grands talus. La compagnie entière, tous ces Américains, était installée juste au bord du plateau. Je me suis demandé s'ils savaient que tout le monde en bas, près de la rivière, pouvait les voir se déplacer.

Ils conservaient un espace dégagé et plat, d'une trentaine de mètres carrés, pour les exercices et ce genre de chose. De part et d'autre étaient alignées trois rangées de baraquements longs et étroits en contreplaqué, avec des portes à chaque extrémité. Dans chacun d'entre eux, il y avait assez de place pour une vingtaine de lits.

« La majeure partie de la compagnie est à la chapelle », a dit Dole. Puis il a ajouté avec gravité : « Cérémonie funéraire. Y'a eu un mort au combat la semaine dernière.

– Désolé », a fait Frank. Détaché et froid, comme s'il s'était maintes fois entraîné à prononcer ces mots avant de se rendre compte qu'il n'existait aucune façon adéquate de le faire.

« Ouais. » L'adjudant Dole a mis les mains dans les poches. « Un gars bien. »

C'était la première chose qui sonnait vrai dans sa bouche.

L'adjudant a frappé à la porte d'un des baraquements du fond, le plus proche du talus, au bord du plateau. Pas de réponse, alors il a poussé le battant. « Y'a quelqu'un ? » Il a allumé la lumière.

« Ici, Dole. » Un jeune homme était assis sur sa couchette au bout de la pièce. Dans la pénombre.

« Salut, Doc. T'es pas à la chapelle ?

– Faut surveiller le matériel. C'est moi qui m'y colle.

– Dans le noir ?

– C'est un putain de sauna là-dedans.

– OK. » L'adjudant Dole a paru perplexe, comme s'il évaluait dans quelle mesure une lampe pourrait véritablement augmenter la chaleur régnante. Il a haussé les épaules. « Doc, je te présente Dodge. Dodge, voici Doc Pleasant. L'infirmier de la section. Enfin, le toubib, quoi. C'est lui qui prend soin de nous. »

J'ai fait un signe de tête. « Bonjour. »

Le gars m'a toisé et s'est renfrogné. Il était un peu plus jeune, mais maigre et dégingandé comme moi. Il avait encore de l'acné, signe de ce qui semblait être les derniers mois de son adolescence. Ses épais cheveux roux étaient coupés ras sur les côtés. Il y avait mieux, comme look.

« C'est le seul lit disponible, a dit Doc, pointant le doigt vers la couchette vide à côté de lui, plutôt à l'intention de l'adjudant Dole qu'à la mienne.

– Comme ça c'est tout vu. Dodge, installe-toi. Doc, occupe-toi de lui au début. Trouve-lui un équipement quand la compagnie rentrera de la chapelle. »

Puis Frank et l'adjudant Dole nous ont laissés seuls.

Le toubib ne s'est pas levé. N'a pas dit un mot, ne m'a même pas accordé un regard. Il est resté là, les yeux fixés droit devant lui.

Donc je me suis approché et me suis assis à côté, sur mon nouveau lit, bien décidé à laisser ce belliqueux Doc parler le premier, quand il le sentirait. Ce qui a pris plusieurs minutes.

« T'es irakien ? a-t-il fini par demander.

– Oui. Je viens de Bagdad.

– Qu'est-ce que t'en sais de Metallica, alors ? a-t-il fait, hostile.

– Ça ? » J'ai désigné mon tee-shirt. « J'achetais des albums, avant. Il y a un endroit à Bagdad qui s'appelle Music Street. Ils ont Metallica, AC/DC et tout. »

Il a acquiescé, s'est affalé sur son matelas et n'a plus bougé.

« Mais toi, mec ? ai-je poursuivi. T'aimes Metallica ?

– Non. Avant, oui. Mais ça fait longtemps.

– Ah bon, t'aimes plus ? Pourquoi ? »

Il a soupiré. « Écoute, je suis censé m'occuper de toi, mais j'ai besoin de dormir, en fait. Donc… reste là et bouge pas. »

Ensuite, il s'est assoupi. Et je me suis chargé de la surveillance. Quand j'en ai eu assez, j'ai pris le Mark Twain dans ma poche arrière et j'ai commencé à lire. Par chance, j'arrivais au moment où Sherburn harangue ceux qui veulent le lyncher en affirmant qu'ils ne le pourchasseront pas en plein jour, et que « l'homme moyen n'aime pas la difficulté et le danger ».

J'ai réprimé un rire pour ne pas réveiller Doc.

Bientôt, des Marines sont rentrés dans le baraquement en traînant les pieds et se sont vautrés sur leurs lits, les yeux rouges, le fusil semblant plus lourd que d'ordinaire.

Mes nouveaux amis.

Compte-rendu de fin de mission : tendances de l'activité ennemie

1. Insurgés brûlant des pneus sur les routes pour ramollir les surfaces afin de placer des engins explosifs improvisés sous la croûte d'asphalte.

2. Insurgés enterrant des carburants accélérateurs de feu, comme le kérosène ou le gazole, en cas d'explosion d'engins improvisés. Le gazole est souvent mélangé à des paillettes de savon qui font adhérer les flammes à la peau non protégée.

3. Insurgés lançant des attaques multiformes après les explosions d'engins improvisés. Avec, en particulier, salves de lance-roquettes suivies de tirs d'armes de plus petit calibre en direction des cavaliers portés débarqués. L'ennemi se fond ensuite parmi les civils pour échapper à toute contre-attaque.

Procédures suggérées :

1. Se fier à l'analyse stratégique afin d'identifier nos forces et nos faiblesses et cerner les opportunités d'action et les menaces de l'environnement. Confirmer la présence d'engins explosifs. Maintenir les forces alliées à distance de sécurité. Délimiter le périmètre afin d'éviter toute intrusion ennemie. Contrôler l'accès. Vérifier si présence ou non d'engins secondaires.

2. Maintenir une distance de sécurité de soixante-quinze à cent mètres entre chaque véhicule afin de limiter les dégâts en cas d'attaque ennemie avec un seul engin explosif improvisé.

Respecter scrupuleusement la règle des cinq et des vingt-cinq mètres.

Avec mon plus profond respect,
P. E. Donovan

Sécurisation des routes

Paige laisse un mot dans ma boîte le dernier jour des examens. Je l'aperçois du coin de l'œil en traversant le foyer des étudiants en master administration des affaires.

« On est quelques-uns à se retrouver chez Molly tous les jeudis soir pendant les vacances de Noël, écrit-elle. Juste pour entretenir les relations. Tu devrais venir. Je t'invite. Et au fait, pourquoi tu n'as pas mis ton numéro de téléphone et ton adresse e-mail dans l'annuaire des étudiants ? Et tu n'es pas sur Facebook ? T'es agent secret ou quoi ? Appelle-moi. »

Elle indiquait son numéro de téléphone en bas, avec le post-scriptum suivant : « Ma famille et moi, on est membres du Southern Yacht Club. On a un Catalina 36, acheté quand j'étais petite. Donc si tu as envie de mettre un pied sur un vrai voilier un de ces quatre… »

Je plie le mot en cinq et le glisse au fond de mon portefeuille.

En rentrant chez moi, dans le tramway qui bringuebale le long de Saint Charles Avenue, j'imagine le voilier de la famille de Paige dans la marina du yacht-club – en parfait état, je parie. Pas comme l'épave en cale sèche que j'ai vue ce matin dans le cimetière marin de West End. Son état était tel que le vieux capitaine du port a eu du mal à trouver quelque chose de positif à dire à son sujet, malgré son évident désir de la voir disparaître.

« Bon, c'est… un vrai défi », a-t-il fini par déclarer pour décrire la coque délabrée baptisée *Sentimental Journey*. « Mais vous êtes jeune, hein ? Pas de femme, pas d'enfant. Vous pouvez vous lancer là-dedans, c'est le bon moment. »

J'ai passé la main sur le gelcoat abîmé. « Comment ça se fait qu'il est rayé à ce point-là ?

– C'est à cause de l'ouragan. » Il a haussé les épaules. « Les vagues ont arraché tous les bateaux de leur amarrage dans le port et les ont poussés dans les rues. Quand le niveau de la mer est redescendu, ils sont restés empilés les uns sur les autres dans le parking. Celui-là était couché sur bâbord tout en bas de la pile. Son propriétaire n'est jamais venu le réclamer. »

Après avoir mentalement parcouru les termes maritimes que je connaissais pour poser une question intelligente, j'ai choisi : « Vous avez réussi à sauver une partie du gréement dormant ? »

Il a éclaté de rire. « Vous rigolez, c'est ça ? Tout ce qui reste, c'est ce que vous voyez. Mais faudra commencer par le gréement dormant, ça c'est sûr. Nettoyer l'intérieur, aussi, et tout refaire à partir de la coque vide. L'avantage avec ces vieux bateaux, c'est que la coque est épaisse. Même s'ils se prennent une branlée, on peut toujours les retaper. »

Si je ne lui fais pas signe d'ici début janvier, il va le faire désosser et porter à la décharge. Heureusement qu'il ne m'a rien demandé sur mon expérience de navigateur et mes projets de rénovation. Il a sans doute pensé que je cherchais juste un rafiot capable de flotter pour faire la fête et impressionner les filles, et je ne l'ai pas contredit.

Je descends du tramway sur Washington Avenue et continue à pied les quelques pâtés de maisons qui me séparent de mon studio. Un cortège funèbre bloque Coliseum Street, m'empêchant de traverser. J'attends au coin de la rue en frissonnant tandis qu'une charrette à cheval franchit lentement le portail du cimetière Lafayette et que les musiciens et les proches du défunt défilent. Ils ont une étrange coutume dans cette ville. Un groupe de jazz mène le cortège de l'église au cimetière en jouant des airs tristes sur lesquels chacun peut se lâcher et évacuer la douleur. Ensuite, une fois le cercueil dans la tombe, ils font le chemin inverse sur des thèmes plus gais et tout le monde danse en retournant à l'église.

C'est libre et débridé, le contraire d'un enterrement militaire. Mais qu'est-ce que j'en sais, au fait ? Soudain, je me rends compte que je n'ai jamais assisté à un enterrement militaire à proprement parler. Jamais entendu vingt et un coups de canon ou vu une veuve recevoir le drapeau plié. Nous avons assisté à beaucoup de cérémonies à la mémoire de ceux dont les corps étaient rapatriés au pays, mais ce n'est pas la même chose. Nous les bâclions toujours.

Je pense à Paige et à son discours sur l'empathie. Elle voyait peut-être juste avec ce truc-là, et j'aimerais me montrer plus à la hauteur de sa cause. Précisément ce qui a manqué au commandant Leighton le jour de la cérémonie à la mémoire de l'adjudant Stout. L'empathie.

Il s'est levé et a fait un long discours sur la nécessité de surmonter l'événement. De se remettre au travail. Et même si, en termes de management, c'était peut-être le message qu'un commandant se devait de faire passer, l'effet n'a pas été celui escompté. Personne n'a pu se remettre au travail comme ça.

Nul ne connaissait la procédure avant le décès de l'adjudant Stout. C'était le premier mort de la compagnie, et nous avons dû apprendre sur le tas. Nous avons merdé avec l'annonce à la famille. Merdé avec les effets personnels. Merdé avec tout.

Pour commencer, il fallait trouver quoi mettre sur le tableau des effectifs. Apparemment, nous ne pouvions pas nous contenter de supprimer un nom. Nous devions continuer de le mentionner dans le rapport du matin jusqu'à ce que le service des affaires mortuaires ait préparé son corps pour le rapatriement. Mais comment le faire figurer ? Étions-nous censés gribouiller le mot *mort* à côté de son nom ? Personne ne le savait.

Pour finir, le responsable administratif s'est approché du tableau et a ajouté une nouvelle case : *Anges en partance – 1.*

L'expression m'a heurté. J'ai supposé que le type en question, un croyant connu pour faire du prosélytisme, l'avait inventée et essayait en douce de jouer les moralisateurs. J'ai voulu lui dire deux mots, mais Cobb m'en a empêché. Il m'a dit que le gars avait trouvé l'expression dans le manuel du personnel. Donc je suis allé voir. Et c'était vrai. *Anges en partance.* C'est ainsi qu'on les appelle officiellement.

93

Je n'ai pas aimé. Personne n'a jamais pensé à un ange en voyant un sac mortuaire en vinyle, flasque comme un sac de fourrage, hissé dans un hélicoptère. Même Doc Pleasant, d'habitude à l'aise avec les choses les plus sanglantes, a été sonné. Il n'est pas venu à la cérémonie à la mémoire de Stout. Il n'y avait pas d'ange en vue pour Doc Pleasant, et pourtant il aurait été le genre à en chercher un.

Après la cérémonie, Cobb, Wong et les autres m'ont tapé sur l'épaule en s'efforçant de me soutenir.

« Tu as fait ce qu'il fallait, mec. C'était pas facile. Faut pas t'en vouloir. »

« Tu ne pouvais rien faire. C'est le boulot d'un lieutenant. C'est pour ça qu'on gagne plus. »

« Continue. Demain est un autre jour, mon pote. »

Mais, sous ces mots, je les entendais demander : « T'es sûr qu'il est mort sur le coup ? Tu es sûr ? C'était pas à toi de prendre les décisions, plutôt ? Où étais-tu quand il s'est aventuré là-bas ? Pourquoi tu ne lui as pas dit de ne pas le faire ? Pourquoi tu ne lui as pas dit d'enfiler sa combinaison de protection, au moins ? Tu t'es encore fait damer le pion par un adjudant, c'est ça ? Il t'a piqué ta place. Ouais. Tu m'étonnes, minus. »

Je les imaginais au mess, le groupe entier de lieutenants, en train de discuter à table lorsqu'ils avaient quartier libre. Cobb, avec sa mâchoire carrée et ses larges épaules, menant la danse. Posant doucement la question à mes pairs rassemblés : « Qui va diriger la section à sa place maintenant ? »

Même l'adjudant Dole a tenté sa chance. Il s'est approché de moi après la cérémonie et a fait : « Mon lieutenant, est-ce que vous avez besoin de moi dans la section ? Est-ce qu'il y a quoi que ce soit que je puisse faire ? »

J'en ai profité pour le malmener un peu. C'était gratuit, mais satisfaisant. « Oui, Dole. En fait, ce serait vraiment bien si vous pouviez venir en opération avec nous. »

Il s'est crispé et a secoué la tête. « Ah, ouais… mais je suis désolé, mon lieutenant. Vraiment. Les médecins disent que je ne peux pas participer aux opérations à l'extérieur, avec mon genou en vrac. J'aurais bien aimé. Dommage. Bon, il faut que je file, je dois téléphoner chez moi. Ma femme a une question sur notre crédit immobilier. » Il s'est éloigné, illuminé de l'aura que vous donne la garantie d'une pension pendant vingt ans.

Le commandant Leighton ne s'est pas embêté avec tout cela. Il m'a convoqué dans son bureau le lendemain et m'a demandé de but en blanc : « Combien de routes défoncées avez-vous sécurisées avec votre section jusqu'à maintenant, lieutenant Donovan ?

— Cent cinquante-sept, mon commandant.

— Et en tout, combien d'engins explosifs, plus ou moins prêts à péter, étaient enterrés dans les trous ?

— Cent cinquante-sept, mon commandant.

— Bien, donc il est légitime de penser que vos Marines vont continuer d'en trouver d'autres, n'est-ce pas ?

— Oui, mon commandant.

— Dans ce cas, il faut que vous retourniez sur la route dès que possible. C'est ce qu'il y a de mieux pour vos hommes.

— Oui, mon commandant.

— À ruminer ce qui vient de se passer, vos Marines ne vont plus être combatifs. Ils vont perdre leur capacité à affronter ces engins. Ils hésiteront. Ils passeront des heures sur chaque nid-de-poule à explorer le terrain jusqu'à n'en plus finir avec ces putain de robots. Ils perdront le sens de l'initiative. Ils vont donner trop de marge de manœuvre au camp adverse, et l'ennemi trouvera un autre moyen de les tuer. Tandis que vos Marines, paralysés par la peur, bloqueront sur la même portion de route pendant des heures, l'ennemi aura tout le temps d'attaquer à l'arme légère, au fusil-mitrailleur ou au lance-roquette. Peut-être même sans angle direct.

— Oui, mon commandant.

— Le danger dehors est aussi vaste qu'un océan, en quelque sorte. » Il a gloussé. « On refuserait de nager si on savait le nombre de requins qui s'y trouvent vraiment.

— Oui, mon commandant. » Je ne pouvais pas dire grand-chose d'autre, étant donné le cadre militaire.

« Donc, on garde la main. Voilà votre prochaine mission, a-t-il déclaré en grattant son crâne chauve, laissant tomber sur la carte quelques pellicules, flocons de peau brûlée par le soleil. Route Long Island, depuis l'intersection avec Newport, jusqu'à Hit au nord. »

Il a marché le long de la carte pour indiquer une autoroute traversant le désert sur plus de quatre-vingts kilomètres. Des points rouges symbolisaient les attaques ennemies des six derniers mois. Tandis qu'il parcourait la route, les points rouges disparaissaient sous son doigt telles des lettres en braille. Il a souri. « Chaque nid-de-poule de plus d'un mètre de large. Vous le bouchez, vous le signalez, vous le sécurisez.

– À vos ordres, mon commandant.

– Prenez le nouvel interprète avec vous. Comment il s'appelle, déjà ? Dodge, c'est ça ? Montrez-lui comment ça marche.

– À vos ordres, mon commandant. »

Façon de dire que certes je comprenais parfaitement ses ordres, mais que j'en endossais aussi la responsabilité à partir de maintenant, du nid-de-poule à l'engin explosif qui pouvait s'y trouver.

Nous sommes partis le lendemain matin, avant que le couvre-feu soit levé et que les camions irakiens et les charrettes tirées par des ânes n'engorgent les rues. Nous avons pris la route Michigan plein est en direction de Falloujah, puis tourné vers le sud sur la route Long Island. La ville s'évanouissait petit à petit de l'autre côté de la rivière. Il faisait encore nuit. La chaleur des générateurs floutait les lueurs vertes des lampes à sodium au-dessus des mosquées. Les rideaux de fer étaient tous baissés devant les boutiques de Phase Line Fran. La radio crépitait par intermittence, chaque fois que les patrouilles signalaient des tirs à l'arme automatique.

Nous avons accéléré dans le désert vide, au sud de la rivière, pour atteindre trente minutes plus tard l'intersection de Long Island et de Newport, à la pointe sud du lac Habbaniyah.

Une fois là, nous avons tourné dans la pénombre en direction du nord. Quelques instants plus tard, Gomez a pris la parole sur le réseau pour signaler un énorme trou de trois mètres de diamètre et d'un mètre de profondeur, qui bloquait la route devant nous. Nous nous sommes arrêtés en formation de sécurité, encore à quatre-vingts kilomètres de Hit. Un cratère si près de l'intersection n'était pas de bon augure pour la suite de la journée.

Nous nous sommes garés au milieu de la voie rapide, sur la ligne blanche, et avons interrompu la circulation dans les deux sens en attendant que le jour se lève. Zahn appuyait sur la pédale d'accélérateur toutes les deux, trois minutes pour faire tourner le moteur. J'étais assis à côté de lui et m'occupais de la radio. Marceau manipulait la tourelle, et Doc Pleasant était installé à l'arrière avec Dodge.

Notre sept tonnes vide, notre éclaireur, était le véhicule le plus proche du cratère. Un camion vide menait toujours le convoi, car nous avions enfin appris à ne rien mettre de valeur dans le véhicule de tête. Personne ne le disait, mais le premier camion était notre rouleau de déminage. Tout simplement. Un caporal accompagnait toujours le bleu qui conduisait le véhicule de tête pour le rassurer. Les caporaux y passaient chacun leur tour ; Gomez veillait au grain.

Gomez se trouvait toujours dans le second véhicule, juste derrière le rouleau de déminage, dans un camion équipé d'un système d'artillerie, c'est-à-dire un Humvee blindé surmonté d'une tourelle avec fusil-mitrailleur. Un camion de transport de marchandises à grand plateau la suivait avec générateurs, compresseurs, marteaux-piqueurs, scies à sol, palettes de sacs de béton de vingt kilos et un réservoir de plusieurs milliers de litres d'eau. Je fermais toujours la marche des quatre véhicules restants, sachant que trois d'entre eux étaient équipés d'un système d'artillerie censé protéger celui des démineurs.

Nous nous assurions que leur véhicule ressemble aux autres, et nous le changions toujours de place. C'était un jeu de bonneteau sans fin avec les poseurs de bombes, pour lesquels tuer les démineurs était une priorité absolue. Selon les rapports des services secrets, tuer un démineur américain pouvait rendre un homme riche, assouvir son désir de vengeance, ou lui apporter la paix éternelle au ciel. De nombreuses bonnes raisons de le faire, quelle que soit la motivation.

Dodge, assis à l'arrière du Humvee de commandement, avait l'air d'un petit nouveau dans son uniforme neuf. Sa combinaison raide arborait le lustre du traitement ignifuge du tissu, et aucun grain de sable ne s'était encore glissé dans les plis de son gilet pare-balles.

Pleasant s'est penché pour le lui ajuster. « Tu ressembles vraiment à rien là-dedans. On va scotcher toutes ces lanières quand on rentrera. Sérieusement, t'as l'air d'un gitan. » Pleasant a fermement tiré sur une sangle pour resserrer la tenue. « C'est trop ? T'arrives à respirer ?

– Oui, mec, a soupiré Dodge. Je respire.

– Sérieusement… dis-moi si tu peux pas. Je desserrerai.

– Non, ça va. Franchement, mec. C'est bon. » Dodge a acquiescé et mis la main sur son cœur.

Derrière le volant, Zahn a craché dans sa bouteille à chiques et a demandé : « Il fait assez jour, mon lieutenant ?

– Encore cinq minutes.

– Hé, Zahn, a lancé Marceau depuis la tourelle, passe-moi la boîte de Copenhagen. Je m'endors, putain, là-haut.

– Tu crois au Père Noël ou quoi ? a répliqué Zahn, railleur. T'avais qu'à penser à en prendre une avant de partir. »

Marceau s'est repositionné derrière son fusil-mitrailleur en soupirant. Il avait laissé pousser ses cheveux noirs prématurément grisonnants quelques centimètres de plus que la règle, et il avait un espace curieusement flatteur entre les incisives.

D'un point de vue émotionnel, il paraissait absent, ce qui lui donnait un certain charme. Percevoir son environnement ne l'intéressait pas beaucoup. Seul le concret comptait pour lui. Tant qu'il savait qu'il faisait le boulot, qu'il assurait la sécurité de ses camarades, il échappait à la pression. Il était libre d'être un Marine sans avoir à se comporter comme tel. Libre de se moquer de nos folies nationales et de nous rappeler à tous que, comparée aux guerres précédentes, la nôtre était ridicule. Qu'elle méritait qu'on en rigole de temps à autre.

Je faisais toujours en sorte que Gomez l'affecte à ma tourelle, à chaque fois que c'était possible. Par égoïsme.

Le jour pointait entre les palmiers sur notre droite et j'ai observé son visage se colorer d'un éclat orangé. À travers la fenêtre blindée, les mêmes rayons sont venus lécher ma joue. Pendant que je réglais la fréquence radio, ma peau s'est mise à me picoter à cause de la chaleur.

« Ici Actual. Balayez le périmètre sur vingt-cinq mètres, à vous. »

La porte passager du Humvee de Gomez s'est ouverte, à cinquante mètres de là, sur la route. Elle a bondi à l'extérieur comme si elle était sur ressorts et, après avoir regardé autour d'elle fusil à la main, elle a passé son arme en bandoulière dans son dos. Puis, s'attaquant à plus de deux cent cinquante kilos d'acier brut, elle a appuyé son épaule sur la porte du Humvee. Les pointes de ses bottes ont soulevé un petit nuage de sable. Mais la porte est revenue deux fois dans sa position initiale. Gomez a respiré profondément et a poussé derechef, tombant presque à genoux avant que le système de fermeture ne s'enclenche enfin.

Elle s'est ensuite redressée et s'est efforcée de réajuster son gilet pare-balles qui avait basculé en avant. Le poids était tel qu'elle a dû lutter pour ne pas s'affaisser. Les plaques de Kevlar, six au total, et son équipement radio l'attiraient vers le bas. Elle a roulé les épaules, ses plantes de pied ont décollé du sol, mais elle s'est maintenue en équilibre sur les talons, a réajusté son attirail et a fait un grand pas en avant. Les Marines se déployaient autour d'elle pour parcourir leur secteur et faire leurs vingt-cinq mètres.

J'ai jeté un coup d'œil par-dessus mon épaule à Doc Pleasant et Dodge. Le premier observait Gomez aussi.

Il a détourné le regard et a paru chercher une bonne raison pour se justifier. « On y va aussi, mon lieutenant ?

– Non. C'est toujours les mêmes règles. Les infirmiers ne débarquent pas avant que le périmètre soit sécurisé. »

Je me suis tourné vers Dodge, qui tripotait la lanière de son casque. « Toi aussi, Dodge. Tu restes dans le véhicule. Et une fois dehors, tu ne me quittes pas d'une semelle.

– Entendu, a-t-il acquiescé. Je resterai près de vous. »

Doc Pleasant a poursuivi : « Tu sais, on ne peut pas te remplacer. Et moi non plus. Je suis le seul toubib et tu es le seul interprète. Donc, on attend. OK ?

– Oui. Compris.

– Non, regarde-moi. Répète ce que je viens de dire.

– Je parle anglais, mec. » Dodge a pris un ton agacé. « Et j'ai compris. »

Prenant la défense de Doc, j'ai insisté : « Répéte ce qu'il vient de dire, Dodge. C'est comme ça qu'on procède.

– D'accord. Je reste dans le véhicule. Et quand je sors, je reste près du *mulazim*.

– *Mulazim* ? ai-je fait. C'est comme ça qu'on dit "lieutenant" en arabe ?

– Oui.

– Ça signifie quoi, exactement ? Enfin, comment ça se traduit littéralement ?

– Ça veut dire "inutile". »

Zahn a étouffé un rire. « Vraiment ? »

Marceau n'a même pas essayé. Il a éclaté d'un rire sonore. « Lieutenant, vous n'auriez pas une paire d'insignes supplémentaires, des fois ? Peut-être que vous pourriez me filer une promotion ! »

Dodge a semblé surpris par nos réactions. « Ça veut dire la même chose en anglais, non ? C'est comme le mot français. Au lieu du vrai gars, c'est celui qui prend sa place, non ?

– Si, ai-je répondu. C'est juste que je ne suis pas habitué à me l'entendre dire de but en blanc. »

Devant, Gomez s'est emparée de sa radio. Sa voix a résonné dans mon oreille un instant plus tard. « Actual, vingt-cinq mètres bouclés. J'arrive.

– Le collectif. On délimite un cordon. » J'ai décollé mon pouce du transmetteur et me suis tourné vers Zahn. « Recule, pour donner à Marceau un bon angle de tir derrière le réservoir d'eau, et je vous rejoins. »

J'ai sauté de mon siège tandis que le Humvee reculait lentement, me suis stabilisé et ai attendu que Gomez vienne jusqu'à moi. Elle a traversé notre périmètre de sécurité, notre forteresse mobile, observant avec satisfaction le travail accompli. On aurait dit Napoléon, ai-je songé. Aussi petite et dominatrice que lui.

Nos camions et nos Humvee étaient garés en biais pour permettre aux tireurs de couvrir tous les angles. Une embuscade pouvait venir de n'importe où. De la route derrière nous, où les voitures irakiennes étaient bloquées à l'intersection. Des pentes désertiques pleines de caillasses et de broussailles de l'autre côté. De snipers à l'affût d'une tête à viser, dissimulés dans les carcasses de voitures abandonnées ou de chars brûlés. De poseurs de bombes dans la petite ville voisine, en train de discuter de notre sort à l'abri de maisonnettes aux teintes beiges, rassemblant leur courage pour coordonner une attaque. De gamins à l'air innocent, toujours aux aguets, s'engouffrant dans les ruelles, surgissant dans la chaleur chatoyante, se faufilant derrière voitures ou portails pour disparaître dans des cours.

La circulation était notre première préoccupation. À cause de notre périmètre de sécurité, une multitude de vieux camions de marchandises s'était accumulée derrière nous, pendant qu'une file de voitures, toujours plus longue, s'étirait devant. Dans les véhicules les plus proches, les Irakiens gardaient leurs mains en évidence, là où les Marines pouvaient les voir, et ne s'autorisaient occasionnellement que quelques coups d'œil obliques à travers leurs pare-brise.

Les Marines débarquaient des véhicules blindés et s'interpellaient.

« Mate un peu à droite ! Là, sur la droite !

– Hé ! Dans la tourelle ! C'est ton secteur. Plus loin sur la route. La ferme à gauche. Le toit plat et le trait bleu.

– Où ? Mais où, bordel ?

– Ouais. Pas sur la route. Laisse de la place pour le compresseur. La bétonneuse après. Et la citerne ensuite. »

Ils s'assuraient toujours de laisser le passage à Gomez, s'écartaient lorsqu'ils entendaient le fusil rebondir sur son gilet pareballes. L'arme avait son propre rythme, en écho aux pas trop grands pour un corps si petit.

Marceau s'est éloigné vers l'avant du convoi après avoir demandé à un bleu de le remplacer dans sa tourelle pour aller aider à soulever la lourde scie à sol. Quand il a croisé Gomez, il s'est voûté et a inspiré profondément.

Elle s'est arrêtée net, a bombé le torse et l'a fixé de toute sa hauteur d'un air désapprobateur d'institutrice. Elle a observé avec mépris sa transpiration, ignoré son regard sombre et fait comprendre qu'elle attendait plus de lui.

Marceau l'a dépassée, a dit quelque chose au Marine à ses côtés, et ils se sont tous deux redressés, droits comme des I.

Gomez a poursuivi son chemin. « Ouais, a-t-elle lancé par-dessus son épaule, tu sais très bien ce que je veux dire. Je t'ai à l'œil. »

Ensuite, sans le vouloir, elle s'est plantée devant moi avec exactement la même attitude. « Ça vous semble bien, mon lieutenant ? »

– Rien à redire.

– Bon, débarrassons-nous de cette saloperie. » Elle a tendu le doigt. « Il y a trop de circulation ici. Trop de bâtiments là-bas. »

Nous avons traversé ensemble le périmètre de sécurité jusqu'à la limite autorisée, là où les camions attendaient avec le matériel que les démineurs déclarent la zone sans danger.

Gomez et moi avons mis un genou en terre derrière l'aile arrière du sept tonnes de tête, et j'ai vu le cratère pour la première fois. Il était à une centaine de mètres de là, difficile à évaluer avec précision à cause de la chaleur qui miroitait au-dessus du sol, mais je me suis surpris à chercher un indice, une raison de croire que ce trou serait peut-être le premier sans obus trafiqué caché sous terre et prêt à exploser.

Les deux démineurs, fraîchement arrivés sur le théâtre des opérations, ne se faisaient pas d'illusions. Ils ont commencé à préparer une petite charge à l'arrière de leur Humvee, sans attendre les ordres.

Je me suis tourné vers Gomez. « Qui est le prochain ? »

Gomez a sorti une liste de noms, glissée dans une chemise en plastique pour éviter qu'elle se désagrège dans sa poche à cause de la sueur. « Marceau », a-t-elle répondu, s'emparant d'un feutre coincé dans une sangle de son gilet pare-balles pour rayer le nom. « Vous m'aidez à grimper, mon lieutenant ?

– Bien sûr. »

J'ai entrecroisé les doigts et Gomez a posé un pied dans mes mains. Je l'ai hissée au niveau du plateau métallique du camion sur lequel elle a posé un genou et les avant-bras, paumes à plat. Lorsque j'ai senti que les Marines au-dessus prenaient la relève pour l'aider à les rejoindre, j'ai lâché prise.

Elle a commencé à interroger les deux bleus avant même de s'être redressée. « C'est prêt ? a-t-elle aboyé.

– Oui, sergent.

– Oui, sergent.

– Ah oui ? Et qu'est-ce que vous branlez, alors, putain ?

– Très bien, sergent.

– À vos ordres, sergent. »

Elle s'est assise près du hayon et a ôté son casque. Le bandeau antitranspiration de ses écouteurs plaquait à l'arrière ses cheveux noir corbeau trempés de sueur. Elle a retiré le combiné pour le laisser pendre devant son gilet pare-balles quelques instants et a passé ses doigts dans ses cheveux, tentant en vain de les faire sécher.

Ensuite, elle a pris un élastique à son poignet pour les attacher en chignon à la base du crâne, et les manches de sa combinaison sont remontées, laissant apparaître ses tatouages. Un serpent enroulé autour de son avant-bras droit pointait sa langue fourchue vers son poignet. Sur son avant-bras gauche, une nuée de moineaux s'envolait.

Une voix a retenti près de moi, celle de Doc Pleasant. Dodge se tenait à côté de lui. J'avais oublié. « Le caporal-chef Zahn nous a dit de venir ici, a fait Doc avec une certaine timidité. On aurait peut-être dû attendre dans le véhicule ?

– Non. Non, ça va. C'est ma faute. Désolé. J'étais passé à autre chose. Venez… agenouillez-vous près de moi. »

Ils ont tous deux posé un genou en terre.

« Vous l'avez réglé ? » ai-je entendu le sergent Gomez demander depuis le plateau du camion.

Les soldats ont répondu instantanément.

« Oui, sergent.

– À vos ordres, sergent.

– Bien, a-t-elle fait d'un air songeur. On va voir ça. Allumez ce putain de truc. »

Je me suis tourné vers Dodge ; la sueur perlait à grosses gouttes sur son visage. « Ça va aller ? »

Dodge m'a regardé. « Oui. Bien sûr.

– Levez le fusil », a lancé Gomez, brandissant vers les jeunes soldats une perche au bout de laquelle était fixé un disque métallique. Elle a passé le disque devant le fusil, très près, puis d'un peu plus loin. Les écouteurs posés sur ses genoux ont émis une plainte aiguë puis un vrombissement sourd. Elle a tiré sur le fil. « Ça a l'air d'aller. »

Je me suis tourné vers Doc Pleasant. « Tu sais ce qui se passe ensuite ? Où tu es censé être ? »

Doc m'a regardé, bouche bée, tandis que Dodge écoutait attentivement chaque mot en respirant péniblement comme s'il venait de courir un kilomètre. Il n'était pas encore habitué au poids de son gilet pare-balles, à la chaleur qu'il faisait là-dessous, et à la difficulté de marcher avec.

« Actions immédiates, ai-je articulé. Réfléchis à ce que tu dois faire dans l'immédiat, Doc. »

Il a mis la main dans sa poche de treillis et a sorti un bristol plastifié. Il l'a tourné à deux reprises à la recherche de la bonne procédure. Dodge observait par-dessus son épaule et essayait de lire.

« On a appliqué la règle des cinq et des vingt-cinq, n'est-ce pas ? ai-je dit doucement. On a installé un périmètre de sécurité ?

– Oui, mon lieutenant.

– Le caporal Marceau est sur le point d'y aller, ai-je suggéré. De quoi va-t-il avoir besoin ?

– D'une couverture ?

– Les camions et les Marines au sol vont se charger de ça. Mais toi, qu'est-ce que tu dois faire dans ce cas-là ? »

Doc a avalé sa salive. « Il faut que je me tienne prêt, mon lieutenant.

– Exact. Alors, tiens-toi prêt. »

Gomez a sauté par-dessus le hayon avec la batterie dans un sac sur l'épaule et le détecteur de métaux dans la main droite. « Hé, Marceau ! a-t-elle appelé. Caporal Marceau ! »

Marceau s'est approché, le fusil en bandoulière dans le dos. Quelqu'un l'avait déjà prévenu.

Gomez a glissé la batterie sur son épaule. « Allez, tueur, on y va. Tu es prêt ?

– Oui, sergent.

– OK. Installons ce bordel. » Elle s'efforçait de paraître enjouée et elle a même souri. Ce qui était rare.

Marceau a enlevé son casque. Gomez a posé les écouteurs sur ses oreilles tandis qu'il glissait l'avant-bras dans le manche du détecteur de métaux et saisissait la poignée.

« Si un véhicule voit le périmètre de sécurité et ne s'arrête pas, a-t-elle dit, s'il accélère dans ta direction, qu'est-ce que tu fais ?

– Je me baisse pour éviter les tirs de mitrailleuse.

– T'arrives au cratère, et y'a rien à signaler ?

– Je lève une main, poing fermé, et j'attends. L'équipe des travaux va venir jusqu'à moi.

– Et s'il y a quelque chose dans le trou, qu'est-ce qui se passe ?

– Je fais demi-tour et je reviens. Le bras droit tendu, parallèle au bitume. Paume ouverte.

– Est-ce que tu cours ? »

Distrait, Marceau a regardé la route en direction du cratère.

Elle lui a donné une claque sur le casque. « Hé, est-ce que tu cours ?

– Non, sergent.

– Très bien. Vas-y. »

Et Marceau s'est mis en marche.

Gomez a réglé la radio. « C'est parti pour l'éclaireur. »

Le réseau est devenu silencieux. Gomez a emboîté le pas à Marceau jusqu'à ce qu'il franchisse l'aile avant du véhicule, puis elle a mis un genou en terre comme il pénétrait dans la zone interdite. Il avait parcouru une dizaine de mètres lorsqu'elle a juré à mi-voix et s'est emparée de sa radio. Puis elle s'est immobilisée et a

regardé par-dessus son épaule, fait un geste et chuchoté : « Lieutenant, lieutenant. Doc. » Elle a haussé les sourcils et penché la tête
en direction de Marceau qui marchait d'un bon pas à cinquante
mètres de là, le détecteur de métaux pointé devant lui.

« Doc, va avec le sergent Gomez », ai-je dit.

Il s'est levé précipitamment et a avancé, traînant son sac d'infirmier et son brancard derrière lui.

« Je ne devrais pas avoir à t'appeler, Doc, l'a sermonné Gomez.
Je ne devrais pas avoir à déranger le lieutenant pour ça. »

Je me suis retrouvé seul avec Dodge. Il s'est assis sur les fesses,
jambes étendues devant lui, en s'appuyant sur l'aile du camion.

« Dodge. Ce n'est pas une bonne idée, ai-je fait. Reste un genou
en terre. C'est plus facile pour se redresser et bouger.

— D'accord, chef, a-t-il grommelé en se levant.

— On ne t'a pas expliqué ? Personne ne t'a dit comment ça se
passe ? »

Il a fait « non » de la tête et, les mains gantées, a remonté tant
bien que mal les lunettes de soleil flambant neuves sur son nez.

« OK, bon, Marceau est là-bas pour vérifier s'il y a une bombe
dans la fondrière. D'accord ? Et c'est probablement le cas. Quand
on en aura la certitude, on va envoyer le robot avec la charge nécessaire pour… faire exploser l'engin.

— Et après ?

— On enlève les morceaux de bitume abîmé, on remplit le trou
de gravier, et on le recouvre de béton.

— Qu'est-ce que je fais pendant ce temps-là ? a demandé Dodge.

— Pendant qu'ils seront au travail, j'aurai besoin que tu ailles
à l'avant de la colonne avec un porte-voix pour dire aux Irakiens
d'être patients. Dis-leur que nous faisons ça pour les protéger et
que ça ne va pas être long. Oh, et le plus important : dis-leur de ne
pas s'approcher trop près de nous. »

Dodge a hoché la tête. « Bien sûr. Facile. Je peux leur dire ça. »

Marceau s'est arrêté devant le trou, puis en a fait le tour à deux
reprises en passant le détecteur de métaux lentement au-dessus du
bitume défoncé. Il a mis un genou en terre avec précaution au bord
du cratère et a testé les plaques d'asphalte ramolli.

« Hé, Zahn ! » a appelé Gomez. Son pouce est resté au-dessus du bouton de transmission. « Ça fait au moins un mètre de profondeur et trois de large. Faut prévoir dix sacs, huit cents litres, je dirais. »

À ce moment, Marceau s'est immobilisé. Il a ramené le détecteur vers lui, a reculé d'un pas, et a tendu le bras droit, parallèle à la route, paume ouverte.

« Y'a du monde au balcon », a crié Gomez.

Les caporaux en charge des différents détails du processus ont répondu en ordonnant aux Marines de ne pas bouger pendant que la charge était acheminée.

Marceau a commencé à rebrousser chemin, doucement mais avec détermination.

Dodge m'a donné un coup de coude. « Il y a une putain de bombe dans le trou, chef ?

– Oui. C'est presque toujours comme ça.

– Et vous l'envoyez là-bas ? À chaque fois ?

– C'est chacun leur tour, ai-je répondu.

– Merde.

– Y'a pas le choix.

– Merde. »

Je me suis levé et j'ai fait signe aux démineurs. Ils ont acquiescé et envoyé le robot à toute vitesse avec la charge.

Marceau est sorti de la zone interdite et a lancé le détecteur de métaux dans le camion. J'ai remarqué comme il essayait de dissimuler le violent tremblement de ses mains pendant qu'il amorçait une petite chorégraphie, lançant avec malice à l'intention de Gomez : « Glisse, hop, marche. Changement de pied. Mouline. »

Zahn est arrivé et lui a tendu une boîte de Copenhagen en s'exclamant : « J'en ai chié dans mon froc pour toi, enfoiré. Pas besoin de me remercier. »

Le robot a placé une petite charge dans le trou, puis est revenu à toute allure en grinçant. Au bout de quelques instants, les démineurs ont activé la charge, qui a sauté avec un bruit sourd. Un craquement aigu a suivi quand les bombes ennemies ont explosé.

Des obus, me suis-je dit, d'après les éclats de shrapnel qui sifflaient dans le désert en soulevant des milliers de particules de poussière.

Ce n'est qu'alors que le but de l'opération s'est véritablement précisé. Les deux Humvee de la sécurité se sont avancés pour inclure la fondrière dans la zone sécurisée. Des cavaliers portés débarqués les ont aidés à franchir l'étroit passage entre le sept tonnes et l'accotement pendant que les tireurs des tourelles se tenaient prêts. Les générateurs et les compresseurs ont toussé pour finir par vrombir bruyamment. Marceau et ses camarades ont attaqué les bords du bitume avec leurs scies à sol pendant que Zahn entraînait ses caporaux vers la bétonneuse afin qu'ils soient prêts le moment venu à couler du ciment dans le trou.

Je me suis levé et j'ai soulevé Dodge par le gilet pare-balles. « Avançons-nous. »

Dodge m'a donné une tape sur l'épaule et m'a crié à l'oreille pour se faire entendre par-dessus le vacarme : « Ils ont besoin d'aide ? » Il désignait les Marines qui se démenaient en tenue de combat pour décharger des sacs de ciment du camion.

« Non. Ils vont s'en sortir. Reste avec moi.

– On dirait qu'un coup de main ne leur ferait pas de mal. Je peux porter des sacs. Les gens dans les voitures devant nous savent ce qu'ils ont à faire. Ce sont des conducteurs irakiens confirmés, je vous jure. Ils n'ont pas besoin qu'on leur donne des ordres. »

J'ai ouvert la bouche pour répondre, mais j'ai préféré ne pas hurler par-dessus le bruit des scies. Je me suis contenté de l'attraper par l'épaule pour le faire avancer.

Au niveau du périmètre de sécurité, là où le bruit s'affaiblissait, je me suis hissé sur le siège passager du Humvee de tête pour m'emparer du porte-voix. J'ai résolument pointé un doigt vers la file de voitures arrêtées une centaine de mètres plus loin et j'ai tendu l'appareil à Dodge. « On fait comme prévu. Dis-leur qu'on est là pour les protéger et que ça sera vite fini. »

Dodge a souri en voyant le porte-voix, oubliant instantanément ses inquiétudes initiales. « Entendu, *mulazim*, a-t-il répondu en s'essuyant le sourcil. J'y vais. » Il a saisi le porte-voix et, en longeant le pare-chocs avant du Humvee, il l'a brandi en l'air telle une récompense. Droit comme un I, il l'a porté à sa bouche et a crié en arabe. C'était comme s'il avait attendu ce moment toute sa vie.

Il se penchait en arrière, puis hurlait les yeux fermés. Toutes les deux ou trois phrases, il baissait le porte-voix, gesticulait en direction des Marines et riait. Il a traversé la chaussée d'un bout à l'autre, les genoux pliés, en dodelinant de la tête comme un canard. Puis, les mains croisées dans le dos, il s'est mis à se déhancher façon Mick Jagger. Les Irakiens hilares sont sortis de leurs véhicules pour le regarder.

Je n'avais pas le temps ni l'envie de le rappeler à l'ordre. Je suis retourné à l'énorme fondrière où les Marines étaient déjà noyés dans la poussière, couverts de ciment de la tête aux pieds. La transpiration, qui suintait à travers leurs combinaisons, se mêlait à ce fin dépôt et une mélasse se formait, durcissant au soleil plus vite que la sueur ne pouvait l'humidifier, ce qui alourdissait de plus en plus leur uniforme.

Les sacs de béton sortaient du camion. Des Marines devant la bétonneuse versaient du ciment dans le trou. Petit à petit, le cratère rétrécissait. Mais même avec Gomez et Zahn sur leur dos, les Marines ralentissaient le rythme. J'ai regardé ma montre. Nous étions là depuis trop longtemps. Je sentais le désert se rapprocher, la ville. Des yeux s'avançaient sur nous, je le savais. Évaluant la distance. Préparant les mortiers. Visant dans la lunette de leurs fusils. Chaque parcelle de cet endroit, chaque grain de sable, voulait à tout prix nous tuer.

Bientôt, les générateurs et les compresseurs ont poussé leurs derniers soupirs. Les Marines ont démonté la bétonneuse et commencé à rapporter au camion les sacs de béton non utilisés. Gomez et quelques-uns de ses hommes s'appliquaient à aplanir la nouvelle portion de route.

Dans le silence, je me suis rendu compte que quelque chose manquait. Je n'entendais plus Dodge. J'ai plissé les yeux dans la lumière éblouissante pour le chercher en amont du périmètre de sécurité. En vain. J'ai alors examiné les visages des Marines qui passaient à ma hauteur.

Je l'ai trouvé un instant plus tard, à environ cinq mètres de moi, un sac de ciment sur l'épaule. Pliant presque sous le poids, il s'efforçait de ne pas tomber à la renverse. Deux Marines l'ont frôlé, chargés eux aussi, et, le prenant pour un des leurs, l'ont encouragé. « Hé, ai-je crié, Dodge ! »

Il ne m'a pas entendu.

Je me suis approché et l'ai attrapé par l'épaule, l'aidant à soulever le sac pour le déposer par terre. « Ce n'est pas ton boulot. J'ai besoin de toi en amont de la zone sécurisée, OK ? C'est *ça* ton boulot. Compris ? » J'ai tout de suite vu, à ses yeux vitreux, qu'il n'avait pas compris.

« C'est dingue. Il fait chaud. C'est trop. » Il avait du mal à articuler et ne transpirait plus comme avant.

J'ai crié : « Doc, par ici ! Hyperthermie. »

Doc a couru vers nous et s'est agenouillé. « Quel con. » Il a ouvert son sac. « J'ai essayé de le prévenir, mon lieutenant. J'ai essayé. Dodge, tu m'entends ? Con comme un balai, celui-là. Détends-toi, maintenant. Les grands s'occupent de tout. »

– Tu m'as vu, mec ? a demandé Dodge. Sur scène, tout à l'heure ? J'étais bien, non ?

– Mais oui.

– J'étais genre David Lee Roth. J'ai chanté pour mes compatriotes. *California Girls.*

– Tu rigoles ? » Doc Pleasant, qui préparait une intraveineuse, s'est tourné vers moi. « Il faut que je prenne sa température, mon lieutenant. Il a pas l'air si mal. Juste un peu déshydraté. Mais il faut que je vérifie quand même. »

J'ai laissé Doc faire son travail comme Gomez s'approchait avec le cachet à béton. « C'est à vous, mon lieutenant. »

Le tampon était une barre d'acier tordue en forme de château, le symbole des ingénieurs du génie. Je n'avais plus qu'à marquer le béton encore frais pour montrer que le trou avait été bouché par des Marines, pas par l'ennemi.

Le convoi s'est ébranlé pour reprendre sa route en ordre de marche. Les Marines s'engouffraient dans leurs camions respectifs pendant que les Humvee de la sécurité continuaient de surveiller.

Zahn s'est arrêté près du trou bouché, la porte côté passager ouverte, afin que je puisse sauter à bord.

J'ai appuyé le tampon sur le ciment frais et l'ai rendu à Gomez. Je me suis ensuite agenouillé et, avec le bout de mon stylo, j'ai gravé la date, l'heure et l'acronyme désignant notre section. J'ai essuyé le stylo sur la jambe de ma combinaison avant de me hisser dans le Humvee. Mon unique tache de ciment.

Doc Pleasant avait assis Dodge, qui avait l'air d'aller mieux, sur la banquette arrière, une bouteille d'eau entre les cuisses et une perfusion dans le bras.

« Je sais que tu penses bien faire, lui ai-je dit en fermant la porte derrière moi. Mais… laisse ça aux Marines, OK ? Ils ont leur boulot, et toi, le tien.

– Oui, *mulazim*, a-t-il répondu les paupières closes. La prochaine fois, je serai… beaucoup plus raisonnable. »

Doc Pleasant a tapoté le genou de Dodge. « Ça va aller, mon lieutenant. Il avait juste besoin d'un petit remontant. »

Dodge a ouvert les yeux et s'est tourné vers Doc. « *Shoukran*, Lester. »

C'était la première fois que j'entendais le prénom de Doc. Dodge connaissait déjà le gamin mieux que moi.

Gomez a appelé à la radio. « Actual, on est prêts.

– Bien reçu. En avant.

– Je t'ai vu danser là-bas, a dit Pleasant à Dodge. C'était marrant.

– T'as aimé, mec ? La prochaine fois, faut que tu viennes avec moi.

– Où t'as appris ça ?

– À Bagdad. »

Des tirs d'armes légères ont résonné au-dessus de nos têtes tandis que nous traversions la ville. Deux faibles explosions, sans grande conviction. L'embuscade qu'ils avaient préparée pendant une demi-heure se déclenchait quelques instants trop tard. J'ai appelé la base pour faire un rapport et nous avons continué de rouler. Sans même nous arrêter.

« C'est la première fois qu'on te tire dessus, Dodge ? ai-je demandé.

– Non, chef. Comme j'ai dit, Bagdad. »

Soirée de folie ! Au Siberia ! Vendredi prochain ! Avec à l'affiche :

THE BLOOD ROYALE. *Crossover trash d'Austin, Texas. Membres de Gutbucket, des Drunks, de Dixie Witch, Transfixr, Mala Suerte, Suburban Terror Project et Bukkake.*

WINDHAND. *De Richmond, Virginie, chanteuse stoner / doom metal avec des membres de Might Could, Alabama Thunderpussy et Facedownshit.*

VERMIN UPRISING. *Premier concert public. Duo heavy metal de La Nouvelle-Orléans.*

Lizzy

Je gare ma camionnette à quelques pâtés de maisons du bar en me disant que c'est sûrement pas le bon endroit. Dans les rues transversales, les bicoques de Ninth Ward sont abandonnées et condamnées. Pire, certaines ne sont même pas complètement barricadées. Est-ce que des gens vivent encore là-dedans ?

Quant à l'éclairage public, laisse tomber. Un vrai trou noir. Dès que tu quittes Saint Claude. Mais une enseigne au-dessus de la porte indique clairement SIBERIA, en lettres capitales. Et la foule de jeunes Blancs agglutinés dehors à fumer le confirme.

Je détache ma ceinture de sécurité, saisis la poignée de la portière et m'immobilise, histoire d'examiner attentivement la rue défoncée et le trottoir jonché de détritus. Dégueulasse. Une vraie poubelle, quoi. Un rapide coup d'œil devrait suffire.

Regarde, un sac d'os de poulet couvert de mouches.

Regarde, une grande bouteille de bière vide dans un sac en papier kraft.

Je ne devrais pas remarquer que le sac a l'air un peu trop lourd, ou que, pour une raison inconnue, le vent ne parvient pas à faire rouler cette bouteille vide. Ça ne devrait pas être si compliqué ou me prendre si longtemps chaque fois que je dois sortir de ma putain de camionnette.

C'est pourtant le cas. Je ferais mieux de rentrer chez moi.

Mon cœur s'accélère légèrement quand je pose le pied par terre. Plus les secondes passent, plus je suis en colère contre moi-même. Je suis sur le point d'aller à un concert de heavy metal bourré de crétins. Pas la meilleure idée. Je mets mes affaires pour la nuit près de mon sac médical et je ferme à clé.

Dodge me racontait qu'avec ses amis, il organisait des concerts punk-rock à Bagdad. Avant la guerre.

En rentrant de la mission où Dodge a fait une insolation avant même qu'on ait bouché le premier nid-de-poule, le sergent Gomez m'a chargé de m'occuper de lui. De rester à son chevet dans le baraquement, près du climatiseur, et de faire en sorte qu'il s'hydrate.

« Assure-toi que ce couillon boive », a-t-elle dit, encore en combinaison de combat, sale et en nage. « Et je ne veux pas le voir dehors avant la fin du dîner. Tu m'entends ? Même pas pour pisser. Il n'a qu'à se foutre derrière ce poncho et pisser dans une bouteille, cet abruti. »

Dodge lui a souri, assis sur sa couchette, une bouteille coincée entre les jambes. « Merci beaucoup, sergent », a-t-il fait, bredouillant un peu. « C'est très gentil. »

Elle l'a regardé d'un œil mauvais, comme si elle cherchait une bonne raison de se fâcher. Mais, après quelques secondes pesantes, elle a passé ses cheveux noirs derrière ses oreilles, s'est tournée vers moi et a ajouté : « Doc, garde les bouteilles de pisse de cet enfoiré. Je veux avoir la preuve qu'il a évacué au moins cinq litres d'ici demain matin.

— À vos ordres, sergent », ai-je répondu en gardant le dos droit jusqu'à ce qu'elle ait quitté le baraquement à grandes enjambées.

Dodge avait les yeux écarquillés comme des soucoupes quand je me suis assis en face de lui. « Lester, elle va vraiment examiner mon urine demain ? »

J'ai acquiescé. « Y'a des chances. Elle est pas du genre à exagérer.

— Incroyable, Lester. C'est la première Américaine que je rencontre et je dois dire que je ne suis pas déçu. »

J'ai ri, même si je devais renoncer à la douche à cause de lui. Et, parce qu'il était encore sûrement dans les vapes, pas vraiment en pleine possession de ses moyens, il s'est mis à me raconter sa vie à

Bagdad avant la guerre. Rien de bien cohérent. Des trucs qu'il était sans doute pas censé me dire.

« Mon père et mon frère détestaient le rock et mes amis. Ils menaçaient toujours de signaler nos concerts à la police d'État.

– Pourquoi ils l'ont pas fait ?

– Parce que ça les aurait mis dans une position embarrassante, en fait. Ils avaient des postes importants dans le gouvernement, mon père et mon frère. Donc le deuxième fils d'Abou Mohammed qui chante des tubes américains, qui danse avec des filles dans des concerts clandestins… Ça le faisait pas du tout. Au moins, ça nous garantissait une certaine protection, à moi et à mes amis.

– Et tes amis ? Comment ils s'en sortent maintenant ?

– On était en fuite, a-t-il répondu comme pour lui-même. Mais j'ai dû les quitter quand je suis venu travailler ici. » Il est resté silencieux quelques instants. « Je les ai laissés près du lac. Ils allaient bien. Oui. Ils étaient en sécurité.

– Et ton père et ton frère ? Ils sont en sécurité ? »

Mais Dodge avait fini de parler. Il avait dissimulé son visage derrière le livre qu'il trimballait toujours avec lui. J'ai compris le message.

Le videur frissonne dans son manteau léger, me demande cinq dollars mais pas ma carte d'identité. Il se contente de me scruter de la tête aux pieds. L'air méfiant. Je porte encore ma tenue de travail. Bottes et jean. Mon nom figure sur la chemise d'uniforme bleue que je porte sous ma veste de chasse en tissu de camouflage. Et je suis crasseux, couvert de graisse de vidange. J'en ai sûrement plein le visage et les cheveux aussi. J'ai pas eu le temps de me doucher ou de me changer avant de partir.

Le videur me fait signe d'entrer, et dès que je passe la bâche plastique qui fait office de porte je comprends pourquoi il s'est méfié de moi. Je ne suis pas du tout le genre de type à fréquenter cet endroit.

Dans la lumière tamisée et la fumée de cigarette, je distingue des gens sales et déguenillés, pas comme moi avec mes vêtements de boulot, mais sales et déguenillés parce qu'ils travaillent à le paraître. Les mecs portent tous des vestes en jean rapiécées ; plus elles sont miteuses et tachées, mieux ça vaut. Chacune raconte une histoire. Chaque pièce, chaque tache un combat. Comme les uniformes de parade avec leurs médailles militaires. Sauf qu'ici ce sont les taches qui mesurent le dévouement. Elles racontent à tout le monde dans le bar, sans avoir à le dire tout haut, que ces mecs ont vu un jour Cannibal Corpse. Qu'ils sont restés bloqués dans les années 1990 et le grunge, et que depuis ils ne se sont plus coupé les cheveux ou n'ont plus cessé de danser le pogo ou de casser des tabourets de bar. Ils n'ont jamais tourné la page pour adopter ce qu'on pourrait appeler une conduite productive.

Les filles, peu nombreuses, sont différentes. Toutes plus jeunes que les mecs, d'abord. Je vois quelques métalleuses passionnées, mais la plupart sont juste des suiveuses. Des filles dans cette phase dangereuse, tu vois ? Amourachées d'un mauvais garçon dans un groupe ou qui espèrent s'en choper un avant la fin de la soirée.

Je découvre Landry et Paul sur scène. Mais je me retiens de leur faire signe ou de les appeler. Ils passent en première partie et il faut qu'ils soient crédibles devant tous ces métalleux. Donc un copain de lycée qui leur dit bonjour en s'agitant comme si c'était un putain de concours du meilleur groupe, ça va pas les aider.

Il est déjà onze heures trente et ils s'installent à peine. Encore un peu tôt pour ce genre de musique, j'imagine. Je trouve un coin tranquille au fond du bar et m'y réfugie, presque sans réfléchir. J'ai une vue d'ensemble de là. Personne ne peut se mettre derrière moi.

Je croise les bras. Comme ça, si quelqu'un me regarde il comprendra tout de suite que c'est pas mon truc. Pas la première fois que je viens dans un pareil lieu. Landry et Paul m'ont déjà emmené à plein de concerts heavy metal quand on était au lycée, et je me souviens que le meilleur moyen de dégueulasser ta veste en jean c'est de déclencher une bagarre, de pousser un type par terre dans la bière et les saletés qui jonchent le sol pour finir par te faire traîner sur le gravier dehors par le videur qui se débarrasse de vous.

Landry s'approche du micro. Il met sa main en visière et scrute la foule. Peut-être me cherche-t-il, ou bien il y a une fille dont il ne m'a pas parlé. Il commence à avoir de la bedaine à cause de la bière sous le tee-shirt GWAR qu'il a depuis l'adolescence. Un peu jeune pour prendre du bide. Il n'a jamais été très sport. Il plaque quelques accords de guitare et articule « Un, deux, un, deux » avec son gros accent cajun. Puis, au cas où quelqu'un puisse penser qu'il se prend trop au sérieux, il lance : « Un, deux, bordel de merde », et secoue les cheveux. Il a une coupe ringarde, cheveux longs sur la nuque et coupés ras sur les côtés.

Paul se glisse derrière la batterie et frotte son crâne rasé. Il a toujours eu le crâne rasé, sauf que maintenant on dirait pas que c'est un choix mais plutôt qu'il perd ses cheveux et qu'il est vraiment à moitié chauve. Il a maigri aussi. Le contraire de Landry, qui a grossi. Il doit brûler des calories avec ses baguettes.

Paul donne le tempo et ils commencent leur premier morceau.

Pendant tout le trajet, je me suis demandé comment Landry et Paul pouvaient avoir un groupe de heavy metal avec seulement une guitare et une batterie, et Landry qui chante. Mais dès le premier riff, je comprends leur stratégie. Pour combler l'absence de basse, Landry branche sa vieille guitare sur un ampli basse et Paul a une grosse caisse supplémentaire. Ils sont pas les premiers à y penser, évidemment, mais le son est bon. Landry s'éloigne du micro et sourit à Paul. Ils se lâchent pendant quelques mesures. Ils s'amusent, on dirait. Paul serre les dents et ferme les yeux. C'est peut-être pas comme ce qu'on entend d'habitude dans ce genre d'endroit, ce qu'ils font là-haut sur scène, mais les métalleux commencent à remuer un peu. Comme des bulles collées au fond d'une casserole juste avant que l'eau se mette à bouillir.

Après quoi, Landry reprend le micro et tout s'effondre.

Et pourtant j'aime le gars, c'est un bon pote, mais on peut pas ignorer son accent de péquenot. Ça n'a juste rien à voir avec le metal. Les spectateurs, avec leurs cheveux longs et leurs vestes en jean, cessent presque instantanément de vibrer et ils s'éloignent de la scène comme si quelqu'un venait d'éteindre le gaz sous la casserole. Ils repartent au bar commander des bières, ou s'appuyer contre le mur en attendant les têtes d'affiche.

Bon, *moi*, j'aime bien quand même. OK – Landry sait peut-être pas ce qu'il fait, il le fait peut-être pas exprès, mais il y a quelque chose.

Paul joue des deux grosses caisses en même temps. Landry sort un riff bien gras et enchaîne les paroles, en les chuchotant pour éviter de chanter faux : « Je te montrerai d'où je viens, je te montrerai où on saigne. »

Ça paraît complètement dingue, mais son accent cajun aide peut-être, tu vois. On dirait presque qu'il chante une de ces vieilles berceuses françaises. C'est épais, méchant et moche, mais ça sonne vrai au fond, comme si là, sur scène, il était dans un marais avec de la vase jusqu'aux genoux. Je hoche doucement la tête, en m'efforçant de choper le rythme. En essayant d'aimer pour les bonnes raisons, s'il y en a. Je cligne les paupières pour tenter de mieux voir la scène. Mais la fumée et la lumière des projecteurs m'agressent, donc je regarde plutôt la piste de danse.

Elle est vide, à l'exception d'une silhouette floue. Je plisse les yeux et une petite chose blonde se dessine. Une espèce de fée Clochette, avec une queue-de-cheval et ce qui ressemble à une robe… jaune ! Elle vient carrément dans ce genre d'endroit en putain de robe d'été ? Je cligne à nouveau les paupières, croyant rêver. Le voile de fumée se dissipe l'instant d'après et elle apparaît clairement.

Elle me fixe. Depuis le début. Ses lèvres sont rouge vif, et elle sourit comme si elle trouvait ça drôle. Comme si elle pensait que je la matais et que ça la faisait marrer.

Mes joues s'enflamment. Je détourne le regard. Gêné comme c'est pas permis.

Landry joue la dernière note de son deuxième morceau et, comprenant que le public ne va pas applaudir, il enchaîne : « La chanson suivante s'intitule "Ma grand-mère va te casser la gueule". »

Je regarde à nouveau la fée Clochette, surtout pour m'assurer que je n'ai pas rêvé. Que j'ai bien vu cette fille en robe d'été. Et elle est bien là. Toujours à me fixer. Sauf que maintenant, elle a remarqué que ça fait deux fois que je la regarde. Ça me donne envie de changer de peau.

Tourne-toi vers Landry, je me dis. Fais un effort. Ne le quitte plus des yeux jusqu'à la fin, et ensuite tu iras dormir sur son beau canapé moelleux.

Je fixe Landry dans ma ligne de mire, et tout le reste autour disparaît. La fée Clochette, les métalleux, les murs et la fumée. Tout. C'est alors que je sens un coude dans mes côtes. Je sursaute et me plaque dans le coin.

« Waouh. Hé, désolée... » je l'entends crier par-dessus la musique. Fort, mais d'une voix claire et féminine. « Je ne voulais pas te faire peur, mec ! »

Je la regarde de haut en bas. Elle a une frange à la Bettie Page, mais blonde plus que décolorée. Le tatouage sur son avant-bras ressemble à une empreinte d'écorce de cyprès – je lis : ENTERRE-MOI SOUS UN ARBRE EN LOUISIANE. Elle a les yeux noirs. Des taches de rousseur. Et elle continue de me sourire.

« Non, tu m'as pas fait peur. C'est juste que... enfin, j'écoute. » Je détourne à nouveau les yeux. Pour ma part, la conversation est terminée.

Elle me donne un autre coup de coude, plus fort. « Tu aimes ?

– Quoi ? La musique ?

– Non, ce genre d'endroit merdique. » Elle incline la tête sur le côté, comme si quelque chose ne lui revenait pas chez moi.

« Bah, en fait, c'est mes potes, là, sur scène », je lui crie dans l'oreille. Je reprends mon souffle entre chaque phrase pour avoir une chance contre les haut-parleurs. « C'est pour ça que je suis ici. Mais, ouais, je crois que j'aime bien.

– Pourquoi ? Qu'est-ce qu'il y a de bien ? »

Landry se met à débiter à toute vitesse des paroles, presque façon rockabilly. « Grand-mère soulève plus de cent kilos, hurle-t-il. Et tu peux aller te faire foutre... » Elle me fait passer un entretien d'embauche ou quoi, cette fille ? Elle croit qu'elle va cesser de se faire chier comme par magie.

« Écoute, c'est pas que c'est bien. Je sais. Ça me plaît, c'est tout. C'est nul mais pour les bonnes raisons, j'imagine. » Je glousse. Sûr qu'elle en a assez entendu maintenant. « On dirait que c'est plus des branleurs. Tu comprends ? Ils ne mentent pas. Ils sont assez grands pour admettre qu'ils aiment leur grand-mère. Qu'ils viennent de Houma, qu'ils sont cajuns, et qu'ils n'ont jamais vu Brooklyn. »

Je baisse les yeux vers elle. Toujours là. Encore à m'écouter. Souriante. Elle se mord les lèvres et me donne une bourrade dans la poitrine. « Offre-moi un verre.

– Ah bon ? D'accord. »

Elle tourne les talons et se dirige vers le bar. Je me précipite à sa suite.

« Je m'appelle Lizzy, crie-t-elle par-dessus son épaule.

– Lester, je hurle.

– Oui, c'est marqué sur ta chemise. »

Au bar, elle commande une bière blonde. « Je te laisse m'inviter parce qu'elles valent juste un dollar. Ça me donnera pas l'impression de me faire entretenir. »

Je sors maladroitement mon portefeuille et cherche comme un malade quelque chose à dire. « Et euh… t'aimes cette musique ?

– Oui. » Elle sourit. « C'est mieux que la merde qui vient après. Au moins c'est différent.

– Pourquoi t'es là alors ? Si le groupe suivant, c'est de la merde ? »

Elle hausse les épaules. « À cause de mes potes de classe, j'imagine. Tu peux pas être en histoire de l'art sans t'aventurer vers le metal ou le punk. C'est genre… un passage obligé, tu vois ? » Elle avale une gorgée et rote avec extase.

Je comprends que c'est à moi de dire quelque chose, donc je lance à brûle-pourpoint : « J'aime bien l'art.

– Oh ! » Elle rit. « Toi, tu es vraiment poli ! »

À ce moment, alors que Landry et Paul quittent la scène, les spectateurs commencent à affluer dans notre direction. Ils attendaient le moment où l'on remettrait la musique enregistrée pour se faire un petit pogo. Un tabouret tombe par terre. Un pit se forme, et quelqu'un se met à gémir. C'est forcé et emmerdant. Mais je pense surtout à cette fille, Lizzy, cette petite fée Clochette. J'ai pas envie que cette foule de balourds en sueur la bouscule.

Je baisse les yeux. Elle est là, elle grimace, s'efforçant de ne pas se retrouver coincée contre le comptoir à cause du gros type derrière elle. Tout à coup, sans réfléchir, je m'interpose entre elle et la foule et je tente de faire un peu écran pour la protéger. Mais il y a de plus en plus de monde et les gens commencent vraiment à se déchaîner. Je tends les bras et pose les mains sur le bar de part et d'autre de son corps. Elle se colle à ma poitrine.

« Ça va ? je demande.

– Ouais. » Mais je sens qu'elle est nerveuse. Elle n'a plus sa voix d'étudiante désinvolte, comme avant.

Un autre tabouret atterrit près de nous, et à la façon dont Lizzy se recroqueville sur le côté, je comprends qu'il a dû tomber sur son pied. Elle est sur le point de s'écrouler, dans sa belle robe d'été. Par terre, avec tout ces éclats de verre et ces bottes furieuses.

Je balance un coude, puis un genou pour me faire de la place et pouvoir me pencher et la soulever. Je la hisse sur mon épaule et me dirige vers la porte, en bousculant les gros types qui sont sur mon chemin. Je franchis la bâche en plastique et, dans l'air froid du dehors, je cours sur le trottoir avec la fille sur l'épaule, que je tiens d'une main. De l'autre, je cherche mes clés de camionnette dans ma poche, j'ouvre la portière, et la dépose délicatement sur la banquette arrière.

Je tends le bras vers mon sac médical, mais me rends compte soudain que mon comportement est complètement dingue.

Une sueur froide perle sur mon front. Est-ce que cette fille va me prendre pour une espèce de tueur en série qui essaie de la kidnapper ?

C'est alors que je l'entends rire. Nom de Dieu, je suis déjà amoureux.

« T'es plutôt direct, Lester ! »

Je souris et passe la main dans mes cheveux, gêné, mais en même temps… content. « Désolé. J'ai juste cru que tu t'étais cassé le pied. » Puis je ris aussi. « C'était un peu fou, je sais.

– Absolument pas. C'est le truc le plus marrant de ma semaine. De mémoire, je ne crois pas qu'un homme ait jamais essayé de me protéger.

– J'ai de la bande dans mon sac. Laisse-moi voir si je peux faire quelque chose pour ton pied.

– Tu es urgentiste, ou un truc comme ça ?

– Non. Juste un mec avec un sac à dos plein de compresses.

– Ça vaut la peine de te connaître. »

J'ai levé la tête vers elle. Je pouvais pas détacher mes yeux. Je lui ai bandé le pied sans même regarder ce que je faisais.

La veuve Douglas conseille à Huck d'ignorer le passé et affirme
que tous les défunts ne sont pas forcément des puits de sagesse,
même dans les textes sacrés : « Après le souper elle a sorti son
livre et m'a appris des choses sur Moïse et les roseaux ; et j'étais
impatient de tout savoir sur lui ; mais au bout d'un moment elle
a lâché que Moïse était mort depuis vraiment très longtemps ;
alors je me suis plus intéressé à lui ; pasque je me fiche pas mal
des morts. »

Ali, de Sadr City

Arrivé au rez-de-chaussée de notre immeuble, j'ouvre la porte métallique et me poste là où je peux voir passer les visages en colère. Armée de panneaux en arabe à l'intention du président Ben Ali, en anglais et français pour les caméras occidentales, la foule débouche lentement du coin de la rue. Je peux lire : « Ben Ali doit partir. » Certes, pas toujours aussi poliment tourné. Je m'appuie contre le mur et cherche mes colocataires dans le cortège.

Les protestataires ont changé. Il y a de plus en plus d'étudiants, de moins en moins de vieux. Ces jeunes gens marchent ensemble, parfois main dans la main. Ils n'ont pas peur des islamistes. Comme à l'université de Bagdad juste avant la guerre. Un souffle de liberté. Est-ce que les djihadistes se mêlent à la foule, avec des fusils dissimulés sous leurs vêtements, et attendent le bon moment ? Lorsque la police et l'armée commenceront à tuer les manifestants, est-ce que ce sera comme ce jour-là à Ramadi ?

En ligne, quand je fais une recherche sur le nom du *mulazim*, c'est tout ce que je trouve : des infos sur ce jour-là à Ramadi. Un article de journal américain qui l'érige en héros. Et pourquoi pas ? Il en faut bien un.

Je pense à Hani et aperçois presque son visage dans la foule. C'est stupide, pour deux raisons : d'abord, il n'est pas ici ; ensuite, il ne manifesterait jamais, ne descendrait jamais dans la rue. Il ne pourrait en tirer aucun profit, n'y verrait aucun intérêt financier digne de ce nom. Curieusement son bon sens était toujours son défaut.

Nous étions en février lorsque l'université a annulé tout le deuxième semestre de cours. Hani m'a alors convaincu de quitter Bagdad. Il ne cessait à cette époque de m'exhorter à fuir les groupes armés et les combats, les tirs et les attentats, donc lorsque je l'ai entendu courir dans le couloir après le couvre-feu, j'ai à peine levé les yeux de mon livre. Comme je tournais la page pour entamer le chapitre suivant, une nouvelle idée m'est venue et je me suis emparé de mon stylo pour la noter.

Hani a fait irruption dans le bureau du professeur al-Rawi et s'est écroulé à côté de mon lit de camp. Je m'étais réfugié là depuis que mon père et mon frère avaient quitté la ville.

« Ils ont tué le prof de tennis », a-t-il soufflé.

Je ne l'ai pas regardé. « Qui ?

– Le prof de tennis.

– Non, je veux dire, qui l'a tué ?

– Des types masqués, a rétorqué Hani, moqueur. C'est quoi comme question ? » Il a agité la main en l'air. Les partisans de Moqtada al-Sadr. Al-Qaida. Des baathistes finis. Des ombres masquées. Des hommes armés. Peu importait.

Hani récoltait des histoires de ce genre depuis des semaines, et ces histoires révélaient les nouvelles et sinistres conditions de vie à Bagdad. Corps décapités dans les rues. Victimes toujours plus innocentes au fil des semaines. Vendeurs de glace assassinés pour avoir continué de travailler pendant les heures de prière. Barbiers torturés à mort au pistolet à clous pour avoir rasé des barbes.

Hani se renseignait sur chaque milice. Il savait quand les nouveaux mollahs chiites essayaient de surpasser leurs rivaux. Si l'un d'eux décidait d'utiliser des pinces, un autre se disait : « Des pinces ? N'importe quoi. On va faire ça au chalumeau. »

Hani était venu vivre à l'université comme moi lorsqu'un ancien officier de l'armée avait créé une brigade de volontaires pour protéger Mansour, notre ancien quartier. Il était clair que les soldats américains ayant installé leur base opérationnelle dans la maison abandonnée de mon père ne pourraient, ou ne voudraient, pas assurer la sécurité de l'élite sunnite qui était à la merci des groupes armés chiites dont les membres étaient déguisés en policiers. Si Hani était retourné dans sa maison vide – ses parents étaient coincés en Jordanie –, il aurait été contraint de rejoindre les rangs de cette brigade. Et Hani était trop intègre pour combattre.

« Ils l'ont fait descendre de voiture et ils lui ont tiré une balle dans la tête, a-t-il poursuivi. Ils ont aussi liquidé deux joueurs assis sur la banquette arrière.

– C'était ça les tirs que j'ai entendus plus tôt ? » J'ai posé mon livre et me suis redressé sur mon lit de camp. « Ils collaboraient avec les Américains ou quoi ?

– Non, ils les ont tués à cause de leurs shorts ! Les shorts qu'ils portaient à l'entraînement.

– Ah, les goûts et les couleurs ! » J'ai toussé, gêné par mon propre humour noir. « On connaissait un de ces gars ?

– Je ne sais pas, Kateb. Tu as déjà fréquenté l'équipe de tennis ? Est-ce que tu envisageais secrètement de devenir joueur professionnel ?

– Ça va. Arrête ton char. Je cherche juste à savoir pourquoi tu es venu me raconter ça *illico*. Des gens se font tuer tous les jours, Hani. » D'un geste dramatique comme semblait les aimer Hani, j'ai désigné le bureau vide du professeur al-Rawi avant de me rallonger sur mon lit et de me replonger dans mon livre.

« Tu veux savoir pourquoi je suis venu te voir tout de suite ? Pourquoi j'ai immédiatement pensé à toi ? » Hani s'est dirigé vers ma pile de linge sale dans un coin de la pièce. Il a fouillé dedans et en a sorti un tee-shirt AC/DC qu'il m'a balancé au visage. Il s'est à nouveau penché et en a extrait deux autres. « Gwar. Encore que Gwar, c'est peut-être leur style. Bad Religion ? Ça, c'est un vrai problème. Un de ces quatre, tu vas tomber sur un mec capable de lire l'anglais. Et y'a beaucoup d'interprétations possibles, mon ami, mais y'en a aucune qui puisse te sauver la peau.

– Mais c'est toi qui m'as donné ce tee-shirt pour mon anniversaire ! Et en plus, ton anglais est merdique.

– Kateb, ils ont tué trois mecs parce qu'ils portaient des shorts pour jouer au tennis. Ils te feront quoi à toi, tu crois ? Ou à moi,

128

puisque je serai probablement avec toi ? Ou à Moundhir ? Tu y as pensé, à Moundhir ? »

J'ai ri. « Moundhir saura très bien s'en sortir tout seul. Mais toi ? Oui, t'es sûrement foutu. »

À cet instant, comme si quelqu'un l'avait convoqué, Moundhir a passé la tête dans l'entrebâillement de la porte tel un faucon. Il était très costaud pour ses dix-sept ans, et la force tranquille qui le caractérisait a pénétré dans la pièce avant même son corps. Il avait un visage anguleux et imperturbable, et une barbe d'adulte qui lui poussait s'il négligeait de se raser ne serait-ce qu'une journée. Cela lui donnait un avantage. Était-il un sunnite peu adepte du rasoir ? Ou un militant chiite en devenir, un jeune homme laissant pousser sa première barbe ? Qui pouvait le dire ?

« Moundhir ! » J'ai jeté le livre à travers la pièce. « On parlait de toi justement ! »

Moundhir s'est avancé dans la pièce. Il occupait tout l'espace. « Ah bon ? Qu'est-ce que vous disiez ?

— Hani pense que les islamistes vont me tuer cette semaine. Et lui aussi. Peut-être même toi. Qu'en penses-tu ? »

Moundhir a haussé les épaules. « À cause de tes tee-shirts ?

— Hani ! Tu en as parlé à Moundhir derrière mon dos ? Tu devrais avoir honte. »

Hani s'est rapproché de Moundhir. « Il faut qu'on parte, Kateb. »

Il a posé la main sur son épaule, comme s'il parlait pour les deux. « Les gens connaissent ton père.

— Rien à foutre de mon père. » Je me suis levé, j'ai traversé la pièce et me suis emparé d'une cannette de Coca-Cola sur le rebord de la fenêtre. Je l'ai bu chaude. « Il travaillait pour le ministère de l'Agriculture, OK ? Il ne figure sur aucune liste.

— Tu as des nouvelles de lui ? Ou de ton frère ? Est-ce qu'ils savent que les Américains se sont installés dans leur maison ?

— Et *ton* père, Hani ? C'est quand la dernière fois que t'as eu de ses nouvelles ? Il opère beaucoup à Amman, c'est ça ?

— Au moins, je sais où il est. Quel genre de fils tu es, toi ?

– Je suis le deuxième fils d'un vieil homme. Et il est dans les environs de Falloujah, pour autant que je sache. Comme tout le monde. »

En vérité, j'en savais beaucoup plus. Je savais dans le détail ce à quoi mon père et mon frère consacraient leurs journées aux environs de Falloujah. Je le savais parce qu'ils m'avaient demandé, voire ordonné, de participer à leurs activités. Pourquoi je ne pouvais pas l'admettre devant Hani, je ne saurais le dire. Pourquoi avais-je honte à ce point ?

Sans le vouloir, Moundhir m'a aidé à changer de sujet. Il s'est dirigé vers le bureau du professeur al-Rawi. « Mon oncle affirme que Ramadi est le prochain Falloujah. Tous les djihadistes étrangers qui ont survécu se sont échappés là-bas. » Il s'est assis sur le bureau. Ses pieds touchaient encore le sol. « Dans un an plus ou moins jour pour jour, les Américains anéantiront Ramadi comme ils l'ont fait pour Falloujah. »

Hani a froncé les sourcils, comme s'il cherchait à comprendre où voulait en venir Moundhir. Puis, satisfait que son ami ne se contente pas d'un simple commentaire en passant, il s'est déridé. « Oui. Merci, Moundhir. Tu as raison. Et c'est pour ça qu'on doit partir *maintenant*, avant qu'il soit trop tard. On part maintenant, d'accord ? Avant qu'on n'ait plus d'argent et qu'on soit coincés ici. Avant que les Américains lancent une nouvelle offensive sur al-Anbar et coupent l'autoroute qui mène en Jordanie. Avant qu'un groupe armé s'intéresse à l'université et nous trouve ici. On ne survivra pas à ça, Kateb. Et tu le sais. Donc il faut qu'on parte. Trouve ton père, qu'il te donne assez d'argent pour qu'on tienne jusqu'à notre destination finale. »

Je me suis frotté les yeux. « Hani. Ne me dis pas que tu penses encore à ton plan de bar de plage ?

– Si. Si, c'est ça. OK ? Retrouver ton père, c'est la phase un. Ensuite, on passe en Jordanie, et *mon* père nous donnera de l'argent pour aller jusqu'en Tunisie. Et, oui, on ouvrira un bar sur la plage là-bas.

– Plus tu m'en parles, plus ça m'a l'air complètement insensé. » J'ai écrasé ma cannette et l'ai jetée sur une pile dans un coin de la pièce. « Moundhir, c'est toi les bras de ce projet. Qu'en penses-tu ? »

Moundhir a haussé les épaules. « J'irai où vous irez.

– Bon, ben moi, je vais dormir. » Et je me suis effondré sur mon lit de camp en enfouissant ma tête dans l'oreiller.

Hani a donné un coup de pied dans les montants. « Ça suffit, Kateb. Moundhir a le taxi de son oncle. Tu m'entends ? J'en ai assez d'argumenter. Retrouve-nous demain matin à six heures, en bas des escaliers, mais si tu préfères, tu peux aussi rester ici. »

Hani a flanqué un autre coup de pied dans mon lit et a attendu que je réponde. Je ne lui ai pas fait ce plaisir.

Pour finir, au bout d'un moment, il est sorti. Et Moundhir l'a suivi. Je n'avais plus qu'à choisir : rester dans le bureau du professeur al-Rawi en espérant que la vie à Bagdad s'améliore et en faisant comme si je pouvais demeurer en sécurité dans cette petite pièce pour toujours ; ou suivre Hani et Moundhir dans le désert en direction de l'ouest, feindre de chercher mon père, et les éloigner habilement de Habbaniyah, où le bruit courait que les vieux généraux et les anciens ministres s'étaient réfugiés, entre les bastions sunnites de Falloujah et de Ramadi.

J'ai attendu que le bruit des pas s'évanouisse, j'ai serré l'oreiller contre mon visage et éructé en anglais dans les plumes : « *Fuck.* »

Le lendemain matin, nous avions chacun un petit sac de sport à moitié vide. Plus facile à cacher comme ça. Pas gonflé. Pas lourd. Rien qui pouvait suggérer que nous quittions la ville.

Nous avions aussi chacun deux pièces d'identité. Notre carte d'étudiant, avec nos noms sunnites, et les licences de taxi que l'oncle de Moundhir nous avait fabriquées avec des noms chiites. Quelle que soit la route que nous prendrions pour quitter Bagdad, il y aurait des postes de contrôle, il était donc fondamental d'avoir le bon patronyme.

Nous avions dissimulé nos vieux passeports dans la roue de secours.

Après nous être retrouvés dans la rue avant l'aube, nous avons décidé que Moundhir, qui passait aisément pour un chauffeur de taxi, conduirait. Il paraissait plus vieux et avait été élevé par des oncles eux-mêmes chauffeurs de taxi. Il connaissait leurs habitudes et saurait feindre l'indifférence nécessaire. Jouer le chauffeur de taxi en train de trimballer deux gosses de riches à travers le pays.

Je me suis installé sur le siège passager sans demander l'avis de quiconque. « On va tenter de prendre par Karrada d'abord », ai-je dit à Moundhir. « Si on ne passe pas, on se rabattra sur Abou Nouwas et on essaiera de traverser le fleuve plus au nord. »

Hani s'est assis sur la banquette arrière. Je l'ai regardé dans le rétroviseur. Il était contrarié. Typique. « Ça te va, Hani ? ai-je demandé.

– Pourquoi pas.

– Tu as une meilleure idée ?

– J'allais proposer de prendre la voie rapide d'Abou Ghraib et de passer discrètement au sud de Falloujah. »

J'ai ri. « Je suis contre la voie rapide d'Abou Ghraib par principe. »

Moundhir nous a observés l'un après l'autre. « Bon… Karrada, alors ? »

Hani a eu un geste de résignation. « D'accord. Karrada. »

J'ai tapé sur l'épaule musclée de Moundhir et j'ai souri. « Je sens déjà mieux cette histoire. »

Nous avons franchi le portail de l'université pour tourner sur Karrada Street. Le soleil se levait. Le couvre-feu prenait fin. Nous avons passé plusieurs postes de contrôle, installés par les Américains de la zone verte surtout soucieux de rester maîtres du pont qui traversait le Tigre et de protéger leur petite ville américaine. Nos cartes sunnites nous ont permis de circuler sans difficulté.

Nous nous sommes frayé un chemin entre les camions garés, les charrettes renversées, les boutiques et cafés dévastés par des explosions ou condamnés. Mêmes les devantures qui n'avaient pas été la cible des milices étaient criblées d'impacts de balles et abandonnées. Notre taxi était le seul véhicule en circulation.

Arrivés au poste de contrôle de l'armée irakienne à Amar Square, nous avons, comme prévu, glissé nos papiers sunnites dans nos sous-vêtements.

Le soldat de surveillance a cru à notre histoire : nous étions propriétaires du taxi à plusieurs et allions le faire réparer à Dora. Avec Hani, nous avons peu parlé, et seul le crissement de la courroie de transmission rythmait le récit de Moundhir. Mais lorsque le soldat a voulu vérifier le coffre, Hani s'est visiblement raidi sur son siège. Le soldat, devenu méfiant, nous a demandé de sortir.

Sur le bas-côté, avant d'être séparé de mes camarades, j'ai frôlé l'épaule de Hani et lui ai murmuré à l'oreille : « La plage, Hani. Pense à la plage. »

Le soldat a tâté le fond du coffre avec le canon de son fusil, s'est glissé sous la voiture, a tapé sur le réservoir et donné des coups de pied dans les pneus. Un autre soldat nous a tenus en joue tandis que nous gardions les mains croisées derrière la tête.

J'ai soupiré en frappant du pied par terre pour avoir l'air impatient. Pas effrayé, ni nerveux, juste mécontent. Moundhir demeurait immobile, le visage de marbre comme celui d'un sphinx. Hani fixait le trottoir en souriant. Ne trouvant rien, le soldat, persuadé que nous n'étions que des lâches, nous a laissés partir.

« Bien joué, les mecs, ai-je fait. Vous avez gardé la tête sur les épaules. » Puis j'ai ri. Je n'avais pas pensé au double sens de ma phrase.

Moundhir a ensuite tourné sur Abou Nouwas. Le trafic sur la route du fleuve n'a pas tardé à s'intensifier jusqu'à l'immobilisation complète. Impossible d'atteindre un pont pour passer vers l'ouest. Comme nous redoutions de rester coincés après la tombée de la nuit, nous avons pris une rue transversale, même si en se dirigeant vers l'est, nous nous rapprochions des milices chiites de Sadr City et nos noms sunnites risquaient bel et bien de nous faire tuer.

Nous avons rejoint la voie rapide peu après midi et avons bifurqué vers le nord, en direction de Taji. Nous avons alors entamé la longue traversée au ralenti de Bagdad, car quitter cette route impliquait, quel que soit l'endroit où on choisissait de le faire, postes de contrôle aux mains des troupes gouvernementales ou des milices chiites. Le trajet vers le nord a duré tout l'après-midi. Alors que le crépuscule s'annonçait, nous roulions vers le pont de l'autoroute 1 qui traversait le Tigre. Trop au nord pour espérer atteindre Ramadi avant la tombée de la nuit.

« Il va falloir chercher un endroit pour dormir, a dit Hani. Il n'y a rien par ici. Et je ne sais pas où on peut trouver de l'essence. Alors que la voie rapide d'Abou Ghraib…

– Si j'admets que tu avais raison, Hani, tu te sentiras mieux ? » J'ai ouvert ma fenêtre. L'air plus frais de la fin d'après-midi a glissé sur mon visage.

« Non. Mais tu peux quand même l'admettre. »

Moundhir a lancé, gaillard : « Il y a une route qui file vers l'ouest le long du Grand Canal. On passe devant des fermes et on traverse des petites villes où il y a des marchés. On trouvera de l'essence là-bas. Je l'ai empruntée une fois avec mon oncle pour aller au lac Tharthar.

– Tu vois ? me suis-je exclamé. Tout roule. »

Hani fulminait.

Nous sommes arrivés au fleuve et, après avoir attendu une heure au poste de contrôle, nous avons traversé le pont. Un camion piégé avait réduit quelques mois plus tôt la voie en direction de l'est. Soldats et agents de police en chemise bleue faisaient à présent passer les véhicules un par un sur la file restante, en contournant le cratère carbonisé.

Pour économiser de l'essence, nous avons descendu en roue libre l'autre versant du pont. J'observais au sud l'étendue de la ville. Des colonnes de fumée s'élevaient au-dessus de Mansour, Dora et A'dhamiya.

J'ai songé au professeur al-Rawi, et au jour où je lui ai fait part du projet de mon père de fuir vers l'ouest, à al-Anbar. « Il faut que je parte avec lui », ai-je dit à mon professeur, sans me rendre compte que je pleurais. J'étais surtout venu le prévenir que j'allais devoir retarder ma thèse. Tandis que je me confondais en excuses, cherchant à me faire comprendre, le professeur arpentait son bureau en silence. Le temps que ma tirade embarrassée s'achève, son canapé s'était transformé en lit. Le mien. Je ne suis pas rentré à la maison ce soir-là.

J'ai songé aux campus universitaires qui se trouvaient à proximité de chaque colonne de fumée en me demandant dans lequel la mort avait frappé ce jour-là. Combien d'étudiants avaient péri ? Combien de professeurs ? J'ai dit adieu à ma ville.

La route de Moundhir, celle qu'il avait connue enfant, était parallèle au Grand Canal. Saddam avait ordonné que la voie d'eau suive une ligne est-ouest littéralement. Sans s'écarter ne serait-ce que d'un degré. Mon père avait évoqué cette exigence absurde au moment de la construction, soulignant comme les travaux s'étaient compliqués au fur et à mesure.

Nous sommes passés devant des fermes aux terres desséchées. Des terrains que le canal était censé irriguer, mais les pompes avaient rouillé et l'eau était devenue putride. La nuit a fini par tomber, et pour la première fois Moundhir nous a signalé le niveau d'essence du réservoir.

« Il faut qu'on s'arrête. Il nous reste vingt kilomètres. Au mieux.

– Dans ce cas, c'est simple, ai-je déclaré, on s'arrête sur une place de marché ou devant une maison, ce qu'on trouve en premier, et on demande s'ils peuvent nous vendre du carburant.

– Ouais, a lâché Hani, simple.

– Ou on se gare et on attend une patrouille américaine. On leur laisse croire que la voiture est piégée et on les regarde la faire exploser. Qu'est-ce que tu préfères, Hani ? »

Ce dernier est resté silencieux, se contentant d'agiter la main. Sa nouvelle réaction favorite.

Moundhir s'est crispé. « Regardez », a-t-il lâché avec un geste du menton.

Des lampes à sodium vertes luisaient sur la route, au niveau de plusieurs bâtiments accolés les uns aux autres, à cinq cents mètres de là environ. Un au moins, une construction basse avec un auvent, avait l'air d'une station-service plus ou moins récente. Un souk classique avec tous les commerces et les dangers auxquels trois jeunes hommes pouvaient s'attendre.

« Nous y voilà, ai-je dit. Tenez-vous prêts.

– Chiites ou sunnites ? » a demandé Moundhir.

Je n'avais plus pensé à nos papiers depuis que nous avions traversé le pont. Nous nous trouvions bien à l'ouest de Bagdad, au beau milieu de la province d'al-Anbar. Malgré tout, Falloujah et Ramadi étaient encore loin. Ce qui m'a fait douter. Vraiment douter. Une place de marché délabrée pouvait être un vrai traquenard. L'endroit idéal pour piéger les combattants sunnites en route vers l'ouest. Ou un point de passage aux mains de loyalistes sunnites désireux de maintenir les chiites à l'écart d'al-Anbar. Qui pouvait le savoir ?

« Sunnite », je me suis empressé de répondre, parce qu'il n'y avait pas de bon choix. Nous avons glissé nos mains dans nos caleçons à la recherche de nos papiers pendant que Moundhir se garait sur la place du marché et éteignait les phares. C'était désert. Aucun signe de commerce en activité. Les lumières signifiaient pourtant générateur. Et générateur voulait dire essence, donc hommes peut-être prêts à en vendre.

« Qui y va ? a fait Moundhir.

– On y va tous ensemble », a répliqué Hani. J'ai été tenté de discuter, pour la forme. Juste pour le contrarier. Mais je me suis abstenu. Il avait raison.

« Oui, ai-je dit. On y va tous ensemble. À trois. Un…»

Moundhir est sorti de la voiture et a claqué la portière sans attendre.

« … Ou maintenant, ai-je ajouté tandis que Hani et moi lui emboîtions le pas.

– Bonsoir ! a crié Moundhir, intrépide. Est-ce que vous nous vendriez de l'essence ?

– On a de l'argent », a renchéri Hani, la voix trop aiguë. Une voix faussement apaisante. J'ai eu envie de l'étrangler.

J'ai entendu du bruit dans un des bâtiments. Des pas écrasant des éclats de verre. Des chuchotements. Puis un son qui m'a retourné l'estomac. Le claquement sec de la culasse d'une kalachnikov qui pousse une munition dans la chambre. Une, puis deux fois.

« On n'est pas armés, ai-je crié, paniqué. On veut juste acheter de l'essence ! »

Des hommes ont surgi de la pénombre avec des fusils. Des hommes avec de petites barbes. Des chiites. Des miliciens cherchant précisément à tuer des jeunes hommes sunnites comme nous.

J'ai levé les mains. « On veut juste faire affaire, cousins. S'il vous plaît. »

Celui à la barbe la plus fournie, un gros, s'est avancé et a pointé son arme sur moi. « Tes papiers, chien.

– On les a laissés dans la voiture, j'ai répondu. Désolé. On ne savait pas que c'était un poste de contrôle, commandant. S'il vous plaît, laissez-moi aller les chercher. » Je me suis détourné et j'ai indiqué la voiture. Moundhir et Hani avaient également les mains en l'air. « Moundhir, ai-je poursuivi aussi calmement que possible, va chercher nos papiers. » Si calme. Si naïf et inoffensif que jamais je n'aurais pensé qu'il était préférable de ne pas parler à mon ami chiite.

Mais dans la pénombre de la voiture peut-être pourrait-il sortir discrètement les papiers chiites de son pantalon.

« Ferme ta sale gueule. Et toi, a dit le gros en pointant son fusil sur Moundhir, bouge pas. » Le chef de la milice ne nous croyait pas. Il a retourné son arme vers moi. « Toi. Le porte-parole. Dis-moi d'où vous venez et où vous allez. »

Le visage de Moundhir affichait un désespoir que moi seul pouvais percevoir : il a un peu écarquillé les yeux, et ses épaules habituellement si carrées se sont affaissées. Sans bouger ni parler. Pendant ce temps, Hani tremblait de peur, bouche entrouverte.

Un homme a éclaté d'un rire diabolique dans la nuit. « Mansour, je parie. Des gosses de riches baathistes, voilà ce qu'ils sont. »

C'était donc la fin. Nous avions à peine entrepris de fuir et tous nos plans s'effondraient. J'ai songé à courir dans le désert, pour au moins mourir vite d'une rafale de balles dans le corps, et éviter ainsi les pinces, les pistolets à clous. Mais avec Moundhir et Hani à mes côtés, c'était impossible. J'ai avalé ma salive avec difficulté en choisissant de ne plus dire un seul mot.

Puis j'ai entendu des cris de poulets et des bruits de cages s'entrechoquant dans un chariot à bras bringuebalant qui quittait la chaussée et venait s'arrêter sur la terre battue derrière nous.

« Ali ? » a appelé une voix de vieil homme.

J'ai senti qu'elle s'adressait à moi, mais je n'ai pas bougé.

« Qu'est-ce que tu fabriques, bon sang ? a poursuivi l'individu. Je t'ai dit de venir chez moi au bord du lac. Directement. Pourquoi tu t'es arrêté ici ? » Le vieil homme s'est approché de moi par-derrière et m'a tapoté le dos. « Quel idiot tu fais, mon neveu, m'a-t-il soufflé sur la joue. Et je parie que tu es tombé en panne sèche, en plus. »

Le chef de la milice a baissé son fusil. « Tu connais ces garçons, Haji Fasil ?

– Oui, commandant. C'est mon neveu, Ali. Il arrive de Sadr City. Il vient me rendre visite au bord du lac. Et voici ses amis. Ça nous arrange bien. Avec leur voiture, Abou Abdoul et moi on n'aura pas à rentrer à pied dans le noir. Ça n'empêche que tu es un idiot, mon neveu. »

J'ai osé baisser les mains. L'homme au fusil n'y a fait aucune objection, donc j'ai même tourné la tête. J'ai vu le vieil homme que je ne connaissais pas. Il était plus petit que moi, et avait les joues rasées de près. Il portait une tunique blanche et immaculée de bédouin. Un ancien, à voir son keffieh à damier, qui avait fait le pèlerinage à La Mecque. Il a posé délibérément la main dans le bas de mon dos pour me parler par pressions. *Joue le jeu, garçon*, m'a-t-il dit du bout des doigts. *Sauve ta peau.*

« Désolé, mon oncle, ai-je articulé. Je suis trop bête. Oui, on est tombés en panne sèche. »

Il a souri chaleureusement en opinant du chef.

Un autre homme, plus vieux et plus petit avec la barbe en bataille, est passé devant nous en traînant les pieds, deux poulets vivants à la main, les ailes soigneusement attachées. Il a tendu les deux volatiles au chef de la milice qui a repoussé son fusil par-dessus l'épaule pour les prendre.

« Merci, Abou Abdoul », a dit le chef au vieil homme, d'une voix puissante et tranquille, soulevant les poulets d'une main tout en posant l'autre sur son cœur en signe de remerciement.

Le petit homme, Abou Abdoul, a esquissé un sourire, incliné la tête, et fait un geste de la main comme pour dire : *Ils sont pour toi, ils sont pour toi ; tu es mon ami.* J'ai compris au silence d'Abou Abdoul, à son sourire et son geste, qu'il ne pouvait parler. Et à la curieuse patience inébranlable du chef de la milice envers lui, j'ai compris de façon tout aussi évidente qu'il était simple d'esprit, ou du moins largement considéré comme tel.

« Nous avons votre riz aussi », est intervenu Haji Fasil, ôtant la main du bas de mon dos et se dirigeant vers son chariot. Il s'est emparé des deux coins d'un sac de riz. « Mon neveu, a-t-il ri, mais tu rêves ou quoi ? Viens donc m'aider. »

Je me suis approché du chariot, comme en apesanteur. Mes jambes se dérobaient sous moi. J'ai attrapé les autres coins du lourd sac et l'ai soulevé.

Abou Abdoul est allé vers Moundhir et l'a enlacé, comme s'il connaissait ce grand gamin costaud depuis toujours. Moundhir l'a enlacé en retour, jouant le jeu même s'il était un peu guindé. Hani a baissé les mains, silencieux.

Haji Fasil m'a guidé depuis l'autre extrémité du sac de riz et nous nous sommes arrêtés devant le chef de la milice.

« Bon, a fait Haji Fasil, on le met où ?

— Vous pouvez le laisser là. Ton neveu a besoin d'essence ?

— Oui, ai-je répondu alors que nous lâchions le sac de riz. Juste ce qu'il faut pour arriver jusqu'au lac. » Les mots ont déferlé de ma bouche sèche. Haji Fasil m'a pris la main, comme un oncle l'aurait fait avec son neveu.

« Cinq litres pour le taxi, a crié le chef à un de ses hommes.

— On reviendra la semaine prochaine », a lancé gaiement Haji Fasil, me tirant par la main en direction du taxi. *C'est l'heure de partir*, me disait la pression qu'il exerçait contre ma paume.

« Entendu. À la semaine prochaine alors, si Dieu le veut », a répliqué le chef de la milice, regagnant la pénombre. Deux de ses hommes se sont penchés pour ramasser le sac de riz.

Pendant ce temps, Abou Abdoul a pris Moundhir par le bras pour qu'il soulève le chariot. Ce que ce dernier a fait avec une grande facilité avant de suivre Abou Abdoul qui se dirigeait vers le coffre. Moundhir m'a lancé un regard suppliant. Ouvre le coffre. Vite.

Un milicien a versé avec nonchalance un jerrican d'essence dans le réservoir. En bâillant.

J'ai ouvert la portière côté conducteur et actionné à tâtons le levier pour ouvrir le coffre. Puis, sans savoir ce que j'étais censé faire ensuite, je suis monté à bord et j'ai fermé derrière moi avant de poser les mains sur le volant.

La portière côté passager s'est ouverte et Haji Fasil s'est assis. « À la maison, alors, mon neveu, hein ? »

J'ai acquiescé en regardant droit devant moi.

« Tu te souviens de la route ? Cinq cents mètres jusqu'à la ferme abandonnée, ensuite tu prends à droite sur le chemin de terre. »

Moundhir et Hani se sont serrés sur la banquette arrière, le petit Abou Abdoul coincé entre les deux, l'air amusé. J'ai observé son visage dans le rétroviseur. Une grosse et vilaine cicatrice descendait de son oreille droite dans son cou pour s'arrêter juste au-dessus de son sternum. Il lui restait quelques dents.

J'avais peu conduit jusqu'alors. J'ai empoigné la clé de contact et l'ai tournée.

« Doucement avec le pied gauche, a glissé Moundhir. La première passe mal. »

Une force s'est emparée de moi. Un pilote allemand. Un chauffeur de taxi de Dora. J'ai fait crisser la terre et le gravier alors que nous nous élancions sur la route, libres et vivants.

Haji Fasil n'a pas perdu de temps. « Vous êtes vraiment stupides, les garçons.

– Merci, ai-je dit.

– Merci, merci, merci », a répété Hani. Les mots sortaient de sa bouche comme des feuilles emportées par le courant.

« Roule normalement, c'est tout, a déclaré Haji Fasil.

– Merci mon Dieu de vous avoir envoyé, a repris soudain Hani avec ferveur. Que le Prophète soit avec vous. » En bon jeune homme musulman.

J'ai à nouveau jeté un coup d'œil dans le rétroviseur, curieux de savoir pourquoi Moundhir, d'habitude si poli, ne prononçait pas un mot. En fait, il regardait Abou Abdoul, s'efforçant de comprendre les gestes du vieil homme. Abou Abdoul lui a tapoté la joue et sa bouche édentée a souri en silence. Puis il lui a donné un petit coup de coude dans le bras et, singeant un homme costaud, a fait une grimace crispée. Moundhir a souri.

« On peut vous donner de l'argent, Haji, ai-je dit. On en a un peu. »

Haji Fasil a gloussé. « Non. Ce n'est pas votre argent qui nous intéresse. S'ils vous avaient tués, vois-tu, ils auraient quitté leur repaire. Et on aurait perdu un client. Donc inutile de nous remercier. Les affaires c'est les affaires, c'est tout.

– Vous leur vendez du riz et des poulets ?

– Et de l'huile de cuisine quand on en a.

– À des partisans de Moqtada al-Sadr ?

– Évidemment. Et à Ansar al-Sunna. À al-Qaida. Ce petit souk change de mains assez souvent. »

Je me suis souvenu de mon Matthew Arnold et j'ai souri. *Où les armées ignorantes s'affrontent la nuit.* Puis j'ai réfléchi à bon nombre de questions avant d'opter pour la plus simple : « Qui êtes-vous ?

– Tourne ici », a soudain lancé Haji Fasil. J'ai soupiré, et il m'a imité. « Nous sommes deux vieux dont les familles vivent ailleurs. Nous possédons une maison au bord du lac. On pêche. On vend. On sauve des gamins idiots d'une mort certaine.

– Est-ce qu'on peut rester avec vous ce soir ? a demandé Hani, se penchant vers l'avant, une poignée de dinars à la main.

– Oui, a répondu Haji Fasil. Vous êtes les bienvenus. Mais garde ton argent. »

Une fois arrivés à leur petite ferme au bord du lac, nous avons disposé des bûches d'eucalyptus autour d'un feu de camp et avons dîné à la lueur d'une lanterne. Agneau, riz et pain. Nous avons observé les étoiles comme ont tendance à le faire les garçons de Bagdad qui n'en voient que rarement à cause de la pollution. Et nous avons écouté les vaguelettes qui venaient lécher la petite plage à quelques mètres de nous.

Abou Abdoul a tiré Moundhir par le bras et lui a montré du doigt les choses lourdes qu'il souhaitait le voir soulever. Parfois, le besoin était réel. Un vrai travail de fermier. Mais parfois, Abou Abdoul voulait seulement admirer et applaudir la force de son nouvel ami. Au bout d'un moment, il n'a plus eu besoin de tirer Moundhir par le bras. Ils marchaient côte à côte, épaule contre épaule.

Hani a parcouru seul d'un pas lourd les alentours obscurs, il revenait de temps à autre pour en savoir plus sur les affaires de Haji Fasil. Quelle était la superficie de leurs terres ? Combien de bâtiments possédaient-ils ? Un puits pour l'eau ? Une citerne ? Est-ce qu'on était près de l'autoroute ? Pourquoi s'embêtaient-ils à faire les marchés ? Pourquoi ne transformaient-ils pas cet endroit en marché directement ?

Haji Fasil lui répondait succinctement, feignant la paresse.

Nous étions assis lui et moi près du feu et attendions que les autres se fatiguent.

« Comment Abou Abdoul a perdu sa voix ? ai-je demandé.

– Cancer. Il y a plusieurs années.

– Ah. J'ai vu la cicatrice.

– Oui. »

Le cancer avait emporté ma mère, donc je savais qu'il mentait. Mais j'ai décidé de ne pas chercher à en savoir plus.

Moundhir et Abou Abdoul ont pénétré dans un cabanon avec une lanterne. Lorsqu'ils sont ressortis, Moundhir portait une énorme pile de tapis et de couvertures. Nous les avons étalés sur la plage et nous nous sommes préparés à dormir tandis que les deux vieillards s'éclipsaient dans la maison.

« Regarde cette plage, ne cessait de dire Hani, ruminant son idée. Ça pourrait être génial. »

En m'assoupissant, j'ai pensé aux moyens de lui faire oublier un projet qui, je le savais, nous aurait tous tués. Je voulais le réduire à néant avant même qu'il ait une chance de mûrir. Mais je me suis égaré dans un rêve sans que mes pensées aient le temps de se ranger en ordre de bataille.

Je n'ai jamais aussi bien dormi. Du plus loin que je me souvienne.

lieutenant, j'étais content de vous voir cette semaine et j'espère que ça sera pas la dernière fois je suis aussi désolé de comment les choses ont tourné dans le bar et je m'en veux de vous avoir mis dans cette situation et je veux que vous sachiez que je travaille sur tout ça et aussi comme j'ai dit, vous devriez contacter doc pleasant je me suis renseigné et il vit dans un endroit qui s'appelle houma à une soixantaine de kilomètres au sud de chez vous peut-être que vous pouvez boire un café avec lui lieutenant ça serait bien pour vous aussi

cch zahn

Le remède

À peine un an de plus que moi, et ce chargé de clientèle en chef a déjà une liste de clients plus longue que mon bras et un bureau de patron au vingt-sixième étage. J'y passe vendredi en fin d'après-midi pour lui dire que je m'en vais et le trouve affalé sur son canapé en cuir, à moitié endormi. Pris sur le fait comme un golden retriever espiègle, il s'empresse de se lever et de lisser les plis de son pantalon de costume en laine, le sourire aux lèvres.

« Salut, dit-il, entre. Faut que je te parle. Ferme la porte. Assieds-toi. »

Je ferme la porte et il me tape dans le dos en se dirigeant vers son bureau. Un e-mail attire son attention. Il tousse et se met à lire. De toute évidence, il oublie ma présence. Je m'assieds en silence, attendant qu'il se souvienne de moi.

Tout le monde l'appelle Stall, mon boss. Je ne me souviens plus de son vrai nom. Quelque chose comme Tradd Poche, ou Duplessis Poche, ou Tradd Duplessis-Poche. Un nom vieux de trois cents ans, qui a eu le temps de prendre de la bouteille sur Prytania Street. Bref, absolument rien à voir avec Stall. Je n'y ai pas fait attention la première fois que quelqu'un l'a appelé comme cela, mais une semaine après mon arrivée, un des autres chargés de compte a laissé échapper que Stall était une abréviation de Joseph Staline, surnom qu'il avait récolté à la fac.

Élevé aux bals de mardi gras, membre de père en fils de sa fraternité de l'université du Mississippi et promis à une vaste et somptueuse demeure sur l'Avenue, mon boss est aujourd'hui assis toute la journée derrière un bureau en acajou et appelle les amis de son père pour trouver des clients. Il va bientôt pouvoir téléphoner à ses potes de fac.

Malgré tout, il me paraît fragile, Stall. Pareil à un Habsbourg consanguin. Il est petit, et ses cheveux noirs, mous et fins, laissent entrevoir son crâne pâle. Ses marques d'acné ont l'air récentes, et ses dents parfaitement alignées reluisent ostensiblement dans sa bouche tordue tel le travail d'un mécanicien de luxe.

« Sullivan t'a fait faire de l'analyse de données toute la journée ? demande-t-il soudain, comme surpris de me trouver là après m'avoir lui-même demandé de m'installer l'instant précédent.

– Oui, sur les emprunts dans la zone euro, principalement. »

Stall prend un air méprisant. « Mec, Sullivan est un acharné du boulot. Laisse tomber cette merde la prochaine fois.

– Vraiment ?

– C'est qui ton directeur de stage, mon vieux ? Hein ? C'est qui qu'a la plus grosse ici ?

– Vous ? je réponds après avoir hésité un instant à le suivre dans l'allusion graveleuse.

– Et comment, mec ! réplique-t-il en tapant du plat de la main sur son bureau. C'est ça qu'il faut que tu comprennes. Ce que Sullivan n'a toujours pas compris. Tu écoutes ?

– Oui.

– Bon, on appelle ça la gestion de fortune, OK ? Mais en réalité, c'est les gens fortunés que tu gères surtout. Ça n'a rien à voir avec l'analyse de données. Laisse tomber cette merde. On facture un pourcentage sur la totalité des fonds et des biens à gérer, pas sur le retour d'investissement. Près d'un milliard de milliards de dollars ont disparu du marché pendant la crise. Mais avec la confiance qui reprend à présent, tous ces cerveaux reptiliens sont sur le point de remettre en circulation leurs milliards. Le truc, c'est de choper cet argent en premier. Continue de bouffer de l'analyse de données toute la journée et ton pourcentage sera peut-être un demi-point supérieur à celui d'un singe qui choisit au hasard un portefeuille. Non, ce qu'il faut, c'est serrer des *paluches*, mec. Placer les fonds en gestion. Remettre l'argent sur le marché. Après ça, tout ce bordel navigue en pilote automatique.

– Oui, je vois. Mais, Stall, et s'il vous plaît comprenez-moi bien, je viens du fin fond de l'Alabama, OK ? Je *ne connais pas* de gens fortunés. Mon père est un bon entraîneur de football américain au lycée et un fermier plutôt médiocre. En plus, ce n'est pas mon truc de serrer des paluches. Alors que la recherche et l'analyse… ça ne me gêne pas. Ça me détend, en fait. »

Stall s'enfonce dans son siège, les mains croisées derrière la tête, et sourit. « Tu sais pourquoi je me suis porté volontaire pour être ton directeur de stage ? fait-il avec un air curieusement satisfait. Pendant les fêtes de fin d'année, en plus ? Quand j'avais une liste, genre, de cent noms ?

– Non », je réponds franchement.

Le visage de Stall prend soudain une expression sérieuse. « Parce que tu es un héros de guerre. »

Je rougis et un frisson me parcourt la nuque.

Stall n'a pas l'air de le remarquer. « Tu sais ce que les gens fortunés aiment ? Tu sais ce qui les impressionne plus qu'un autre riche ? Les putain de héros qui reviennent de la guerre.

– Stall, écoutez…

– Le héros de Profane Twenty-Four ? m'interrompt-il. C'est pas ça que j'ai lu sur Internet ?

– Profane Two-Four, je rectifie instinctivement.

– C'est pas, genre, le premier truc qu'est sorti quand j'ai googlé ton putain de nom ? Tu as carrément déjà un pied dedans et tu ne le sais même pas.

– Tout n'est pas vrai dans cet article. » Puis, pour tenter de changer de sujet, j'ajoute avec un rire forcé : « En tout cas, il m'a jamais permis de rencontrer des gens riches, ça je vous le garantis. »

Stall sourit. « Ouais, mais tu vas en rencontrer ! Et pas plus tard que ce soir, mec ! » Il se lève et enfile une veste sombre, manifestement taillée pour dissimuler ses épaules tombantes. Le tissu d'un gris subtil contraste avec son pantalon clair et sa chemise bleu pâle.

« Ah bon, mais j'avais… prévu autre chose, en fait. » Je mens. J'avais surtout prévu de rentrer chez moi regarder la télé, lire des trucs sur les capacités du Pearson Triton à affronter le gros temps, boire une à six bières, et dormir.

« Eh ben, annule. » Il sourit. « Tu travailles, ce soir, mec. »

En marchant dans le couloir sombre en direction de l'ascenseur, j'avance encore quelques excuses foireuses, mais avant que j'aie le temps de dire ouf, nous nous retrouvons assis dans sa BMW décapotable. Malgré le froid dehors, il garde la capote ouverte alors que nous fonçons dans le quartier des affaires, tournant sans clignotant, changeant de file et accélérant sans raison, pour finir par faire une queue de poisson à un bus municipal avant de prendre soudain à droite sur Tchoupitoulas Street. J'ai l'étrange impression qu'il essaie de m'impressionner avec cette conduite de chauffard.

Nous traversons le Garden District et pilons à un feu rouge. Stall soupire, contrarié par toutes ces règles de circulation, et allume une Dunhill qu'il vient de sortir d'un paquet carré bleu.

« On va où déjà ?

– Ça s'appelle le Remède. Un endroit nouveau. Très sympa. Vraiment chouette. Genre, un super bar à cocktails. Ils ont des spécialités avec de la glace sculptée, des amers et quelques gouttes d'essence d'orange et tout.

– Euh… Désolé, mais on va retrouver *qui* ?

– Des copains d'avant.

– De la fac ? »

Il rit. « Non, du lycée, mec. »

Il se gare dans Freret Street, devant une boutique de location de smokings, en face du Remède. La boutique de smokings est de toute évidence fermée depuis Katrina. Une vague odeur de moisissure et de déchets séchés au soleil flotte encore dans le quartier. Le bar est le seul signe de vie à trois pâtés de maisons à la ronde. Malgré tout, c'est un progrès, une sacrée marque d'investissement. Les propriétaires ont manifestement détruit la vieille devanture en brique et ont refait l'intérieur de fond en comble. À travers les nouvelles baies vitrées, des ampoules encastrées dans le plafond brillent d'une lumière chaude. Contre le mur derrière le comptoir, six mètres d'étagères d'alcools haut de gamme s'élèvent jusqu'au plafond orné de panneaux en métal gaufré. Un barman à nœud papillon monte à une échelle sur roulettes comme celles que l'on trouve dans les bibliothèques élégantes, et s'empare d'une des précieuses bouteilles. La déco semble curieusement axée autour de l'étymologie, avec des extraits d'ouvrages victoriens suspendus aux murs dans des cadres au bout de longs fils, et des ribambelles de scarabées exotiques à demi disséqués mis sous verre.

Quelqu'un est clairement en train de parier – et parier gros – que ce coin verra bientôt éclore un nouveau genre de quartier pour La Nouvelle-Orléans, de ceux qu'on trouve dans le centre d'Austin ou de San Diego. J'imagine leurs tableaux comptables truffés de coûts irrécupérables et de projections. Bientôt, toutes ces maisons détruites – desquelles les dockers et les chauffeurs routiers sortaient avant pour aller louer au coin de la rue un smoking afin de se rendre à leur modeste mais vénérable bal de mardi gras – vont être achetées et rénovées pour trois fois rien par de jeunes diplômés. Peut-être resteront-ils, ces pionniers urbains, pour y fonder une famille, mais j'en doute.

J'entends des voix s'approcher dans la rue adjacente, des rires enjoués. Le groupe, un contingent d'hommes et de femmes à parts égales, tous jeunes et bien habillés, surgit à l'angle. Précisément le type de personnages sur lesquels les investisseurs misent.

« Regarde-moi cette fine équipe ! » braille Stall en sautant de sa décapotable. Tout le monde se place en ligne pour le saluer ; quant à lui, il serre les mains de chaque garçon, enlace à moitié chaque fille en lui faisant un baiser sur la joue et en effleurant à peine son avant-bras.

Je me tiens à l'écart, les mains enfoncées dans les poches.

Lorsqu'il a fini avec ses amis, Stall se tourne vers moi. « Voici mon pote Pete. Mon stagiaire pour les vacances de Noël. Il est en master administration des affaires à Tulane. Et, est-ce que je vous l'ai dit ? C'est un vétéran de la guerre en Irak. Un héros, quoi ! »

Je fais un signe de la main, tente de sourire, puis m'empresse de remettre la main dans ma poche de manteau.

Les pionniers restent un moment silencieux, les yeux écarquillés. Une fille glousse.

« Putain, Pete, sacrée carte de visite ! » lance enfin le plus grand type. Il s'approche, me serre la main, et me tape l'épaule. Les autres suivent et chacun fait semblant de me faire la bise ou me donne une solide poignée de main. Mon esprit s'égare et je ne retiens aucun de leurs noms.

Stall murmure quelque chose à mon oreille à propos de « se sentir bien », mais le reste se noie dans les bavardages, tout le monde étant en grande conversation avec tout le monde en même temps.

Je les suis dans le bar, la main de Stall posée dans mon dos tandis qu'il me masse les épaules de l'autre. « Ouais, tu te sens bien, mec. »

C'est bruyant à l'intérieur. Les haut-parleurs dernier cri au son impeccable diffusent un remix moderne d'un rap des années 1980. Des ampoules rétro sont suspendues à des fils accrochés au plafond. Les filaments luisent d'un profond et réconfortant éclat orangé sans toutefois paraître éclairer efficacement.

Nous nous frayons un chemin dans la foule et trouvons un box libre dans un coin. Les filles d'un côté, les garçons de l'autre. Stall se glisse dans le fond, en plein milieu, une rangée de gens riches à sa droite et une autre à sa gauche. Ils parlent encore avec ferveur de quelque chose, ou de quelqu'un, qui les a récemment déçus. Stall arbitre la discussion, dénonçant les opinions fallacieuses, les arguments *ad hominem* ou les élans rhétoriques moins polis.

Je m'installe à l'autre bout de la table et saisis la carte des boissons. Rien ne me paraît ne serait-ce que vaguement familier. Les boissons ont toutes des noms comme Le Début et la Fin, Le Bleu piscine, L'Art de la conversation. Sous chaque intitulé figure un paragraphe dense indiquant les ingrédients et la façon de préparer le breuvage. Si seulement ils avaient une simple bière ou un bourbon. Au point où j'en suis, j'ai tout simplement envie d'être saoul.

Je ferme la carte d'un coup sec et me frotte le front, perdu et embarrassé. Le type près de moi, Cheveux Bruns et Veste en

Tweed, me pousse délibérément du coude. Je me rends compte, en clignant les yeux dans la faible lumière malgré tout agressive, que l'assemblée s'est tue et que tout le monde me regarde.

Une voix féminine insistante dit au-dessus de moi : « Monsieur Donovan ? »

Je tourne la tête et vois Paige Dufossat, vêtue d'un chemisier blanc avec un nœud papillon bleu. Elle a les mains croisées dans le dos, qu'elle maintient droit et raide, et ses longs cheveux bruns sont remontés au sommet de son crâne en chignon tressé.

« Oh. Paige. Salut, je balbutie. Désolé, je ne t'avais pas entendue.

– Attendez, intervient Stall. Vous vous connaissez tous les deux ? » Puis, après une pause, il décrète : « Dingue.

– On avait un cours commun ce semestre, je dis.

– Éthique des affaires », ajoute Paige.

Le grand type, Cheveux Blonds et Chemise Rouge, répète avec mépris le mot « éthique » et éclate de rire.

La fille assise près de lui, Cheveux Noirs Raides et Robe Verte, le pousse d'un air taquin. « Arrête, Chance. »

Paige me touche l'épaule. « Bon, qu'est-ce que je peux vous servir ?

– Waouh… je ne sais pas, je fais. Demande-leur à eux d'abord. »

Elle commence avec la fille à l'extrême opposé du box, Cheveux Bruns Bouclés et Fin Chemisier Jaune. Les commandes tombent ensuite en rafale et Paige les mémorise une par une.

« Un Blue Note.

– Un Floride.

– Un pinot noir. Peu importe lequel.

– Une trappiste. Je laisse Kirk choisir.

– Un Bandito.

– Un verre de champagne.

– Un Bulleit, sans glace. »

Et en un clin d'œil, elle revient à moi. « Pete ? »

Je lève les mains au ciel.

Elle sourit. « Tu viens de l'Alabama, non ? Qu'est-ce que tu dirais de trois doigts de Maker's Mark ? »

Je soupire. « Parfait. Merci. »

150

Paige repart d'un pas résolu vers le bar, mais se débrouille pour pivoter et me surprendre en train de l'observer. Je détourne le regard avant de savoir si cela la gêne ou lui plaît.

Je remarque Stall, qui sourit sournoisement. « Qu'est-ce que c'est que cette histoire, Pete ?

— Je l'ai rencontrée en cours. Comme elle a dit.

— Non… trois doigts de Maker's Mark ? Qu'est-ce que ça veut dire ?

— C'est la boisson de Bear Bryant. Elle… euh, se moque un peu de moi. »

Le gars à ma gauche, Veste en Tweed, me donne à nouveau un coup de coude. « Tu sais que les filles étaient avec elle à l'école, hein ?

— Au lycée, je dis, surtout pour moi-même.

— Au Sacré-Cœur », fait Robe Verte, puis, s'adressant à sa copine à l'autre bout de la table, elle ajoute : « J'ai même fait des régates sur le bateau de son père pendant l'été. Mais enfin, pour-quoi elle travaille ici ?

— Tais-toi », glisse Stall, les sourcils ostensiblement haussés.

Le silence gagne la table tandis que Paige dépose un verre d'eau devant chacun d'entre nous, fait un signe de tête à Robe Verte, et déclare : « Pete aime les bateaux. Vous devriez lui en parler. » Elle me lance un sourire et s'éloigne sans attendre.

Une fois que Paige ne peut plus l'entendre, Robe Verte se tourne vers une de ses copines manifestement consternée et s'exclame : « Mais qu'est-ce que ça veut dire, bordel ?

— Quoi ? je fais. Qu'est-ce qu'elle a fait ?

— Marigny était dans la même sororité que Paige, et elle ne lui a même pas dit bonjour. » Puis, à son petit ami, Chance : « Et pen-dant ce temps, elle, genre, flirte carrément avec Pete, là. »

Dans l'espoir peut-être de détendre l'atmosphère, Polo Rouge me demande : « Alors, tu fais du bateau, Pete ?

— Pardon ?

— Paige a dit que tu aimais les bateaux. Tu fais des régates ? J'ai un pote qui cherche toujours des coéquipiers.

— Non. Elle me charrie. J'ai juste le projet de restaurer une vieille coque. Elle a fait une blague, c'est tout.

– Donc, pas de régates ?

– Non, mais j'aimerais bien faire des croisières. Peut-être traverser une mer, ou un océan en solitaire un jour. » Gêné, je prie pour que personne autour de la table ne me perce à jour en me demandant plus de détails sur la navigation.

Polo Rouge pouffe. « Une traversée en solitaire ? Ça donne pas envie. »

Stall perçoit l'occasion de diriger la conversation vers un nouveau sujet. « Ça ne devrait pas être un problème pour Pete. Comme je vous l'ai dit, il revient d'Irak, c'est un héros. Sérieusement. Il y a des articles sur lui.

– Dans quelle branche de l'armée ? demande Veste en Tweed.

– Les Marines.

– Tu faisais quoi ? lance Cheveux Bruns Bouclés. Tu étais, genre, dans les forces spéciales ?

– Non, j'étais dans le génie.

– Ah, c'est quoi ? rétorque-t-elle. Enfin, tu faisais quoi toute la journée ? Des trucs d'ingénieur ?

– Je comblais des nids-de-poule, surtout. »

Polo Rouge pouffe à nouveau.

Stall intervient. « Mais raconte-leur Ramadi. Avec l'hélicoptère. »

C'est alors que Paige réapparaît avec les commandes et les dispose devant chacun. Tout le monde se tait, et je fais en sorte que Paige ne voie pas mon visage.

J'entends les filles chuchoter alors qu'elle s'éloigne et je m'empare de mon Maker's Mark, un verre pas très grand, large, avec quelques glaçons grossièrement coupés, presque plein à ras bord. J'avale une longue gorgée. Le bourbon anesthésie ma gorge. Exactement ce dont j'ai besoin. Quand je reprends mes esprits, Cheveux Bruns Bouclés me fixe encore.

Elle agite la main avec insistance. « Alors ? Pourquoi tu te faisais chier avec les nids-de-poule ?

– À cause des bombes. Les insurgés plaçaient des bombes sur les routes. Dissimulées sous le bitume parfois, mais surtout sur les bas-côtés. Vous en avez entendu parler à la télé, non ? Les engins explosifs improvisés ? Les bombes artisanales ? »

Rien. Pas de réponse autour de la table. Une autre longue gorgée et mon verre est à moitié vide.

« Les méchants mettaient des bombes tout le temps aux mêmes endroits, je poursuis. En fait, ils les planquaient dans les vieux nids-de-poule. Donc notre mission, c'était de se débarrasser de la bombe d'abord, et ensuite de boucher. On appelait ça sécuriser les routes, mais il s'agissait surtout de les réparer.

– Et tu faisais ça… à temps plein ? demande Chance, un sourire perplexe aux lèvres.

– Six cent quarante-sept nids-de-poule. » Encore une gorgée. J'ai bu les deux tiers de mon verre maintenant.

« Et combien de bombes en tout ? fait Chance.

– Six cent quarante-sept. »

Chance siffle. « Putain, mec », murmure-t-il avant de rire nerveusement.

À côté de lui, Robe Verte me regarde avec un air doux et préoccupé. Comme si elle s'inquiétait pour moi d'une certaine façon. « Mais, pourquoi tu devais faire ça tout le temps ? Enfin, je ne sais pas, ça pouvait être dangereux, non ? Les bombes n'explosaient jamais ?

– Si, parfois. Pas souvent. On se débrouillait pour faire gaffe. Mais, si. Parfois, il y avait des blessés. » Je finis mon verre. « Mais il fallait le faire. » Je repousse mon verre et laisse le bourbon envahir mon estomac vide. Mes tripes bouillonnent comme un chaudron.

« Mais *pourquoi* ? » implore la fille, sur le ton d'une adolescente privée de sortie.

Quelque chose dans son timbre nasal et son insistance puérile infuse le bourbon dans mes veines, et mon humeur change brutalement.

« Parce que, Stall, je réplique, me tournant vers lui sans raison et ignorant la fille, ce n'était pas toujours le trou dont il fallait s'inquiéter. Des fois, vous voyez, ils dissimulaient une fausse bombe pour nous obliger à nous arrêter. Ensuite, pendant qu'on inspectait les lieux, morts de trouille, ils arrivaient sur nous avec des fusils-mitrailleurs et des lance-roquettes. Des fois, ils mettaient aussi un obus dans un chien mort. Parce que qui va aller tripoter une carcasse de chien qui est restée toute la journée au soleil ? Et, quand on s'habituait finalement à *ça*, ils abandonnaient quelques corps décapités dans le désert et il fallait qu'on se démerde avec. Des corps piégés, même, parfois. »

Je tends la main et bois une autre gorgée. Plus personne ne cherche à prendre la parole.

« Une fois, une de nos équipes avait rempli d'eau propre la citerne d'une famille irakienne, et un groupe local d'al-Qaida a débarqué la nuit suivante. Ils les ont tous enfermés, les vingt, dans la maison. Je parle de trois générations, là. Les grands-mères et les grands-pères. Les petits-enfants. Et ils ont fait exploser la baraque. Avec tout le monde à l'intérieur. »

Je remarque que mon verre est tiède, et que le liquide dedans est plus doux que le Maker's Mark. C'est le Bulleit de Veste en Tweed. Je l'ai pris par erreur. Je me demande pourquoi il ne m'a rien dit, hausse les épaules, et poursuis :

« Ouais, c'était une sale explosion. La déflagration a même endommagé la rue. Pendant qu'il y en avait qui récupéraient les restes de corps, on a bouché le cratère, avec ma section. Et, vous n'allez pas le croire, il y avait une deuxième bombe dans le trou. »

Je ris tout seul. Les autres restent de marbre. « Excusez-moi une minute. »

Je me lève de table et m'éloigne.

Derrière moi, j'entends Stall argumenter devant ses amis : « Ouais, je sais. Mais franchement, allez voir en ligne "Profane Twenty-Four". »

Paige m'aperçoit alors que je me dirige vers le patio. Extrêmement concentrée derrière le bar, elle élabore trois cocktails différents avec la précision d'un chirurgien cardiaque. Elle m'adresse un signe du menton.

Je bifurque vers elle et pose un pied sur le rail devant le comptoir.

« Tu connais ces connards ? elle demande abruptement, frottant un citron sur le bord d'un verre.

– Non. Juste ce gars, Stall. C'est mon boss, pour le stage. Les autres sont des amis à lui.

– Je sais. C'étaient les miens avant aussi.

– C'est une petite ville, hein ? » Je me gratte la nuque et inspire profondément. « J'imagine que tes anciennes copines n'ont pas beaucoup aimé les convictions radicales qui t'ont poussée à faire des études de commerce ? »

Son sourire est une ligne de faille de granit. « Il s'avère que je me concentre surtout sur les entreprises à but non lucratif. T'as pas remarqué, en éthique des affaires ?

– Non, je n'ai pas remarqué grand-chose dans ce cours, je dois dire. » J'observe les bouteilles derrière elle à la recherche de quelque chose qui me soit familier.

Paige s'aperçoit de mon manège. « Quoi ? Tu as déjà fini le premier ? La vache, je t'avais servi un triple.

– Oui. Merci. Et…euh, c'est vrai, je l'ai fini.

– Tiens. » Elle s'empare d'un verre vide et me sert à nouveau.

J'avale une gorgée et c'est tellement bon que je dois marquer une pause avant de reposer le verre. Alors que Paige se concentre sur ses mains, je bois une autre gorgée et laisse l'alcool se répandre dans ma bouche avant de déglutir.

« Donc tu travailles à One Shell Square ? fait-elle. Qui l'eût cru ? On se demandait ce que tu devenais.

– On ?

– Tes camarades de classe. On se retrouve tous les jeudis chez Molly's. T'as pas eu mon mot ou quoi ? Ils ont tous demandé de tes nouvelles. Ils avaient l'air de penser que j'étais la mieux placée pour en avoir.

– Ah oui ? Bah… dis-leur bonjour de ma part.

– Tu ne veux pas venir le faire toi-même ?

– Je ne suis pas très sociable.

– Sauf avec des connards comme Stall ? » Elle fait signe à un autre barman de prendre le plateau avec les verres qui sont prêts. Des œuvres d'art, tous.

« On n'est pas vraiment là pour socialiser. Stall veut me présenter à des, tu sais, des clients potentiels. »

Paige éclate de rire. « Tu veux dire des pigeons ?

– Pardon ?

– Pour leur fourguer des produits financiers dérivés ? Des créances titrisées ? Des emprunts de la zone euro ? Ce sont des escroqueries à la Ponzi, tout ça. Un navire en perdition, Donovan. Même avec les plans de sauvetage financier. » Elle ouvre une bouteille d'eau et boit une gorgée.

« Le professeur Cole semble penser que le marché reprend pied. »

Elle hausse les épaules. « On verra. C'est que du papier de toute façon. »

Un souvenir s'empare soudain de moi et je ris. L'odeur du papier brûlé. L'éclat, la chaleur agressive, les flammes qui dévorent tout. J'entends des rires dans ma tête, qui se mêlent à un soulagement démesuré. Comme c'était drôle d'être en vie.

Je ferme les yeux et me prends la tête dans les mains.

Paige me touche l'épaule du bout du doigt. « Donovan, fait-elle, un peu inquiète, tu… ris ? »

Je lève les yeux. Mon sourire de cinglé parle de lui-même. Je scrute sa fine bouche, ses joues soucieuses et son nez retroussé. Puis je m'autorise à observer le reste aussi. Son cou délicat, ses épaules étroites et bien dessinées, son corps charmant et farouche ; sans plus me préoccuper de savoir si elle me regarde ou pas.

« Pete Donovan sourit, dit-elle, un rictus aux lèvres à son tour. Qu'est-ce qu'il y a de drôle ?

– Je t'ai déjà raconté la fois où j'ai vu un million de dollars partir en fumée ?

– Non. Mais vas-y. » Elle sourit à nouveau et reprend mon verre.

Salut, Lester. Il y a du yaourt dans le frigo. (Du yaourt ! C'est tellement un truc de fille, non ?) Pas de café, mais tu as eu la chance de me baiser hier soir alors je suggère que tu te débrouilles avec ça, mon petit gars. Il reste trois ou quatre tranches de pain. Tu peux les griller ? Mais c'est tout. J'ai littéralement rien d'autre. Je rentrerai du boulot dans quelques heures. Tu restes par là ?

Al-Nasr wa-al-Salam

Ça sent le terrain de foot dans sa petite chambre. Ses draps et ses oreillers, je veux dire. Ça sent l'herbe fraîchement coupée. Elle se roule dans la pelouse avant de se coucher ou quoi ?

C'est vrai. Je m'en souviens maintenant. On s'est un peu roulés dans la pelouse. Elle m'a attrapé par le col et m'a entraîné hors de la camionnette. Je pensais que j'allais la déposer chez elle et que je filerais chez Landry, mais tout à coup, on s'est retrouvés vautrés sur la pelouse. On aurait dit deux putain d'ados.

Attends. Est-ce qu'elle est adolescente, cette fille ? Est-ce que ses parents sont dans la maison, quelque part ? Sinon, à qui elle est cette maison, en fait ? Personne ne paie la putain de facture de chauffage ou quoi ? Il fait douze degrés là-dedans, bordel.

C'est le genre de truc qu'un gamin cinglé ferait, se rouler dans l'herbe. Et les voisins, j'ai dit, ils vont pas nous entendre ? Nous voir ? Mais cette fille, Lizzy, elle a juste gloussé, elle m'a mordu la poitrine et a rigolé quand j'ai serré les dents et essayé de faire comme si j'avais pas mal alors qu'elle savait très bien que c'était le contraire.

Je me souviens de la pelouse, et je me souviens de ce qu'on a fait dans cette chambre, aussi. Par contre, j'ai oublié comment on est rentrés ici. Tout est allé si vite. Je me tourne sur le côté et essaie de ne pas me noyer dans le lit énorme et moelleux de cette fille. C'est le début de la matinée je dirais, à la lumière oblique qui filtre à travers les stores métalliques. À peine neuf heures, si ça se trouve. J'arrive pas à dormir tard, même quand j'en ai vraiment envie.

Je m'assieds et tends l'oreille pour savoir si j'entends des voix ou quelqu'un bouger de l'autre côté de la porte. Rien, donc je me convaincs que je suis seul dans cette maison. Tant mieux, parce que mon caleçon a disparu, et ça me colle et ça me pique entre les cuisses. Putain, il faut que je trouve mes vêtements.

Cette fille, Lizzy, elle a une telle épaisseur de fringues entassées par terre que je n'ai même pas besoin de plier les genoux pour me mettre debout. J'ai du mal à trouver mes affaires, malgré tout, avec les siennes qui s'étalent partout. Je fouille dans les jupes, les jeans noirs moulants, les petites robes et les maillots de corps. Rien à moi là-dedans.

Est-ce que je vais devoir passer par la fenêtre ? Foncer jusqu'à ma camionnette cul nu dans le froid pour prendre mes fringues de rechange dans mon sac ? Et si quelqu'un me l'avait déjà volé, avec ma camionnette qu'est restée comme ça, pas fermée ? Qu'est-ce que je fais si c'est le cas ?

Je commence à penser sérieusement à cette éventualité quand je vois mon nom sur un morceau de papier, scotché sur le mur au-dessus du seul coin qu'elle garde propre.

« Lester », ça dit, une grosse flèche pointe vers le bas sur une vieille table d'architecte où tous mes vêtements sont soigneusement pliés et empilés. J'entreprends de traverser la pièce sans écraser trop de soutiens-gorge. Tous ces crochets et ces balconnets font mal sous mes pieds froids et nus.

Un autre mot comme celui qu'elle a laissé sur le mur est posé sur mon caleçon, qui est au sommet de la pile : « Ce caleçon, ça ne rigole pas, Lester. Tu l'as eu à l'armée ? Vert kaki. Il a l'air officiel mais soyeux aussi. Genre, dangereux. »

Adorable, putain, cette Lizzy. Elle a raison, évidemment. Le caleçon des Marines est une bête étrange, genre boxer avec une doublure. Ça fait bizarre au début. Mais maintenant, c'est le seul caleçon que je peux porter, et puisque j'ai laissé tomber les plaques d'identité militaire, c'est le dernier élément d'uniforme que j'utilise encore au quotidien.

Je l'attrape et l'enfile. Doux et sec. C'est l'avantage, avec le caleçon des Marines. Tu peux le porter pendant des jours au besoin.

Ça aide quand tu es en opération, quand tu dois rester assis dans un Humvee pendant des heures, à transpirer comme un bœuf. Je passe mon jean et mon maillot de corps et me vautre sur le lit, plus détendu. Personne ne va me surprendre ici à poil. Pas de colocataires. Ou de parents, si j'ai merdé à ce point-là.

Ça sent l'herbe à plein nez. Magnifique.

Le téléphone dans ma poche vibre. Je le sors. Landry m'a laissé un message sur ma boîte vocale. Je l'efface sans l'écouter. Il veut me féliciter, si ça se trouve. J'aurais pu l'écouter, mais je me serais senti encore plus mal. Cette fille, Lizzy. Elle tardera pas à comprendre qui je suis, donc ça ne va pas durer longtemps cette histoire. Je vais rester ici jusqu'à son retour. Juste pour être poli.

Putain, cette odeur d'herbe. Qu'est-ce que c'est que ce truc ? Qu'est-ce que ça me rappelle ? De quoi j'essaie de me souvenir ?

L'herbe à al-Nasr wa-al-Salam. C'est ça. Une herbe épaisse comme j'en avais jamais vu.

On s'est arrêtés là un jour, sur le chemin du retour. On venait de réparer quinze bornes de nids-de-poule. On était tous exténués et on voulait avancer. Mais le commandant Leighton a dit à la radio au lieutenant Donovan de s'arrêter là pour prendre des types du Département d'État chargés de la reconstruction. Ils avaient leur propre véhicule. Juste besoin d'une escorte pour remonter le long du fleuve jusqu'à la base de Falloujah.

Les types du Département d'État, ils avaient de l'herbe dans leur petit cantonnement, une belle pelouse devant le bâtiment de leur commandement. Un truc de dingue au milieu du reste.

Le lieutenant Donovan est entré pour leur parler, et Dodge et moi, on est restés appuyés sur le Humvee. Marceau, dans la tourelle, s'est levé et a enlevé son casque. J'ai fixé la pelouse et me suis même mis à genoux pour la renifler. Elle était tellement douce, cette putain d'herbe.

Dodge m'a mis un coup de pied au cul. « Cinglé de Lester. Tu vois des trucs nouveaux tous les jours dans cette guerre, hein ? Il n'y a pas d'herbe en Amérique, ou quoi ?

– Cette pelouse est vraiment en bon état. » C'est tout ce que j'ai trouvé à répondre. « Ils en prennent vraiment soin.

– Ils doivent arroser avec de l'eau minérale, a dit Marceau, depuis sa tourelle.

– Tu crois ? j'ai demandé.

– Ouais. L'eau grisâtre d'ici, celle qu'ils tirent de la rivière et qu'on utilise pour se doucher, elle est alcaline. Si t'arroses cette herbe avec l'eau des réservoirs pour les douches, elle va cramer, tu verras. »

Dodge est intervenu. « Tu t'y connais bien en plantes, James ? Tu es fermier dans la vraie vie ? »

Marceau a regardé droit devant lui. « Ouais. En quelque sorte. Mes parents avaient une ferme quand j'étais petit.

– Ah ! Chèvres et vaches, maïs et blé ! a lancé Dodge. C'est pour ça que tu te lèves toujours si tôt ? Une habitude de paysan depuis l'enfance ? »

Marceau a continué de regarder droit devant lui. « Ils ont perdu la ferme il y a longtemps. Papa est vigile maintenant. Et maman est prof remplaçante. » Puis il s'est engouffré dans le Humvee pour préparer son équipement avant que qui que ce soit ne poursuive sur le sujet.

J'ai cueilli quelques brins d'herbe et je les ai fourrés dans ma poche.

Quand le lieutenant Donovan est revenu, il avait l'air stressé. Ça se voyait sur son visage. Pas à cause d'une possible embuscade ou d'une bombe sur la route. Stressé comme si quelqu'un venait de lui révéler un secret sans le faire exprès. Comme s'il avait appris un truc gênant qu'il n'était pas censé savoir sur ces mecs.

Deux agents de sécurité d'une société privée, barbus avec de luxueuses lunettes de soleil, le suivaient en trimballant avec difficulté une grosse valise noire et rigide. Ils étaient baraqués, ces mecs, bâtis comme des videurs, mais même eux, ils pliaient sous le poids de la valise. Un Suburban blindé est arrivé de leur parking et les types de la sécurité ont hissé leur chargement à l'arrière. À fond la caisse, comme s'ils voulaient au plus vite se laver les mains de ce machin.

« Sergent Gomez ! » a crié le lieutenant Donovan tout en se contorsionnant pour enfiler son gilet pare-balles. « Caporal Zahn ! »

Zahn s'est approché, calme et à son rythme comme d'habitude, une belle chique de tabac sous la lèvre. Gomez est arrivée au pas de course, droite et raide. Tellement différents, ces deux-là.

« Fais un essai radio rapido avec ces gars, a dit le lieutenant Donovan à Zahn. Et assure-toi qu'ils ont nos fréquences. Si on les perd, ça va chauffer. »

Zahn a gloussé. « Pire que d'habitude, mon lieutenant ?

– Oui. » Le lieutenant a hoché la tête. Le sujet était clos.

Zahn a haussé les épaules et s'est éloigné pour se coordonner avec les civils.

Le sergent Gomez est restée là. « Il y a quelque chose que je devrais savoir, mon lieutenant ? Avant de nous mettre en route ? »

Le lieutenant Donovan a souri comme s'il voulait lui dévoiler le secret, mais il s'est contenté de : « Non. On procède comme avec n'importe quel autre véhicule. On s'arrête vite fait à Falloujah pour déposer ces mecs et on rentre à la maison. Les doigts dans le nez. »

On s'est installés dans le Humvee, et le lieutenant a dit à Zahn : « Laisse le Suburban passer devant. On le garde en sandwich entre nous et Gomez.

– Alors, qu'est-ce qu'il y a dans ce coffre, mon lieutenant ? »

Zahn a souri d'un air satisfait en crachant sa chique dans la bouteille prévue à cet effet.

« Un million de dollars en liquide pour les cheikhs. »

Dodge a réagi le premier, éclatant de rire. « Ouais, mec ! Je le savais ! Vous, les Américains, vous êtes vraiment futés ! »

Zahn est resté immobile, les yeux rivés sur le lieutenant. « Sérieux, mon lieutenant ?

– Absolument. Ces types du Département d'État les livrent aux mecs des affaires civiles à Falloujah, qui les transmettent ensuite aux cheikhs, à l'ouest de Ramadi. L'armée manque de sunnites, donc le million de dollars, c'est une façon de les soudoyer pour qu'ils encouragent leurs fils à prendre l'uniforme. » Le lieutenant a bouclé la lanière de son casque. « Vérifie la radio avec Gomez. »

Zahn a appuyé sur le bouton et, par-dessus le rire de Dodge, il a dit : « Ici véhicule quatre.

– Quelle vie de voyou ! » a lâché Dodge.

Le lieutenant a fait volte-face, bouche ouverte. On aurait dit qu'il allait faire taire Dodge. Mais finalement, il s'est retourné vers la route, comme un père trop occupé pour discuter, ou trop honnête pour même essayer.

Moi, je n'arrêtais pas de mater l'arrière de ce Suburban. On a quitté le site, et par la fenêtre de ma porte blindée, je n'ai plus vu que le désert. Les bordures jaunes et noires se fondaient en une couleur unique, et je pensais à ce million de dollars. À quoi ça ressemblait ? Est-ce que je pourrais le voir avant que le Suburban quitte la base de Falloujah ? J'ai imaginé les piles, comme dans les films. Combien il en fallait pour obtenir un million de dollars ? J'ai songé à ce que mon père ferait avec ne serait-ce qu'une seule de ces piles. Il s'achèterait enfin un nouveau tracteur.

Et soudain, en une seconde, le Suburban a disparu dans une énorme boule de feu.

« Putain, putain, putain », je me suis entendu murmurer alors que Zahn faisait une embardée pour l'éviter, dérapant dans le sable du bas-côté. En passant, j'ai vu que l'explosion avait seulement détruit l'arrière du véhicule. Les types de la sécurité devant, assis dans un compartiment blindé séparé, paraissaient sains et saufs.

« Bingo ! » a hurlé Marceau en riant par-dessus le sifflement et les crépitements du Suburban en flammes.

Le lieutenant Donovan a appuyé sur son émetteur. « Ici, véhicule quatre. Cinq et vingt-cinq. »

Les autres véhicules ont accusé réception des ordres, calmement comme d'habitude. Mais les gars dans le Suburban… ils étaient un peu plus secoués, tu vois ? Ils se sont précipités sur le réseau en criant et en jurant. Exactement ce que t'es pas censé faire. Y'avait pas de blessés au moins. Mais on ne pouvait pas sauver le véhicule.

En s'emparant de sa boîte de Skoal, Zahn a manœuvré pour immobiliser le humvee sur la route.

Dodge m'a lancé : « Lester, mec. Vérifie de ton côté. Cinq mètres, Lester. »

On a contrôlé le périmètre autour de nous pendant qu'une équipe au sol inspectait le bitume et le désert à proximité. Une fois l'absence d'engin secondaire confirmée, le lieutenant a déclaré : « Doc, va voir leur état. Assure-toi qu'ils vont bien. » Il avait l'air énervé par toute cette histoire.

J'ai sauté à terre et suis parti à grands pas en croisant le sergent Gomez qui faisait avancer une équipe de la sécurité plus loin dans le désert afin que les démineurs puissent venir analyser le terrain après l'explosion.

Le Suburban brûlait comme l'enfer entre-temps. Les agents de sécurité assis au bord de la route avaient l'air de deux types sur le point de se faire virer. Mais, ils n'avaient rien. Quelques coupures et contusions, c'est tout.

Le lieutenant Donovan est arrivé après moi. « Est-ce que cette valise était ignifugée ? a-t-il demandé à l'un d'eux.

– Nan », a répliqué le gars dans sa barbe, sans enlever ses lunettes de soleil. Sans même prendre la peine de lever les yeux.

À quelques mètres derrière le lieutenant, Dodge riait comme un malade. « Ça fait encore plus *gangster*, mec ! On dirait un clip de rap ! Hein ? Vous les Américains, vous avez de l'argent à faire partir en fumée ! »

Là, j'ai commencé à me marrer aussi. Je me suis levé et me suis tourné vers Dodge. Il rigolait tellement que les larmes lui coulaient sur les joues.

Et, par-dessus mon épaule, je veux bien être damné si j'ai pas vu le lieutenant rire aussi. Mais juste une seconde. Il a fait demi-tour et est allé prévenir le commandant Leighton par radio. J'imagine que pour ça, il a dû garder son sérieux, le pauvre.

Huck a du mal à laisser tomber ses amis, même lorsque ces derniers le mettent manifestement en danger. « Eh bien, dit-il à propos du duc et du roi, c'est une sacrée bande, ces deux escrocs, et je suis obligé de voyager avec eux pendant encore quelque temps, que je le veuille ou non – je préfère ne pas vous expliquer pourquoi – et si vous les dénonciez, cette ville me permettrait de sortir de leurs griffes, mais il y a quelqu'un d'autre que vous ne connaissez pas qui se retrouverait dans de sales draps. C'est que nous devons le protéger, pas vrai ? Naturellement. Eh bien, alors, on va pas les dénoncer. »

Ville touristique

Mes colocataires débouchent du coin de la rue en criant, chantant, en agitant des drapeaux et en tapant des pieds sur le bitume. Je glisse *Huck Finn* dans ma poche arrière et m'avance sur le trottoir pour qu'ils me remarquent. On dirait qu'ils ont attendu que les autres étudiants prennent de l'avance pour récupérer toutes les jolies filles qui, effrayées par les forces de l'ordre, se sont écartées du cortège.

C'est une bonne stratégie. Mes colocataires réconfortent ces filles et leur proposent de les protéger, en leur disant de les retrouver devant notre bâtiment, au coin, si quoi que ce soit dégénère. On vit tous ensemble ici, dans un grand appartement, affirment-ils. Venez avec nous vous mettre à l'abri.

Ils me voient et crient mon nom. « C'est notre ami, disent-ils. Il est irakien et il a vu des choses bien pires que ce qui se passe en ce moment. Regardez. Il n'a pas peur. Viens avec nous. »

Je me joins à eux, mais juste pour ne pas mettre mal à l'aise mes colocataires. Ils ne me le pardonneraient pas si je restais à l'écart. La foule grandissante nous presse les uns contre les autres, mes colocataires et moi ; toujours plus près des filles aussi. Les manifestants se font plus bruyants et plus déterminés dans leurs revendications alors qu'une odeur de gaz lacrymogènes et de poudre envahit nos narines. Nous approchons de la place principale. De la fumée s'échappe de voitures en flammes devant nous, de charrettes renversées.

« Notre ami irakien parle parfaitement l'anglais, disent mes colocataires aux jolies filles. Il pourra s'adresser aux journalistes occidentaux, si on en trouve. Vous être trop jolies, les filles, pour ne pas passer à la télé. Il trouvera un journaliste et il parlera anglais pour nous. Vous, les filles, vous resterez derrière lui et vous sourirez à la caméra. C'est le meilleur moyen pour lutter contre Ben Ali. On va montrer au monde comme les filles sont jolies en Tunisie. »

Quelques-unes des filles rient, mais la plupart font la moue devant ces âneries. Elles sont plus intelligentes que mes colocataires et semblent mieux au fait de ce qui nous attend sur la place.

Une jolie fille me demande si j'ai combattu les Américains avant de quitter l'Irak.

Je lui réponds que non. Que je suis un lâche, en fait.

« Mais tu parles anglais, insiste-t-elle. Est-ce que tu as parlé l'anglais pour eux au lieu de les combattre ?

– Parfois. Mais la plupart du temps, je le parlais juste pour moi. Pour les affaires. »

Elle se détourne, déçue.

Instantanément, j'aimerais lui avoir menti. Malgré tout, je ne lui en veux pas si je la dégoûte. J'en ai déçu beaucoup d'autres avant toi, je me dis intérieurement.

Je me suis réveillé au bruit des vagues léchant la rive, j'ai ouvert les yeux, regardé à l'est. Le soleil matinal m'a ébloui le visage. J'ai entendu le coq d'Abou Abdoul et me suis senti bien, pour la première fois depuis des semaines, des mois même. Moundhir et Hani avaient disparu, et à la fraîcheur de leur couverture j'ai compris qu'ils étaient levés depuis un certain temps. J'ai suivi le chemin jusqu'à la ferme en terre. Ça sentait le feu et le thé fraîchement infusé. Haji Fasil est sorti avec une gamelle pleine de riz.

« Bonjour, Haji Fasil.

– Que la paix soit avec toi, Kateb.

– Et avec vous aussi. » J'ai bâillé, me suis assis sur une bûche d'eucalyptus et me suis réchauffé les mains au feu. « Vous avez une cuisinière, Haji. Pourquoi ce feu ?

– C'est le moment d'en faire, non ? J'aime le feu. Le printemps arrive et c'est sûrement le dernier matin frais avant l'année prochaine. » Il m'a tendu une tasse métallique pleine de thé.

« Vous êtes sûr que ce n'est pas pour en mettre plein la vue aux petits jeunes de la ville ? Vous ne seriez pas en train de nous faire une leçon sur nos racines bédouines par hasard ?

– Non, bien sûr que non. » Il s'est essuyé les mains sur sa longue chemise. « En plus, je suis sûr que vous n'avez pas besoin de leçon. Vous avez tout l'air d'être des enfants du Parti. Vos pères sont baathistes ? C'est ça ? Je suis sûr que vous avez passé tous vos étés jusqu'à maintenant dans une oasis aux alentours de Ramadi. À vivre dans des tentes et à chasser les lapins pour le plaisir. Tu as même peut-être serré la main de Saddam quand tu étais petit, qui sait ? Comme c'est excitant. »

Je n'ai pas répondu. Pas besoin de discuter de tout ça, pas maintenant. J'ai observé l'étendue du lac et attendu que l'atmosphère se détende. « Hani et Moundhir sont partis avant que je me réveille ce matin. Est-ce qu'ils sont avec Abou Abdoul ?

– Moundhir, oui. Ils ont descendu la péninsule à pied pour aller chercher le bateau de pêche. Hani est allé en ville avec votre voiture.

– A-t-il dit ce qu'il allait faire ?

– Oui. Il est parti acheter de la marchandise au marché. Des babioles pour vendre aux Américains de passage. » Haji Fasil a sorti un couteau de sous sa chemise et a commencé à couper du basilic sur une souche.

J'ai acquiescé lentement pour dissimuler ma colère, m'efforçant de faire comme si c'était notre plan depuis le début. « Ah. Il a pris combien d'argent ?

– Tout, j'imagine. Mais ne t'inquiète pas. Les garçons riches obtiennent toujours plus d'argent de leurs pères. N'est-ce pas ? Où est ton père, Kateb ? »

Je me suis levé, ai épousseté mon jean et ignoré sa question. « Merci pour le thé, Haji Fasil. » Et j'ai tourné les talons vers le lac.

Haji Fasil m'a arrêté. « Abou Abdoul n'a pas perdu la langue à cause du cancer. Tu le sais, non ? » Il a pointé le couteau vers moi en haussant les sourcils.

Je me suis immobilisé, puis je l'ai regardé. « Oui, c'est bien ce que je pensais. » Il était donc temps de parler.

« Nous sommes d'Alep. »

Je me suis rassis.

Haji Fasil a continué de couper du basilic en me racontant son histoire comme s'il énonçait une recette de riz. « Après la première guerre contre les Américains, Abou Abdoul et moi, on a rejoint le soulèvement. Les hélicoptères de Saddam sont arrivés et nous ont massacrés. On avait des familles à l'époque. Des femmes et des enfants. Tous morts. Je m'en suis sorti. Les *moukhabarat* a trouvé Abou Abdoul et ils lui ont coupé la langue. Je me suis échappé. »

J'ai hoché la tête et bu une gorgée de thé.

« Vous étiez petits tous les trois à l'époque.

– Oui.

– Vous viviez à Bagdad ? À Mansour, je suppose ? De grandes maisons ? Avec des jardins et des belles voitures ?

– Oui, ai-je soufflé. Exactement. J'ai aussi été à la fac.

– Et maintenant vous fuyez. »

J'ai acquiescé et j'ai poussé la terre du bout du pied. « Nous… », ai-je commencé comme si j'avais aussi une histoire à raconter. « Nous fuyons, me suis-je contenté de dire.

– Oh, le frisson de la fuite ! » Haji Fasil a coupé plus vite. « Je me souviens. » Les contours du couteau sont devenus flous. « Mais comment allez-vous fuir sans argent pour mettre de l'essence dans votre voiture ? » Haji Fasil a planté la lame dans la souche et mélangé le basilic au riz. « Si Hani ne fait pas rapidement de profit sur ses marchandises, s'il ne change pas vite vos dinars en dollars, j'imagine que vous allez devoir vendre votre voiture. Et je me demande ce qu'elle deviendra. Quand elle aura été transformée en bombe, je veux dire. Elle sera lancée sur un poste de contrôle ? Laissée au bord de la route ? Ça dépend de l'acheteur, probablement. Vous autres, les sunnites, vous êtes de plus en plus adeptes des attaques kamikazes. Comme les partisans de Moqtada al-Sadr.

– Je ne suis pas de ceux-là, ai-je fait, la voix plus tranchante que je ne le voulais.

– Tu n'es pas sunnite ? » Haji Fasil a fait un pas vers moi. « Tu me prends pour un idiot ?

– Non, Haji Fasil. Je ne suis pas un terroriste. Je suis étudiant. Tout ça ne m'intéresse pas.

– Ah oui ? Et qu'est-ce que tu étudies, mon garçon ?

– L'anglais.

– C'est malin. » Il est revenu vers le feu et a suspendu la gamelle au-dessus des flammes. « Et qu'est-ce que ton baathiste de père en dit ? Qu'est-ce que ta mère pense d'un fils qui ne combat pas dans les rangs du Parti ?

– Ma mère est morte il y a longtemps. D'un cancer. C'est pour ça que je savais que vous mentiez à propos de la cicatrice d'Abou Abdoul. Mon père nous a élevés mon frère aîné et moi tout en travaillant au ministère de l'Agriculture.

– Ah, le fils d'un simple fermier. Comme c'est charmant.

– Il était ingénieur. Il a conçu les plans du Grand Canal. » J'ai désigné du doigt la tranchée immobile au loin qui s'abreuvait lentement aux eaux profondes du lac Tharthar.

« Un ingénieur pas très doué, alors.

– Il n'a jamais pu le finir. Il n'a jamais pu se procurer les pompes nécessaires après la guerre. Les Américains l'ont interdit.

– C'est pour ça que tu as appris l'anglais ? Pour aider ton père avec les Américains ?

– Non. Mon père voulait que j'étudie l'anglais, oui. Mais seulement pour que je parte à l'étranger faire mes études secondaires. Mon père a continué d'espérer, même après la guerre, donc j'ai continué d'apprendre. Et j'ai commencé à beaucoup aimer les livres américains, et leur musique aussi.

– Et tes amis ? Hani ? Moundhir ? Qu'est-ce qu'ils étudient ?

– Hani fait des études de commerce. Et Moundhir… Moundhir n'est pas étudiant. On l'a rencontré à Karrada après le lycée. Avec Hani, on organisait des concerts rock dans Bagdad à l'époque. Moundhir était notre videur. »

Haji Fasil a remué le riz. « Que Dieu ait pitié de vous trois. Vous êtes fous d'être venus par ici. » Il est retourné à la souche et en a sorti son couteau.

Il me fatiguait, et son couteau aussi. J'en avais marre de voir l'instrument jouer la troisième personne de la conversation. Je me suis levé et j'ai fait un pas vers Haji Fasil. « Avez-vous vu Bagdad dernièrement, Haji ? Est-ce que vous croyez que j'ai laissé derrière moi un jardin et une Mercedes ? Je n'ai pas vu mon père depuis un an, si vous voulez savoir. Je dors dans le bureau de mon professeur mort. Je travaille d'arrache-pied à une thèse qu'il ne lira jamais. Ici ? » D'un geste de la main, j'ai désigné la plage et le lac. « Ici, Haji Fasil, c'est le paradis. Écoutez, les membres de votre famille sont morts et j'en suis désolé. Mais ce n'est pas moi qui les ai tués. Ni Moundhir ni Hani. Vous voulez l'Irak ? Le pays est à vous. Prenez-le. »

Il s'est approché de moi, la mine renfrognée. Je n'ai pas bougé, mais je me tenais prêt.

Mais il a juste souri en me tapotant la joue. « Voilà un garçon courageux. Qui veut de l'Irak ? C'est du poisson que je veux. Des poissons pour servir avec ce riz. Et ils vont peut-être en rapporter. » Il a pointé son couteau vers le lac.

J'ai fait volte-face et vu le bateau. Un petit *kitr* avec une voile triangulaire miteuse. Abou Abdoul tirait sur les bouts tandis que Moundhir ramait.

« Nous allons prendre un vrai petit déjeuner en famille, si Dieu le veut. »

Et Dieu a exaucé son vœu. Avec une multitude de bols de riz et de poisson. Et vers la fin du petit déjeuner, Hani est revenu avec la voiture. Bringuebalant sur le chemin de terre, un sourire éclatant aux lèvres. Les amortisseurs s'affaissaient sous le poids des marchandises qu'il avait achetées. Des boîtes s'empilaient sur la banquette arrière, et le coffre était si plein qu'il ne fermait pas complètement. De la ficelle le maintenait entrebâillé.

Je suis allé à sa rencontre, m'appliquant à ne pas montrer ma colère.

« Alors, tu as fait des courses ? lui ai-je lancé par la fenêtre ouverte côté conducteur.

— Attends de voir ce que j'ai trouvé, a-t-il répondu avec détachement. On va être riches.

— Tu aurais pu en discuter avec Moundhir et moi avant, non ?

— Discuter de quoi ? a rétorqué Hani, moqueur. L'idée de changer notre misérable pile de dinars en quelque chose de vraiment

171

utile ? On a besoin de dollars pour la Jordanie, et pour le long terme. C'est nécessaire. Et en plus, tu dormais.

– Mais s'il faut qu'on parte précipitamment, Hani ? Qu'est-ce qu'on devient si on est soudain contraints de pousser plus à l'ouest ? »

Hani a semblé perplexe. « Mais ton père ? Il est dans le coin, non ? Il est peut-être réfugié chez de vieux amis dans Ramadi ? On va essayer de le trouver dans les jours qui viennent, non ?

– Oui, ai-je répondu, vaincu. Évidemment. »

Le sujet était clos dans l'immédiat. Hani a proclamé que la première chose à faire, avant de décharger la voiture, était de nettoyer la plage. Moundhir et moi avons parcouru les vingt mètres de sable en ramassant les bouts de verre et les morceaux de bois flotté pendant que Haji Fasil et Abou Abdoul nettoyaient des poissons et les mettaient à sécher dans le fumoir.

Hani a fait le tour du domaine pour savoir quelles huttes en terre étaient utilisables. Et il a interrogé Haji Fasil sur ses pratiques commerciales : Combien les clients payaient-ils pour le riz ? Où trouvait-il son riz en premier lieu ? Comment générait-il du profit ? J'ai écouté depuis ma place sous l'eucalyptus et j'ai compris la façon de faire de Haji Fasil.

C'était un intermédiaire. C'était là qu'il excellait. Sa petite ferme était en terrain neutre, et de là il pouvait aller n'importe où, transporter des marchandises d'un territoire ennemi à l'autre, se mêler à toutes les factions. Les Kurdes du Nord vendaient leur riz importé de Turquie à Haji Fasil à prix réduit parce qu'ils avaient peur de voyager plus au sud. Les sunnites en provenance de Ramadi lui vendaient au rabais de l'huile de cuisine importée de Jordanie parce qu'ils craignaient de s'aventurer plus à l'est. Les chiites de Baïji lui proposaient à bon prix du diesel obtenu directement de la raffinerie parce qu'ils ne voulaient pas aller plus à l'ouest.

Sur ce terrain à la croisée de tout, Haji Fasil avait trouvé un équilibre. Il pouvait être sunnite, chiite ou kurde en fonction du moment. Son rôle d'intermédiaire était fondé sur la peur. Ses affaires fonctionnaient ainsi et c'était la raison pour laquelle il n'avait pas transformé sa ferme en marché. Ses profits dépendaient du fait que chaque marchand ne pouvait fréquenter les autres sous peine de décapitation. Il prenait le risque pour eux.

Hani était impressionné, mais considérait que Haji Fasil avait oublié des clients importants : les Américains.

Lorsque Hani a eu fini de disposer ses articles, j'ai enfin compris. La ferme fonctionnerait comme une franchise : nous y vendrions des boissons, des DVD américains piratés, et toutes sortes de souvenirs irakiens pour le compte de plusieurs marchands de Dra Dijlia. Ces articles étaient en dépôt. À la fin de chaque semaine, nous paierions nos fournisseurs, prendrions notre part des recettes en dollars, et déciderions de réinvestir ou non nos profits dans un nouveau stock. En huit jours, Hani espérait rembourser ses frais et dégager assez de trésorerie.

Moundhir a sorti les boissons du coffre et les a placées dans un filet de pêche qu'il a plongé dans le lac, afin que les cannettes restent plus ou moins au frais. Juste avant le crépuscule, Hani a disposé les films et les souvenirs sur des présentoirs confectionnés avec de vieilles cages à poules hors d'usage, et les a positionnés de façon à ce qu'on les voie de la route.

Haji Fasil est resté dubitatif devant les efforts de Hani, mais il en était suffisamment amusé pour le laisser faire. Au dîner, il lui a demandé comment il entendait faire fonctionner son marché. « Les Américains sont souvent passés par ici. Mais jamais ils ne se sont arrêtés.

– Oui, mais maintenant on a un avantage, Haji Fasil. Kateb parle l'anglais. »

J'ai posé mon riz. « Hani, on pourrait sans problème remonter le fleuve jusqu'à la Syrie en trois jours. Ou prendre l'autoroute de Routbah jusqu'à la Jordanie, au besoin. On perd notre temps ici. Pire, on risque nos vies.

– Vois la chose comme un test avant la Tunisie. Si on arrive à attirer les Américains dans cette petite station balnéaire, on n'aura pas de problème là-bas.

– Mais je n'ai jamais donné mon accord pour la Tunisie ! Et c'est une station balnéaire, ici, maintenant ? Pour moi c'est plutôt cinq cabanes en terre au bord d'un lac merdique.

– Kateb ! Tu vas offenser notre hôte. »

Haji Fasil est intervenu : « Non, il a raison, Hani. On n'est pas à l'hôtel al-Rashid ici. »

Moundhir est revenu du bateau aux côtés d'Abou Abdoul. « Abou Abdoul a des bâches. Je pourrais nettoyer les boyaux de poisson collés dessus demain et les suspendre à des poteaux pour faire de l'ombre.

– Toi aussi, Moundhir ? me suis-je écrié, les mains au ciel. C'est de la folie. Si on fait affaire avec les Américains, on va mourir.

– Non, je crois qu'il ne vous arrivera rien, a suggéré Haji Fasil. C'est un terrain neutre ici. On fait ce qu'on veut. »

Hani a souri. « Tu entends, Kateb ? Tout ce qu'il nous faut maintenant, c'est une enseigne. » Là-dessus, il a brandi un pot de peinture. « Et pour ça, on a besoin de *toi*. »

Pendant une heure, j'ai refusé. Je suis allé lire au bord de l'eau. Prendre des notes pour ma thèse. Mais lorsque le soleil s'est couché et que la lune s'est levée, je suis retourné voir Hani qui s'affairait à trier les DVD à la lueur d'une lanterne. « Qu'est-ce que tu veux écrire sur l'enseigne ? »

Il a souri et m'a tendu un morceau de contreplaqué, soulevant la lanterne pour m'éclairer. « Je veux que ça fasse envie. Il faut un nom qui dise : "Il n'y a pas de guerre ici. Cet endroit est sûr. Venez et détendez-vous. Venez et dépensez votre argent." »

Je me suis agenouillé et j'ai trempé le pinceau dans la peinture noire. « Tu es dingue.

– Hôtel-Casino du lac Tharthar, peut-être ? Tu peux traduire ça ?

– Tu veux écrire ça sur l'enseigne ?

– Kateb. Kateb, mon ami. » Il s'est agenouillé près de moi et m'a posé une main sur l'épaule. « Je veux que tu écrives ce qui peut marcher selon toi. Participe, Kateb ! C'est aussi ton avenir !

– D'accord. J'ai le nom parfait, alors.

– Génial, mon frère. » Hani m'a embrassé la joue. « Fantastique. »

J'ai écrit en grosses lettres capitales.

« Qu'est-ce que ça veut dire ? a supplié Hani, impatient.

174

– Exactement ce que tu voulais. Quand les Américains liront ça, ils se sentiront en sécurité. Ça va marcher. Promets-moi juste une chose, Hani.

– Oui. N'importe quoi.

– C'est temporaire, d'accord ? Une semaine. Deux au maximum.

– Promis, mon frère. »

J'ai regardé par-dessus l'épaule de Hani et aperçu Moundhir en train de suspendre les filets pour les faire sécher avec Abou Abdoul. Moundhir a souri au vieil homme et ils se sont éloignés sur la plage, main dans la main. J'ai vu Haji Fasil qui comptait les sacs de riz dans la cabane où il les stockait. Je me suis tourné vers Hani et son regard m'a frappé.

Ils s'amusaient tous, ce qui signifiait qu'on était coincés ici, au bord du lac, et pour trop longtemps. Nous étions dangereusement près de Habbaniyah et risquions à tout moment de rencontrer quelqu'un, un marchand ou un ancien soldat, qui connaissait mon père et mon frère.

J'ai marché jusqu'à la route et j'ai accroché l'enseigne à un poteau que Hani avait planté dans un tas de cailloux :

VILLE TOURISTIQUE
ARRÊTEZ-VOUS ET DÉPENSEZ VOTRE ARGENT
EN CONNERIES

Compte-rendu d'incident notoire : crime, meurtre et intimidation

Alors que nous étions en mission sur la route Golden pour réparer une chaussée endommagée, un convoi du génie de combat, Hellbox Five-Six, a été approché par trois ressortissants irakiens affirmant que des soldats de l'armée irakienne en civil avaient tué plusieurs marchands locaux. Les ressortissants irakiens ont mené les forces de la coalition, assistées d'un interprète, jusqu'aux corps de cinq hommes gisant à proximité du marché de Dra Dijlia. Les individus ont été trouvés attachés et les yeux bandés, ils semblaient avoir succombé à des blessures par balles à l'arrière du crâne. Lorsque les forces de la coalition ont demandé aux ressortissants irakiens comment ils savaient que les hommes avaient été tués par des membres de l'armée irakienne, ils ont répondu que tout le monde était au courant dans la région que les soldats irakiens appartenaient à des groupes armés chiites. Les corps ont ensuite été pris en charge par une patrouille irakienne locale, et les forces de la coalition ont poursuivi leur mission.

Avec mon plus profond respect,
P. E. Donovan

C'est lui le patron ici

C'est peut-être la pire gueule de bois que j'ai jamais eue. C'est comme si quelqu'un siphonnait à la paille le liquide lacrymal derrière mes yeux et asséchait mon cerveau et ma colonne vertébrale. Pourquoi ai-je bu autant de whisky ? Et qu'est-ce que j'ai dit à Paige ?

Je saisis mon téléphone pour vérifier l'heure et m'aperçois que j'ai un message d'un nouveau contact nommé Empathie.

« À quelle heure on se retrouve à West End ? J'ai hâte de voir ton bateau. Et suis terrifiée pour toi. Tu n'as pas idée de ce qui t'attend. »

Mon Dieu. Je lui ai parlé de *Sentimental Journey*.

Sa blague avec Bear Bryant et ses trois doigts de Maker's Mark m'a délié la langue. Et elle a su quoi dire. Comment me faire raconter des histoires. C'est un problème.

Ce n'est pas malin de ma part de m'épancher. Ça met les gens mal à l'aise. Mais avec quelques bourbons, tout se teinte d'humour noir et j'ai besoin de raconter, raconter, raconter. C'est pourquoi je bois seul, la plupart du temps. Je n'ai pas la discipline de boire en société et de répondre à des questions simples sans dire quelque chose d'affreux. Même les souvenirs qui me paraissent amusants ressemblent à des souvenirs de vacances de psychopathe quand je les raconte.

C'est pire, pourtant, quand je reste là, silencieux, refusant d'évoquer la guerre. Les gens ont l'impression que je suis le stéréotype de l'ancien combattant potentiellement dangereux. C'est pourquoi je garde toujours deux ou trois histoires sous le coude, inoffensives et charmantes, pour détourner le sujet de la conversation. Le million de dollars en flammes au bord de la route est un vrai succès. Fred le scorpion marche pas mal aussi. C'est l'histoire de Cobb, mais je fais comme si elle m'était arrivée à moi. Je racontais des histoires sur Marceau avant, mais j'ai dû arrêter ; les gens posaient trop de questions sur lui.

Soudain, j'ai un flash. Une bague de vainqueur du championnat. Un tas de luzerne. Bon Dieu, est-ce que j'ai raconté à Paige l'histoire du vieil homme ?

Je me souviens être en train de tirer sur ma cagoule en Nomex pour dégager mon visage, glissant lentement le tissu sous mon menton avec mon doigt ganté. Je me suis emparé d'un stylo ; le Humvee a heurté une bosse et j'ai dû m'y reprendre à deux fois pour le rattraper au vol. J'ai voulu essuyer mon visage, mais je transpirais trop. Je ne faisais que repousser la sueur.

Devant nous, un berger avec une tunique jusqu'aux chevilles se tapait sur les cuisses pour faire avancer ses chèvres et dégager la chaussée. Zahn a donné un coup d'accélérateur. Un petit coup. Juste assez pour faire vrombir le moteur mais pas pour avancer. Le berger a entendu le bruit et a paniqué. Il a gesticulé dans tous les sens, a agité son bâton et a frappé ses bêtes pour qu'elles s'éloignent de la route avant que ce fou d'Américain leur roule dessus.

Zahn a craché dans sa bouteille à chiques. « Une vraie mini-ferme de guerre par ici, mon lieutenant », a-t-il déclaré, laconique comme toujours.

J'avais un combiné radio coincé sous le bord du casque, pressé sur chaque oreille, et fixé à la mentonnière pour que le micro reste au niveau de mes lèvres. Les cordons s'entortillaient à des crochets au-dessus du pare-brise. Comme des galons de cérémonie.

Plus loin, sur le rond-point poussiéreux où des hommes vendaient des produits et des balles de foin sur des charrettes tirées par des ânes, j'ai remarqué un vieux avec une épaisse barbe grise et un keffieh noir et blanc, debout près d'un chariot de luzerne, en train de se disputer violemment avec un client.

Le vieil homme s'est détourné du client en question et s'est frappé le front, affligé.

Le gros client, d'une cinquantaine d'années, a serré les poings, tapé du pied par terre, et a pris un air si mauvais que les poils de ses moustaches ont semblé remonter dans ses narines.

Le vieil homme s'est essuyé le front et a brandi la main au nez du gros type. Il a désigné de l'autre sa paume ouverte et a crié.

J'ai pensé à mon père et j'ai souri. « Regarde ma sueur, ai-je murmuré à moi-même. Regarde, là. Tu la vois, cette sueur ? Pas un dollar de moins. Autant saler mes champs. Pas un dollar de moins. »

Zahn s'est redressé. « Vous avez parlé, mon lieutenant ?

– Ouais. C'est juste un truc que mon père disait. Les gens s'arrêtaient chez nous en fin de journée pour acheter du foin à bas prix, et il leur répondait : "Autant saler mes champs. Arrêtez de me forcer la main. J'ai joué ailier pour l'entraîneur, Paul Bryant." » J'ai désigné le vieil homme du doigt. « Ce type, là-bas, le vieux avec le keffieh. Il me rappelle mon père, un peu. »

À travers le pare-brise, le visage du vieil homme s'est animé de plus belle. Il criait et désignait son annulaire.

Je me suis tourné vers Zahn. « Tu vois cette bague ? Je l'ai eue quand on a gagné le championnat en 1961 ! »

Zahn a souri, mais seulement pour faire plaisir à son lieutenant. Son boulot était assez pénible comme ça. Traverser avec un véhicule lourd et difficile à manœuvrer un rond-point de fortune sans perdre de la vitesse, c'était assez pénible pour ne pas avoir à se prêter aux rêveries stupides de son jeune lieutenant absorbé dans ses souvenirs. J'ai compris.

Soudain, les hommes affairés sur le rond-point ont entendu nos moteurs par-dessus le tumulte. Nous avions quatre Humvee surmontés de fusils-mitrailleurs et deux camions ce jour-là. Les tireurs agitaient des drapeaux rouges et lançaient des fusées éclairantes, et les marchands se sont volatilisés comme une volée de moineaux. La plupart se sont rassemblés sur le bas-côté. Quelques-uns, les courageux, se sont précipités dans la rue pour sauver leurs petites camionnettes Daihatsu.

Mais le vieil homme avec la luzerne n'a pas bougé. Une camionnette a foncé dans l'étal à côté de lui et s'est arrêtée dans une pile de sacs. Le vieux n'a même pas sourcillé. Il s'est contenté de se frapper le visage en maudissant la terre entière. Le prix injuste de la luzerne. La bêtise des mauvais conducteurs. L'arrogance impériale des Américains.

J'ai continué de le regarder en me tordant le cou pendant que nous traversions le rond-point et repartions dans le désert. La ville s'évanouissait derrière nous et je me suis retourné vers l'horizon, scrutant la brume et les arbustes couverts de détritus. Au loin, une tache marron s'étalait dans le long ruban vert qui bordait le fleuve. J'ai consulté ma carte pour m'assurer qu'il s'agissait du bon endroit, de la bonne *tache*.

J'ai souri, me suis essuyé le nez, et j'ai dit à Zahn : « Hé, si on achetait de la luzerne à ce gars en rentrant ? Juste comme ça ? Qu'est-ce que tu en dis ? » Je me suis retourné vers Dodge à l'arrière. « Tu pourrais marchander du foin ? »

Dodge a levé les yeux de son livre, celui qu'il lisait toujours, celui dont il avait arraché la couverture pour dissimuler le titre et éviter les questions. « Je n'en sais rien, *mulazim*. Je n'ai jamais acheté de foin de ma vie.

– Je m'en charge, moi, putain, est intervenu Doc Pleasant. Apprends-moi deux ou trois mots, Dodge. Ça suffira, je crois. Le reste, c'est que des cris de toute façon. »

Puis nous avons entendu la déflagration.

Derrière nous.

J'étais en train de regarder Doc. Je l'ai vu tressaillir et s'agripper à la banquette. L'onde de choc m'a botté le cul et est remonté dans ma poitrine. J'ai lâché mon stylo et me suis penché instinctivement pour le ramasser. Le cable de la radio m'a retenu par le menton, et ma tête est repartie vers l'arrière, comme projetée par un lance-pierre. Le stylo a ricoché sur le plancher.

Zahn a remué sur son siège en fixant ses mains sur le volant. « Putain ! C'était une grosse. Les enfoirés ! » Il a pris sa boîte de Skoal dans une de ses pochettes à grenades.

181

Tout à coup, la radio s'est mise à émettre tous azimuts dans mon oreille droite, des cris et des appels provenant de tout le convoi. Les commandants de bord de chaque véhicule parlaient tous en même temps. Le résultat était un bêlement confus.

Dans mon autre oreille, un opérateur radio de l'avant-poste non loin de nous, la tache marron visible par la fenêtre, a continué de parler normalement, mais quelques secondes plus tard, le son est arrivé jusqu'à lui. Un grondement sourd a parcouru les murs en béton de son centre opérationnel, a résonné dans sa radio pour revenir à mon oreille.

J'ai détaché le combiné et l'ai jeté avant d'entendre quoi que ce soit d'autre sur cette bombe. Il s'est éjecté de son crochet comme le téléphone dans la cuisine de mes parents lorsque mon père ne voulait pas être dérangé pendant le dîner.

« Tu vois quelque chose ? » ai-je crié à Marceau dans la tourelle, me contorsionnant sur mon siège pour essayer d'apercevoir la scène. J'ai fait signe à Zahn : « Accélère, accélère. »

Pas de craquement sec d'obus. Pas de fragments métalliques qui sifflent par la tourelle. Au bruit, intense et sourd, je savais que la bombe était puissante mais certainement artisanale. Un chauffe-eau, peut-être, bourré d'engrais à base de nitrate d'ammonium mélangé à du gazole. Ce mélange devenait très populaire à cette époque. Une onde de choc lente et puissante qui n'était peut-être pas capable de transpercer le blindage, mais qui projetait en l'air un Humvee comme un vulgaire jouet d'enfant.

Dodge a juré bruyamment en arabe et a demandé à Doc en anglais : « Ça va, mec ? Ça va ? »

Doc a ouvert les yeux. « Tout va bien. C'était loin derrière nous. Tout va bien. » Sans toutefois lâcher son siège. Et il a continué de tressaillir.

La route a tourné vers la droite et j'ai vu dans mon rétroviseur un rideau de fumée. Un nuage de débris gris tombait en pluie sur le rond-point. De toute évidence, l'attaque nous était destinée, et nous avions été épargnés par un interrupteur actionné trop tard ou un détonateur défectueux.

Quand les six véhicules ont finalement confirmé que personne n'était touché, j'ai ordonné sur la fréquence commune de poursuivre notre route. L'avant-poste pouvait mobiliser une force d'intervention rapide. Des Marines de garde vingt-quatre heures sur vingt-quatre avec des Humvee armés de fusils-mitrailleurs. Ils se chargeraient de ce qui venait de se produire. C'était leur boulot. Nous, on avançait.

Je me suis retourné vers l'horizon. La tache se précisait. Lentement, se dessinait un talus au sommet duquel étaient posés des gabions Hesco attendant qu'une pelleteuse les remplisse de terre et de pierres. Les doublures en toile, qui claquaient contre la maille en fil de fer, partaient en lambeaux comme des vêtements sur un squelette.

Zahn a quitté l'autoroute, a descendu une berge escarpée pour arriver sur un chemin de terre. Devant nous, cinq camions Nissan avec des drapeaux irakiens peints sur les portières blanches franchissaient tant bien que mal le portail, un Humvee américain appartenant à une section de conseillers militaires à leur suite tel un chien de berger opiniâtre. Les camions blancs irakiens se sont écartés et ont manœuvré pour se mettre en file sur la route étroite, s'enfonçant tous profondément dans le sable à tour de rôle avant d'y parvenir. Des soldats irakiens, assis sur les plateaux, se tenaient avec fermeté. Ils portaient des casques trop grands, de vieux gilets pare-balles et des uniformes de camouflage vert kaki. Leurs bottes marron paraissaient neuves.

Le Humvee américain a ralenti comme s'il s'attendait à ce qu'on lui fasse un rapport. Zahn a freiné en réponse. Mais le Humvee a poursuivi son chemin tandis que le tireur dans la tourelle faisait de grands gestes en direction des Irakiens. En haussant les épaules à notre intention d'un air sarcastique, il a crié, la main en portevoix : « Qu'est-ce que vous voulez de plus ? On a réussi à les faire sortir ! » Puis il s'est réinstallé derrière sa mitrailleuse.

« Bizarre », a remarqué Zahn, ayant apparemment attrapé le virus de la rêverie de son lieutenant.

Nous avons atteint le portail où un soldat irakien de garde nous a fait signe de passer avant de rejoindre deux de ses collègues accroupis à l'ombre, sans casque. Il traînait son fusil derrière lui comme une couverture d'enfant.

Zahn a sifflé, le virus de la rêverie se renforçant. « Ils vont se prendre un camion piégé dans la gueule s'ils restent assis là, comme ça. »

Un jeune Marine de l'équipe des conseillers militaires, en short et chaussures de sport, le fusil en bandoulière dans le dos, est venu à notre rencontre dans la zone de rassemblement des véhicules juste à l'entrée du site, et nous a fait signe de le suivre. J'ai baissé ma fenêtre blindée et crié : « Des tubes ? Vous en avez ? Et un talus pour décharger les fusils-mitrailleurs ? »

Le gamin a haussé les épaules et a répondu en désignant son fusil chargé : « C'est lui le patron ici. »

Derrière lui, suspendu à un gabion vide, il y avait un panneau en aggloméré sur lequel était écrit en grosses lettres : L'ÉQUIPE SIX DES CONSEILLERS MILITAIRES DE L'ARMÉE IRAKIENNE VOUS SOUHAITE LA BIENVENUE À L'AVANT-POSTE CHILI MAC SUR LE MAGNIFIQUE FLEUVE EUPHRATE. Dans le bas, un cow-boy mal dessiné proclamait dans une bulle : « Attention, on a la niaque. »

De l'autre côté d'un champ envahi d'herbes hautes, une dizaine de camions blancs supplémentaires étaient garés dans une cour devant plusieurs baraquements de plain-pied. Les soldats irakiens étaient assis ou circulaient ici et là en tenue de combat. Certains, dos au mur, cherchaient l'ombre, parvenant à peine à protéger leur visage des rayons du soleil. Des officiers irakiens parcouraient les alentours en uniforme de coton vert, souvenir de l'époque de Saddam, fumant une cigarette et parlant au téléphone.

Nous avons suivi le gamin en short et nous nous sommes garés près d'un bâtiment dans le coin le plus éloigné du site, au-delà d'un terrain désert. Chacun s'est extrait en titubant de son véhicule, s'est étiré et a détaché les épais Velcro de son gilet pare-balles. Les pans se sont ouverts et la chaleur humide prisonnière depuis des heures contre les poitrines s'est évanouie dans l'air comme des épluchures d'oignons se consument devant une flamme. Les Marines exultaient.

Je suis sorti de mon Humvee et j'ai appelé Gomez, deux véhicules plus loin. « Fais-leur appliquer les mesures de sécurité pour les armes lourdes. » J'ai désigné les tourelles. « Maintenant. »

Elle a acquiescé et s'est mise à crier aux commandants de bord : « Déchargez et vérifiez ces mitrailleuses ! Maintenant, bordel ! »

Je me suis libéré de mon attirail et l'ai posé avec application sur mon siège. J'ai enlevé ma cagoule en Nomex et essuyé la sueur dans mes cheveux, mes doigts récoltant des grains de sable et des petits cailloux au passage. Comme toujours, j'ai laissé mon fusil attaché à mon siège.

Dodge était appuyé contre sa portière et discutait avec Doc. Il avait gardé la cagoule qui lui couvrait tout le visage. « Ces gars, Lester, a-t-il fait, désignant du doigt les soldats irakiens, tous ces *joundis*, ces soldats irakiens. Ce sont des chiites en colère de Bassora. Sacrément en colère, les mecs, Lester. S'ils pouvaient, ils me traîneraient dans le désert, et me décapiteraient. Ils me feraient souffrir comme jamais.

– Pourquoi ? Qu'est-ce que tu leur as fait ?

– C'est plutôt une longue histoire, Lester. Il faut juste que tu saches que je vais garder ma cagoule et mes lunettes de soleil. Toute la journée. »

M'immisçant dans leur conversation, j'ai lancé : « Dodge, viens avec moi à l'intérieur. Doc, va voir si le sergent Gomez a besoin de toi. »

J'ai poussé la porte en contreplaqué, Dodge sur les talons, et nous nous sommes retrouvés dans un long couloir carrelé. Des ponchos de camouflage étaient suspendus devant l'entrée de quatre pièces, qui devaient être les chambres à coucher des conseillers militaires. Leur installation était spartiate, à l'exception des tables qui bordaient le couloir et étaient encombrées de briques de jus de fruits, de muffins sous cellophane et de colis de ravitaillement ouverts.

J'ai entendu des voix au bout du couloir, dans une pièce sombre qui paraissait plus grande que toutes les autres réunies et de laquelle émanaient des communications radio. Instinctivement, j'ai marché vers le son, remarquant au passage le haut plafond et les murs couverts de peinture délavée.

« Où on en est ? ai-je entendu quelqu'un dire dans la pénombre. C'est quoi le bilan ? Deux civils tués ? Trois ? »

Je me suis arrêté à l'entrée. Derrière moi, Dodge s'attardait devant une table de muffins. Je me suis penché dans l'encadrement de la porte. Un jeune capitaine parlait dans un téléphone de campagne. Plus grand que moi, 1,80 mètre peut-être, il avait les cheveux bruns et fins et les bras maigres. Ses épaules étaient petites et j'ai pensé qu'un paquetage glisserait de là en moins de deux.

Il vociférait dans la pièce à l'intention d'un opérateur radio : « Combien ? » Puis, de retour au téléphone, il a dit : « Trois civils morts, mon commandant. »

Des sacs de sable obstruaient les fenêtres presque jusqu'au plafond. Même si une faible lumière filtrait, la pièce était principalement baignée d'un éclat verdâtre diffusé par une lampe de chantier fluorescente suspendue à une corde de parachute.

Face au jeune capitaine, trois Marines expérimentés étaient regroupés autour d'un officier plus âgé, assis sur un pliant. Les bras croisés, ils parlaient tous en même temps sans s'écouter.

« Combien de blessés il a dit ?

– Ouais, c'est quoi cette histoire avec l'équipe d'intervention ?

– Ils rentrent, là ? »

Je ne parvenais pas à identifier leurs grades. Sauf le capitaine, ils portaient tous des sandales, des pantalons de tous les jours et des tee-shirts verts. Loin des regards de l'état-major basé à al-Taqadoum et à Falloujah, les conseillers militaires avaient tendance à se relâcher. Comment leur en vouloir ?

Le capitaine m'a vu, a raccroché le téléphone et s'est dirigé vers moi. « Bonjour. Désolé de vous avoir fait attendre. Ça commence dur ce matin. Bon, c'est vous le camion de réapprovisionnement ? Tout le monde va bien ?

– Oui, mon capitaine. Personne n'est blessé. La bombe a explosé après notre passage. On ne s'est même pas arrêtés. » Comprenant soudain la honte qu'il pouvait y avoir à admettre ce que je venais de dire, j'ai ajouté : « On a vos climatiseurs.

– J'espère bien ! » Puis, à l'homme sur le siège pliant, il a fait : « Vous entendez ça ? Nos climatiseurs. »

L'homme a levé la main pour montrer au capitaine qu'il était occupé à écouter les communications radio.

« C'est un peu tendu ici », a déclaré le capitaine, et je l'ai suivi dans le couloir.

J'ai désigné Dodge, qui prenait racine près des muffins. « C'est notre interprète, mon capitaine. Je n'étais pas sûr de ce qui nous attendait par ici, donc je l'ai emmené avec nous. »

Le capitaine a haussé les épaules. « Toujours une bonne idée. » Puis, avec un enthousiasme déroutant : « Putain, mec, désolé. Drew Kelly. » Il m'a tendu la main. « C'est comment votre nom, déjà ?

– Lieutenant Donovan. » Je l'ai salué.

« Non, je veux dire : votre prénom.

– Oh, Pete, mon capitaine. » Aucun homme de son grade ne m'avait jamais parlé comme ça.

« OK, bon, Pete, voyons ce que vous avez. »

Nous avons laissé Dodge à sa récolte et sommes allés au camion chargé à bloc de cartons de rations de combat, de bouteilles d'eau et de climatiseurs de fenêtre qui avaient l'air d'avoir été volés sur un chantier.

« Vous savez d'où ils viennent ? a demandé le capitaine Kelly.

– Je crois que l'officier chargé de l'approvisionnement a dit qu'ils arrivaient de Jordanie, mon capitaine.

– Ah ouais ? On dirait vraiment de la merde. »

Avant que j'aie le temps de répondre, nous avons été interrompus par une centaine d'hommes criant un seul et même mot. En me retournant, j'ai vu que les soldats irakiens qui vaquaient auparavant autour des baraquements s'étaient soudain rassemblés et s'agitaient en regardant les trois camions blancs franchir le portail, avec à leur bord des hommes en civil capturés à la mode irakienne : empilés les uns sur les autres, les mains attachées dans le dos, des sacs sur la tête. Le Humvee des conseillers militaires suivait à une certaine distance, jouant toujours les chiens de berger.

Le capitaine Kelly a ri et a déclaré : « Vous arrivez juste à temps pour le spectacle, Pete. »

Une autre voix, plus mûre, nous est parvenue à travers la porte en contreplaqué. « Donc, c'est Dodge, c'est ça ? OK, Dodge, viens avec moi. »

J'ai fait volte-face. L'officier du siège pliant, à présent vêtu d'une chemise avec au col les feuilles de chêne dorées de commandant, est apparu. Il avait la peau mate, et d'épais cheveux noirs grisonnant sur les tempes. Aussi grand que le capitaine Kelly, mais avec de larges épaules qui évoquaient un homme plus âgé.

Le commandant s'est avancé. « C'est toi le réapprovisionnement ?

– Oui, mon commandant. Lieutenant Donovan, du génie…

– Bonjour, Sal Franco. Ravi de te rencontrer. Et heureux que tu aies emmené ton interprète avec toi, aussi. » Il a souri comme un représentant de commerce. « Ça ne t'ennuie pas si je te l'emprunte un petit moment ? Je dois m'entretenir avec le colonel Hewrami. Et j'aime bien avoir un interprète dans ces cas-là. »

Je suis resté silencieux un instant, interdit. Un commandant n'avait en principe pas besoin de demander la permission de quoi que ce soit.

« Le nôtre est toujours dehors, avec tout ce bordel, a poursuivi Franco. J'ai bien l'impression qu'il ne va pas être de retour de sitôt.

– Oh. Eh bien, oui. Je veux dire, oui, mon commandant. Pas de problème, ai-je balbutié, complètement pris au dépourvu.

– Génial, fiston. Je te remercie. Tu veux m'accompagner ? Drew peut prendre le relais. »

Le commandant Franco a ajusté sur son nez les lunettes de soleil qui pendaient à un cordon autour de son cou et s'est mis en marche. Dodge et moi l'avons suivi, légèrement en retrait ; Dodge avec la cagoule sur la tête.

Les soldats irakiens déchargeaient leurs camions tandis que nous traversions le terrain. Tout d'abord, ils arrachaient les sacs des têtes de leurs prisonniers qui tous, sans exception, ne disaient mot et gardaient les yeux baissés comme s'ils savaient à quoi s'en tenir. Les soldats laissaient les hommes les plus vieux descendre des camions, les aidant même parfois. Mais les plus jeunes étaient poussés par terre sans ménagement, voire violemment, et ils avaient de la chance s'ils atterrissaient sur le côté ou sur le dos.

Pendant que nous nous frayions un chemin dans la foule, le commandant Franco regardait ses bottes. Un nuage de poussière grossissait alors que les soldats irakiens traînaient les prisonniers sur le sol pour les agenouiller en rangées de cinq. Les visages des hommes saignaient, et la plupart d'entre eux avaient des broussailles jaunes dans les cheveux. Ils restaient tous silencieux.

À genoux au bout de la première rangée, j'ai reconnu le vieil homme, celui à la luzerne. Il se balançait d'avant en arrière, les larmes lui coulant à travers la barbe jusqu'au menton pour s'écraser sur le sable. Il débitait des paroles silencieuses et secouait la tête.

Levant soudain les yeux, comme s'il avait senti mon regard, il a commencé à chuchoter. Je me suis arrêté et l'ai laissé me parler, lui montrant à l'expression de mon visage que je l'écoutais. D'une voix rauque, il a craché ses mots comme une voiture sur le point de caler aurait expulsé des gaz d'échappement.

« *Min fadlak. Min fadlak… Ada'tu tariqi.* »

Il avait du sang dans les cheveux et une entaille au-dessus de la barbe, sur la peau fine et usée de sa joue. Il était difficile d'imaginer comment cette blessure allait pouvoir cicatriser, sur une peau si vieille. Sa voix s'est tue, mais il a continué d'articuler en silence. Puis un seul mot, un seul, encore et encore. Comme il inclinait la tête, je songeais à tout ce qu'il pouvait vouloir me dire.

Aidez-moi. Laissez-moi partir. Occupez-vous de mon âne. Récupérez ma luzerne.

Un soldat irakien s'est approché, a posé le canon de son fusil sur le menton du vieillard et a poussé son visage. L'homme à la luzerne a fermé les yeux, immobile.

J'ai rattrapé le commandant au pas de course comme il atteignait le Humvee de l'équipe de conseillers, garé à une vingtaine de mètres des soldats irakiens et de leurs prisonniers. Le commandant s'est appuyé contre le véhicule pendant que ses hommes se débarrassaient de leur attirail. Le fermier las avec ses chiens. Il a soupiré et mis les mains dans les poches, a tourné les yeux en direction du fleuve, puis du soleil, avant de revenir aux Irakiens.

Je me suis approché de lui et, la bouche soudain sèche, je me suis léché les lèvres. « Commandant ? »

Il m'a regardé en souriant. « Oui ?

– Je voulais juste vous dire… On ne s'est pas arrêtés au rond-point, on n'a pas sécurisé le terrain, mais j'ai vu ce vieil homme, là-bas. Il vendait de la marchandise juste avant l'explosion. Il sait peut-être quelque chose. Je me disais qu'on pourrait peut-être lui retirer les menottes.

– C'est délicat. C'est délicat.

– Je suis quasiment sûr que cette bombe était destinée à mon convoi. Et même, certainement, à mon véhicule. Mais je savais que les conseillers militaires seraient en mesure d'intervenir rapidement là-bas, donc j'ai décidé de poursuivre notre route.

– L'explosion a tué un vieil homme et ses deux petites-filles qui traversaient le marché. Ce n'est pas drôle à voir, là-bas. Pas drôle, il paraît. »

Les hommes de Franco se sont affairés autour de leur Humvee pour vérifier les équipements. Le gamin dans la tourelle s'est penché par-dessus sa mitrailleuse et est resté bouche bée devant les soldats irakiens qui déchargeaient leurs camions. Il a crié à l'intérieur du véhicule, en riant : « T'as vu ce merdier, mec ? »

Un gars joufflu est sorti de l'arrière. Un infirmier ; je le savais aux ciseaux médicaux coincés dans les sangles de son gilet pare-balles. Le sang sur son pantalon était encore frais.

Franco a posé la main sur l'épaule de l'infirmier. « On m'a dit que tu avais vu des trucs horribles, là-bas. »

L'infirmier a haussé les épaules et a répondu avec un accent mexicain : « Oui, mon commandant. C'était pas beau à voir. J'ai rien pu faire. Deux petites filles et un vieux monsieur. Ils étaient plus ou moins morts avant qu'on arrive, je crois. Et tous les gens dans la rue, ils étaient complètement abasourdis.

– Qui sont ces types, alors ? » Franco a désigné d'un geste les prisonniers, au moins une vingtaine à présent.

« Ces mecs ? » a fait le tireur de la tourelle avant que l'infirmier ait le temps de dire quoi que ce soit. Il avait l'air d'un gamin qui vient de voir un bon film et veut absolument en parler. « Les *joundis* les ont juste ramassés là, mon commandant. » Et il a ri.

« Vraiment ? » Franco a incliné la tête pour regarder le tireur. Il a croisé les bras en fronçant les sourcils. « Hum.

– Ouais, ils ont pris tout le monde. C'était génial. Ils les ont juste balancés dans les camions. »

J'ai parcouru la foule du regard et repéré l'homme à la luzerne assis, bouche bée, un filet de salive suspendu à la lèvre inférieure.

Puis j'ai trouvé Dodge. Je l'avais perdu de vue pendant que nous traversions le terrain, mais maintenant il tenait une bouteille d'eau ouverte dans la main droite et tentait de donner à boire à un des prisonniers. Un soldat irakien lui barrait le chemin, secouant la tête, les deux mains sur le fusil.

« Dodge ! ai-je crié. Viens ici ! »

Il a hésité, pas encore prêt à renoncer ; puis, comprenant que je ne lui serais d'aucun soutien, il a rebouché la bouteille et s'est dirigé vers moi, tremblant d'une rage presque imperceptible sous son lourd attirail.

Par-dessus l'épaule de Dodge, j'ai aperçu notre section. Chacun observait les prisonniers en train de griller au soleil. Zahn et Marceau, debout devant les autres, avaient les bras croisés. Derrière eux, les Marines se hâtaient de prendre des bouteilles d'eau sur les palettes destinées aux conseillers militaires, et de les mettre dans leur sac à dos ou leur poche de treillis. Pleasant, en position près de Gomez, avait l'air d'un lévrier de course dans une stalle de départ, prêt à s'élancer sur le terrain avec son sac médical dès l'instant où Gomez ouvrirait la trappe.

Se demandant probablement pourquoi je ne l'ouvrais pas pour elle.

J'ai avalé ma salive avec difficulté, me suis tourné vers Franco, et j'ai désigné l'homme à la luzerne. « Commandant ? Vous voyez ce type, là-bas ? Le vieux monsieur ? Il a l'air d'avoir été blessé pendant l'explosion. Je ne crois pas qu'il ait quoi que ce soit à voir avec ce qui s'est passé.

– Ouais, ils ont juste arrêté tout le monde, a renchéri le tireur de la tourelle. Ils ont menotté tous ceux qui avaient, disons, plus de douze ans !

– On a vu pas mal d'hommes dans la rue quand nous sommes passés, mon commandant, ai-je encore tenté, mais aucun d'entre eux n'a essayé de se cacher.

– Putain, y'en a d'autres qui arrivent en plus, s'est écrié le tireur. Les *joundis* se débrouillent comme des grands aujourd'hui !

– Commandant, il me semble que, dans la plupart des cas du moins, si quelqu'un est au courant de la présence d'une bombe dans la rue, il ne traîne pas dans les parages.

– Regardez ce mec, là-bas ! Ils l'ont pas raté celui-là, putain !

– Je ne crois pas qu'il se soit attendu à l'explosion, mon commandant, ai-je conclu, sans trop savoir qui était mon interlocuteur à présent.

– Et celui-là, il a l'oreille qui saigne ! Regardez-moi ça, putain », a lancé le gamin dans la tourelle, souriant, comme s'il ponctuait mes pensées.

Franco a enfin pris la parole en soupirant profondément et sans s'adresser à personne en particulier. « À tout bien considérer, c'est plutôt une bonne journée de travail, je trouve. Pour l'armée irakienne, en tout cas. Ils ne s'en sont pas mal sortis. » Il a pivoté et a demandé aux hommes dans le Humvee : « Autre chose ? Il y a autre chose qui vous a frappé ? »

Ils ont secoué la tête.

« Très bien. Bravo, messieurs. » Puis, à Dodge et moi : « Allons voir le colonel Hewrami. Vous aimez le thé ?

– Mon commandant, est-ce que je peux faire venir mon infirmier pour qu'il aide certains de ces hommes ? Comme celui-là par exemple ? On dirait qu'il a la clavicule cassée, vu comment il est penché. »

Franco m'a posé une main sur l'épaule. « Je sais que ça paraît dingue, lieutenant. Mais c'est vraiment mieux de laisser les Irakiens se débrouiller. Je leur transmettrai malgré tout. Et merci pour la proposition. Bien vu. »

Nous marchions vers le baraquement irakien le plus proche alors que deux autres camions franchissaient le portail, chargés d'hommes attachés, le visage sous des sacs. Tandis que trois camions vides repartaient, j'ai essayé de repérer où l'homme à la luzerne se situait par rapport aux autres, pour pouvoir le retrouver ensuite.

Franco m'a tapoté le bras. « Tu vois ce petit local près du fleuve ? » Il a désigné une cabane délabrée dont le toit en tôle ondulée était presque percé par la rouille. « C'était le club des officiers de l'armée britannique pendant la Première Guerre mondiale.

– Ah.

– Absolument. J'ai trouvé quelques objets dans ce tas de ruines. Des insignes, deux ou trois boutons. J'ai aussi trouvé sur Internet des photos du club à l'époque. Très classe. Je me mettrai peut-être tout ça sous verre, quand je rentrerai au pays.

– Bonne idée, me suis-je efforcé d'articuler, la langue épaisse et sèche.

– Je suis capitaine de formation. J'ai plutôt travaillé à l'administratif jusqu'à maintenant, mais ils m'ont demandé de diriger cette équipe pour que je puisse avoir une expérience de l'autorité avant les promotions au poste de lieutenant-colonel l'année prochaine.

– Ah.

– Et écoute, lieutenant. Par rapport à ce que font les *joundis* sur ce terrain. C'est leur pays. Ils le connaissent mieux que nous, hein ? On doit rester un peu en retrait sur ce coup-là.

– Je comprends, mon commandant. Mais quand même, je pense qu'on pourrait aider au niveau du médical.

– Les choses sont dingues ici, non ? J'ai fait d'autres missions dans les années 1990. On naviguait dans le coin. C'est tout, et on faisait escale parfois. On dirait que c'est fini, ce temps-là. »

Nous nous sommes approchés d'un officier irakien qui parlait au téléphone. Plus grand que les autres Irakiens, mince et rasé de près, avec des cheveux bruns fournis.

Franco a levé la main. « Colonel Hewrami ! a-t-il lancé à l'intention de l'homme. *Marhaba !* »

L'officier irakien a agité deux doigts tenant une cigarette, mais a gardé le portable à l'oreille tout en marchant en cercles pendant que nous attendions.

Franco s'est tourné vers Dodge. « Quand il aura fini, peux-tu lui dire que j'aimerais boire du thé et parler de ce qui s'est passé en ville aujourd'hui ? »

Dodge n'a pas répondu. C'était difficile d'en avoir la certitude avec les lunettes de soleil et la cagoule en Nomex qui lui masquait toujours le visage, mais j'étais certain qu'il ne m'avait pas quitté des yeux depuis que je l'avais éloigné du prisonnier assoiffé.

Finalement, le colonel Hewrami a mis un terme à sa conversation téléphonique, et a glissé son portable dans sa poche de pantalon.

Dodge s'est alors adressé à lui en parlant vite et en gesticulant vers moi et Franco. Quand il a eu fini, il a tendu la main à Hewrami, une habitude américaine qu'il avait prise à notre contact.

Ignorant la main de Dodge, Hewrami a pointé un doigt sur Franco. Il a dit quelques mots, a brandi sa cigarette en direction de son téléphone, puis il a posé une main sur son cœur et s'est éloigné.

Dodge, chuchotant presque pour lui-même, a repris la parole : « Il a dit qu'il était désolé. Qu'il doit encore parler à son général à Bagdad, et qu'on devrait aller dans son bureau regarder la télévision. Quelqu'un nous apportera du thé en attendant.

– D'accord, allons nous asseoir, a répondu Franco. Tu aimes le thé, Pete ? Ils ont du très bon *chai*. »

Alors que nous traversions le bitume, j'ai scruté à nouveau le terrain encombré pour tenter une dernière fois de repérer l'homme à la luzerne dans la masse. En vain. Il y avait trop de camions à présent, et trop d'hommes à genoux.

Franco, Dodge et moi sommes entrés dans un baraquement et avons longé un couloir menant au bureau de Hewrami, gardé par un soldat irakien à l'air sévère. Franco nous a fait pénétrer à l'intérieur en ignorant l'homme. Un petit écran de télévision était fixé en hauteur sur le mur et diffusait un film américain des années 1980 que je n'avais jamais vu. Les voix étaient doublées en français, et des sous-titres arabes défilaient au bas de l'image. Le commandant Franco s'est affalé dans un fauteuil en cuir rembourré avec une désinvolture qui m'a fait songer que le siège lui était plus ou moins réservé.

Hewrami avait un climatiseur installé à la fenêtre qui faisait circuler l'air du sol au plafond. Il devait faire vingt degrés maximum dans la pièce. Dodge et moi, assis sur le canapé, avons commencé à frissonner dans nos combinaisons humides. Une carte touristique sous verre était accrochée derrière le bureau de Hewrami, avec le mot *Kurdistan* inscrit en travers en lettres joyeuses. L'air sentait le produit d'entretien. Les murs étaient d'un blanc éclatant. Récemment récurés.

Un petit soldat irakien torse nu en short moulant a surgi d'une pièce adjacente avec du thé pour nous réchauffer. Franco a avalé une gorgée et a désigné d'un geste la carte. « Le colonel Hewrami est kurde. Il a des années d'expérience avec les peshmergas. Il a combattu contre Saddam.

– Oh.

– D'ailleurs, a poursuivi Franco, il touche encore deux salaires. Un du gouvernement kurde et un autre du ministère de la Défense à Bagdad. Plutôt un bon plan. »

J'ai haussé les sourcils et hoché la tête en faisant comme si j'appréciais le thé, alors qu'en vérité j'avais du mal à avaler le liquide chaud à cause de ma langue enflée.

À cet instant, le colonel Hewrami a pénétré dans la pièce, un jeune homme irakien en jean et maillot de football sur les talons. Aucun des deux ne nous a salués. Le jeune type en maillot de foot s'est assis sur une chaise près de la porte et a commencé à regarder le film. Hewrami a contourné son bureau, s'est posté derrière le fauteuil noir à haut dossier et a vidé ses poches. Téléphone. Clés. Cigarettes et briquet. Revolver petit calibre. Il s'est ensuite assis, a allumé une cigarette, s'est frotté le front, a fait un signe de tête à Dodge et prononcé quelques mots avant de désigner Franco du doigt.

« Le colonel voudrait vous remercier pour l'aide de vos hommes aujourd'hui », a marmonné Dodge derrière son masque.

Le visage de Franco s'est illuminé. « Eh bien, dis-lui qu'on est là pour ça ! S'il a besoin de quoi que ce soit d'autre, qu'il me demande. Et aussi, Dodge, s'il te plaît, questionne-le sur les hommes dehors par terre. Est-ce qu'ils les soupçonnent d'être impliqués dans l'attentat d'aujourd'hui ? » Franco a détourné avec nonchalance le regard, s'est laissé aller dans son fauteuil, les mains croisées derrière la tête, comme si la question ne lui était venue qu'après coup. Qu'il était juste curieux.

Dodge a traduit.

Hewrami a eu un geste de dédain, a parlé quelques instants et a fait claquer sa langue.

« Le colonel soupçonne tous les hommes de la ville d'être des terroristes, a dit Dodge. Et la bombe d'aujourd'hui n'est qu'une preuve de plus que ces soupçons sont fondés. »

Puis Hewrami s'est animé. Avant que Franco puisse répondre, le colonel s'est levé et a vociféré, tournant le dos à la télévision et s'adressant directement à Franco avec des mots tranchants. À deux reprises, il a frappé son bureau du plat de la main. Franco a froncé les sourcils et acquiescé gravement, comme s'il avait compris.

Dodge a traduit : « Il dit que demain ses soldats parcourront la ville et récolteront de l'argent auprès de tous les commerces et les marchands. Ils donneront tout ce qu'ils auront obtenu à la famille du grand-père et des deux petites filles qui sont morts si tragiquement aujourd'hui. »

Franco a inspiré profondément. « Ouais, laissez-moi vérifier avec mon supérieur avant de faire ça, d'accord ? Je pourrais peut-être obtenir des fonds des affaires civiles pour cette famille, et vous n'auriez pas à vous en occuper. »

Dodge a traduit, et Hewrami a ri avec mépris. Il s'est rassis dans son fauteuil et a calmement répondu.

Dodge s'est tourné vers le commandant Franco. « Le colonel dit que l'argent c'est bien mais le mieux, c'est que les gens de cette ville sachent que les terroristes ne peuvent rien leur donner que l'armée irakienne ne puisse leur reprendre. » Puis, comme s'il résumait, Dodge a ajouté : « Il veut leur faire peur. »

Franco a fixé le sol un moment, à la recherche de ce qu'il pouvait dire ensuite. Puis il s'est brusquement redressé et s'est tourné vers moi, le visage à nouveau lumineux. « Colonel Hewrami, je suis désolé ! s'est-il exclamé. J'ai oublié de vous présenter ce jeune officier américain, le lieutenant Donovan, qui a évité la bombe de justesse. Il est venu pour nous réapprovisionner. »

Hewrami, en silence, m'a regardé tandis que Dodge traduisait, puis il s'est tourné vers la télévision.

Mais Franco n'avait pas fini. « Le lieutenant Donovan m'a dit plus tôt qu'il avait vécu aujourd'hui le jour le plus intéressant depuis son arrivée sur le sol irakien. » Franco a tendu la main pour me toucher l'épaule, mais, incapable de l'atteindre, il s'est contenté de pointer un doigt dans ma direction. « Il m'a dit combien il était honoré d'être sur le terrain aux côtés de l'armée irakienne. »

C'est alors que le jeune Irakien en maillot de foot, jusque-là immobile et silencieux, à tel point que j'avais oublié sa présence, a éclaté de rire. « C'est vrai ? » a-t-il lâché avec un accent anglais encore plus impeccable que celui de Dodge. « Eh ben, chapeau, mon vieux ! »

Dodge a sursauté avant d'expirer bruyamment, toussant ou grognant à moitié. Ses mains se sont mises à trembler.

Le commandant Franco n'a rien semblé remarquer. « Vas-y Dodge, a-t-il fait, enthousiaste, traduis. Dis-lui. »

J'ai imaginé ce que Dodge pouvait dire en arabe, étant donné que ni moi ni le commandant Franco ne le comprendrions, et je me suis hâtivement lancé avant qu'il ouvre la bouche.

« Commandant, ai-je déclaré, il faut que je retourne à mon convoi et que je contrôle le déchargement.

– Naturellement. Naturellement. » Franco s'est donné une tape sur les cuisses. « Colonel Hewrami, je vais parler avec mes collègues et je reviendrai vers vous au sujet de notre affaire. À ce soir, au dîner, j'espère. » Franco s'est levé, s'est raclé la gorge, et a souri. Dodge et moi avons quitté le canapé, et Hewrami nous a congédiés d'un geste sec.

Nous avons longé le couloir en traînant les pieds, comme des gamins venant de se faire rappeler à l'ordre dans le bureau du proviseur, avant de nous retrouver dehors sous un soleil éclatant. J'ai entendu des voix irakiennes et, après m'être habitué à la lumière, je me suis rendu compte qu'une multitude de soldats irakiens étaient rassemblés autour de nous. Ils me donnaient des tapes amicales dans le dos, posaient avec moi pendant que leurs compagnons nous photographiaient avec des appareils jetables.

« Je sais que c'était peut-être un peu décevant, lieutenant », a dit le commandant Franco tandis que nous nous frayions un chemin dans la foule, laissant sa phrase en suspens comme s'il avait voulu ajouter quelque chose.

Nous avons traversé le terrain, en passant devant des prisonniers attachés en rangs, pour rejoindre le quartier général des conseillers militaires de l'autre côté. Des soldats irakiens étaient occupés à choisir des prisonniers deux par deux et les escortaient jusqu'à leurs baraquements. Le soleil, juste au-dessus de nous, me brûlait le crâne.

J'ai scruté les rangs à la recherche de l'homme à la luzerne, mais toujours en vain. Il avait disparu. À cet instant, deux camions blancs ont franchi le portail, vides, et j'ai pensé : Peut-être. Peut-être qu'ils l'ont ramené en ville. Je me suis imaginé la scène : l'homme à la luzerne assis à l'arrière d'un camion blanc, en route vers sa charrette et son âne, en train de râler comme un homme hors de lui, avec les soldats irakiens pas méchants au fond, que sa colère amusait.

Je me suis mis à courir, laissant derrière moi le commandant Franco et Dodge, quand j'ai remarqué les dizaines de bouteilles d'eau vides qui jonchaient le sol.

J'ai imaginé les soldats irakiens en train de soigner les blessures de l'homme à la luzerne.

J'ai imaginé le vieil homme parlant aux soldats avec gratitude d'une mystérieuse silhouette aperçue à une fenêtre surplombant le rond-point, silhouette qui tripotait un téléphone portable peu de temps avant l'explosion.

J'ai imaginé les soldats irakiens se déployant dans le bâtiment, trouvant une cache d'armes et de téléphones portables, s'emparant de l'homme mystérieux et l'emmenant dehors pour l'exhiber devant une foule en liesse.

J'ai ouvert la porte côté passager de mon Humvee et j'ai détaché mon fusil. J'ai enfilé mon gilet pare-balles et ma cagoule, et crié aux Marines qui s'affairaient encore : « Équipez-vous ! »

J'ai ajusté mon gilet, fait signe à Dodge de se presser, et j'ai cherché autour de moi un espace libre où nous ne risquerions pas d'écraser quelqu'un en finissant de décharger. Gomez tenait le convoi prêt à partir, à l'exception de deux jeunes Marines encore occupés à libérer les climatiseurs et les palettes de nourriture et d'eau des sangles qui les maintenaient dans le camion.

De l'autre côté du terrain, Hewrami est sorti des baraquements et s'est mis à parler à un autre officier irakien. Ce dernier a claqué le dos d'une de ses mains dans sa paume et a désigné nos véhicules, en indiquant avec fureur les bouteilles vides éparpillées autour des prisonniers.

Zahn se tenait près de sa portière, une main sur le volant. Je me suis assis à ma place et j'ai appuyé sur l'émetteur de ma radio. « Gomez, ici Actual. Tu vois l'espace libre entre nous et les prisonniers ?

– Affirmatif, Actual.

– Vous avez donné de l'eau à ces types ?

– Affirmatif, Actual.

– Tu n'as pas vu un vieux avec une barbe grise ? Et une entaille au visage ?

– Négatif. »

Zahn a fait signe au caporal qui conduisait le camion de transport de marchandises en désignant l'espace libre. J'ai verrouillé ma portière blindée et j'ai enfilé mon casque radio en attendant que Gomez donne les ordres.

« Déchargement d'urgence, bande d'enfoirés », a-t-elle fait.

Le déchargement d'urgence correspondait à une procédure standard en cas de menace imminente, et nous l'utilisions quand un convoi devait rejoindre la route, et vite. Nous pouvions y recourir sans avoir à nous justifier, et j'aurais aimé avoir été assez rapide pour l'ordonner moi-même. Comme d'habitude, Gomez me devançait largement.

« Super, a raillé Zahn derrière le volant, elle est de mauvaise humeur maintenant. Gare à vos fesses, tout le monde. » Il s'est contorsionné pour la voir à travers le pare-brise. Elle marchait à grands pas et agitait les bras pour guider le camion de marchandises. Il l'a fixée quelques secondes de trop. Souriant et satisfait, avec une admiration qui n'était pas seulement professionnelle. Il aurait pu la regarder toute la journée. Je le savais.

J'aimerais l'avoir laissé faire.

Au lieu de quoi, je lui ai tapé sur l'épaule et j'ai dit : « Zahn, il faut y aller. Engage-toi pour passer le portail. »

Il a hoché la tête, penaud, saisissant sa boîte de Skoal. « À vos ordres, mon lieutenant. »

Alors que nous démarrions, j'ai observé dans le rétroviseur Gomez qui faisait manœuvrer le camion de marchandises. Le chauffeur a avancé et tourné sur la droite. Après quoi il a aligné ses roues et passé la marche arrière. Il a accéléré sur quelques mètres avant de freiner brutalement. Les palettes ont glissé du plateau de chargement, les climatiseurs d'abord, puis la nourriture et l'eau. Les climatiseurs ont rebondi les uns contre les autres avant de s'écraser dans le sable avec un bruit métallique inquiétant. La moitié des bouteilles d'eau se sont éventrées, et une flaque de boue a commencé à se former.

« Putain de merde, s'est exclamé Zahn en éclatant de rire. C'était beau ! »

Dodge a ri aussi.

Je me suis retourné et j'ai vu qu'il avait enlevé sa cagoule.

Doc Pleasant lui tendait une bouteille d'eau ouverte.

J'ai saisi mon émetteur. « Le collectif. En route. »

Et nous avons franchi le portail, regagné le désert et traversé la petite ville. Des femmes surveillaient de loin l'avant-poste pour savoir si d'autres camions blancs sortiraient.

Au milieu du rond-point gisait une pile de luzerne abandonnée que le vent, lentement, dispersait. Une poignée de brins a atterri sur le pare-brise tandis que d'autres ont pénétré dans l'habitacle par la tourelle ouverte. Ils sentaient l'Alabama en septembre.

Conclusions d'enquête :

En tant que personnel médical assigné au bataillon du génie de combat, l'infirmier militaire Pleasant avait un accès illimité au stock de médicaments contrôlés. Après le transfert de l'infirmier militaire Pleasant dans le service de chirurgie et d'intervention d'urgence, les inventaires des stocks de médicaments contrôlés ont montré des erreurs évidentes dans les quantités de Percocet, Vicodin et Demerol. Dans sa déclaration officielle, le lieutenant Donovan affirme que l'infirmier militaire Pleasant s'est comporté de façon erratique dans les semaines précédant son transfert. Le lieutenant Donovan précise aussi que ce genre de comportement peut correspondre à une consommation abusive d'opiacés.

Une boîte où je peux garder ces trucs

Landry me dit que je devrais faire attention avec Lizzy. « Ça va un peu vite, mon pote. C'est tout. Vivre avec cette fille, tout de suite, comme ça ? Le première fille que tu rencontres en, quoi, cinq ans ? »

Je hausse les épaules. « Mais non, c'est pas ça. Mon boss a un autre centre de vidange express ici, c'est tout, et il dit que je peux venir y travailler, sans problème. Lizzy me propose de crécher chez elle pendant quelque temps. C'est pas toi qui m'as toujours dit de quitter Houma ?

— Si, bien sûr, mais tu sais… Je pensais que tu viendrais habiter ici d'abord. Avec nous. »

Paul arrive de la cuisine, une bière à la main, et prend la télécommande des jeux vidéo. « Cette Lizzy, là, elle vient pas de virer un mec récemment ?

— Quoi ? je demande, sans pouvoir retenir mon étonnement.

— Sebastian, dit Landry. Je ne sais pas si c'était son petit copain ou quoi, mais, ouais, il a vécu chez elle pendant un temps.

— Tu vas sûrement pas tarder à le rencontrer », intervient Paul en allumant son jeu vidéo. « Lizzy est partout. Elle connaît tout le monde. Elle va à tous les concerts de heavy metal. Elle est avec la bande d'étudiants en histoire de l'art. Cette baraque croulante dans laquelle elle vit ? Toute sa fac a habité là, à un moment ou un autre. Je ne suis même pas sûr que le bail soit à son nom.

— Mais ce mec, Sebastian, je fais, c'est qui ? »

Je suis un peu surpris du frisson qui me traverse à l'idée de Lizzy avec un autre type. Qu'est-ce que j'en ai à foutre ? Je viens juste de rencontrer cette fille.

« C'est… je sais pas, un mec », soupire Landry, s'efforçant d'être gentil avec moi. « Je crois que c'est plutôt son meilleur ami, en fait. Il joue de la guitare acoustique avec quelques groupes. Du vrai folk-rock de gonzesses. Il bosse dans un café. Je crois que ses parents lui donnent de l'argent. Tu vois le genre, quoi. » Landry s'interrompt, comme s'il comprenait que ce qu'il disait n'arrangeait rien, et c'était le cas.

« Laisse tomber, dis-je en me levant. T'inquiète pas. Je voulais juste essayer de comprendre. »

Je pars dans la cuisine, le cœur battant à tout rompre. Plus on approche du frigo, plus le lino se ramollit par endroits. Ce frigo, il est tellement chargé de cannettes de bière que ça m'étonne qu'il soit pas déjà tombé dans l'appartement du dessous. La porte est couverte de vieux flyers de concerts qui lui font une fourrure, et la poignée est noire de crasse. J'ouvre et j'observe toutes les bières, bien rangées comme des munitions dans un chargeur.

Landry et Paul ne proposent jamais de me rapporter une bière quand ils quittent le canapé. Mais y'a aucune gêne entre nous. Ce sont de vrais potes, dans ce sens. Je devrais être plus sympa avec eux.

Je ne leur ai jamais parlé des réunions, ni dit pourquoi je m'étais fait virer et renvoyer au pays, mais ils savent. Et là, maintenant, j'ai plus envie d'une bière que du café de Marceau. Comment ils vont réagir si je retourne dans le salon avec trois cannettes bien fraîches ? Est-ce qu'ils vont me faire une remarque ?

Je ferme le frigo, m'éloigne et traverse rapidement le lino fatigué pour rejoindre le parquet grinçant du couloir.

Soudain, je retrouve mon calme. Je fais trois pas en écoutant le son de mes talons de bottes sur le bois au milieu du vacarme du jeu vidéo de Paul. Ça apaise mon rythme cardiaque. Je ferme les yeux et m'efforce de respirer lentement.

C'est le parquet dans la maison de mon père qui me manque. La façon de craquer des lattes quand tu marches dessus. Elles ont chacune leur bruit. Comme des gens qui parlent. Des voix familières qui pourraient me faire oublier l'arsenal de bières dans le frigo.

Mais des fois, je suis coincé dans ma chambre pendant que papa regarde la télé, et je me mets à fouiller dans des vieux trucs. Des vieilles lettres, des vieux bouquins. Et la vieille boîte de cigares, celle que mon oncle m'a offerte. Il l'avait commandée sur un site spécialisé. Des cigares pour militaires. Des cigares de merde, mais bon. Même Dodge était d'accord. Des trucs dégueulasses, de supérette, estampillés avec un logo militaire et vendus super cher. Mon oncle avait fait graver sur le couvercle LESTER « DOC » PLEASANT. Il devait croire que c'était mon surnom, Doc. Mais les Marines appellent tous les infirmiers militaires Doc. Même les nuls, les mecs qui savent pas ce qu'ils font.

Je garde cette boîte de cigares dans ma commode à la maison et je mets des trucs dedans. Des choses que j'ai rapportées. Mes plaques d'identité militaire. Des pansements et tout. Mes médailles. Une pile de programmes de cérémonies funéraires.

Les programmes sont dans le fond, enfouis. Je dois fouiller pour les trouver. L'assistant de l'aumônier faisait un nouveau programme pour chaque cérémonie. Ils se ressemblent tous, mais bon. Il changeait juste le nom et la photo. Il mettait peut-être une citation de la Bible différente.

J'aime bien avoir une boîte où je peux garder ces trucs. Les photos sur le dessus. Ensuite les médailles. Puis les pansements et le reste. Après, les programmes funéraires. Je les ai rangés dans l'ordre, les programmes. L'adjudant Stout d'abord. Et Marceau.

Un tireur embusqué a eu Marceau à Falloujah, sur Phase Line Fran. On rentrait, après avoir livré les climatiseurs. On traversait la ville vers l'ouest, plus tard que d'habitude. Y'avait trop de circulation. On baignait dans le soleil de l'après-midi. Marceau était dans la tourelle du Humvee de tête. On avait fait une halte sécurité après avoir quitté l'avant-poste de l'armée irakienne et le lieutenant l'avait envoyé là. Il a dit qu'on le monopolisait, que c'était au tour du Humvee de tête d'avoir le tireur le plus expérimenté.

La balle du sniper a pénétré par une couture de son gilet pare-balles. Juste sous l'aisselle, directement dans le cœur. Un truc de dingue. Tout le monde a entendu le tir, mais personne n'a su que Marceau avait été touché, attaché à la tourelle comme il était.

Gomez a dit à tout le monde par radio de continuer jusqu'au pont. De sortir de la ville et d'établir un périmètre de sécurité. On ferait le point là-bas. Le lieutenant n'a rien ajouté, donc j'imagine qu'il était d'accord.

L'équipe du Humvee a compris que quelque chose clochait quand on s'est arrêtés. À la façon dont Marceau était suspendu là-haut, avec du sang qui pissait le long de son pantalon. Le caporal-chef Watkins, le chef de bord du véhicule, a crié dans sa radio, comme on n'est pas censé le faire. Il a coupé la parole à tout le monde pendant les cinq et les vingt-cinq mètres.

« L'infirmier ! L'infirmier ! »

Dodge a compris ce qui se passait avant nous tous. Au ton de Watkins peut-être. Parce qu'il arrivait pas à contrôler le volume. Dodge a su que c'était pas une cheville tordue. Il s'est détaché de son siège et il a retiré son casque.

Le lieutenant Donovan a essayé de l'arrêter. « Attends, Dodge, ce n'est pas sécurisé. » Le cœur y était à moitié, mais bon. Comme s'il avait du mal à se convaincre lui-même. Dodge n'a rien entendu de toute façon. Il courait déjà sur le bitume en direction du véhicule où se trouvait Marceau.

Le lieutenant Donovan a feuilleté les pages de son carnet et a changé la fréquence de la radio. « Sheriff, ici Hellbox Five-Six. Tenez-vous prêts pour une évacuation sanitaire d'urgence. » Il a enlevé son doigt du bouton de transmission et a lancé à Zahn : « Vas-y. Vas-y. »

Zahn a craché dans sa bouteille à chiques et a accéléré. « Putain. Putain. Putain. Putain. »

Le lieutenant Donovan s'est tourné vers moi. « Tu y es, Doc ? »

J'ai hoché la tête, mon cœur résonnait jusque dans mon cou, ma langue rebondissait contre mon palais comme un ballon de basket.

Zahn a pilé et j'ai sauté à terre avec mon sac.

Pendant que je courais, j'ai vu Dodge soulever Marceau pour le sortir de la tourelle. Comme un putain de pompier baraqué, le petit Dodge tout maigre. Il avait glissé les bras dans le gilet pare-balles de Marceau et le tirait sur le toit du Humvee. Plusieurs Marines attendaient au niveau du pare-chocs avant. Watkins et Gomez ont attrapé Marceau, l'ont posé sur la chaussée et ont ouvert son gilet pour voir la blessure.

Je me suis précipité et je leur ai crié : « Arrêtez ! Arrêtez ! Laissez son gilet ! » J'ai mis un genou en terre et j'ai ouvert mon sac. Tout était parfaitement organisé. Je me suis emparé d'une bande de compression. Du ballon de ventilation. De la seringue de morphine. J'avais même pas besoin de regarder.

J'ai entendu le lieutenant Donovan à la radio derrière moi procéder point par point à la demande réglementaire d'évacuation d'urgence. Il y a huit étapes en tout, toujours dans le même ordre pour éviter la panique et pour que tout le monde se comprenne bien.

« Un. Route Michigan, à environ deux cents mètres à l'ouest du pont de l'Euphrate. Les coordonnées suivent… »

J'ai pris le pouls de Marceau. Rien. Dodge s'est agenouillé près de moi. J'ai saisi ses mains et les ai posées sur la poitrine de Marceau. « Pousse. Comme ça. Continue, toutes les trois secondes. »

Il a acquiescé. « Entendu, Lester. »

Ensuite, j'ai trouvé la blessure sous l'aisselle.

J'ai entendu le lieutenant Donovan, qui parlait lentement et calmement à la radio. « Trois, urgence chirurgicale… »

Le sang tombait au compte-gouttes de la blessure de Marceau. Il n'y avait pas de cœur pour pomper. Il avait été déchiqueté par la balle. Je l'ai su à la seconde où je l'ai touché. J'ai levé les yeux vers Gomez et Watkins. Ils me regardaient pour essayer de savoir à quoi s'en tenir, et j'ai dit : « Allez chercher mon brancard. »

Ils ont hoché la tête et tourné les talons, pensant aider.

« Sept. La zone d'atterrissage sera délimitée par de la fumée… »

Marceau était mort. Ses pupilles étaient fixes et dilatées. Mais j'ai continué de m'affairer. Je peux pas te dire pourquoi, même encore aujourd'hui. J'ai posé une bande de compression sur le trou ensanglanté, j'ai attaché son corps sur le brancard, et l'ai préparé pour l'évacuation. Dodge a continué les massages cardiaques. Tout le monde regardait et espérait pendant qu'on s'occupait de lui. Quand l'hélicoptère a atterri quelques minutes plus tard, Dodge et Gomez ont aidé à transporter la civière.

L'urgentiste du vol a jeté un coup d'œil à Marceau et a compris immédiatement. J'ai même pas essayé de lui bourrer le mou. Il m'a regardé droit dans les yeux, contrarié. Presque fâché. Et je savais pourquoi. Avoir fait tout ce chemin, avoir dû atterrir dans un merdier pour rien. Pour un corps. Parce que j'avais voulu jouer au docteur. Mais l'urgentiste ne m'a pas balancé à Gomez et à Dodge. Il a embarqué Marceau en silence, et l'hélicoptère s'est envolé avec le corps vers al-Taqadoum.

Gomez, Dodge et moi sommes repartis en courant vers le périmètre de sécurité où Zahn se trouvait avec le reste du convoi. Tous ceux qui n'avaient pas à faire le guet se sont agenouillés en cercle. Les autres nous ont écoutés prier : « Mon Dieu, protège notre frère », pendant qu'ils scrutaient l'horizon, faisaient tourner les lourdes mitrailleuses dans les tourelles, à la recherche de cibles. De choses sur lesquelles tirer. Ils avaient tellement besoin de tirer sur quelque chose que ça les rendait dingues. Toutes ces armes, ces munitions, qui servaient à rien. Il n'y avait rien sur quoi tirer.

Mon sac d'infirmier était tout aussi inutile. Parfaitement organisé pourtant. Tout était à portée de main, et pour quoi ? Pour rien.

On est arrivés à al-Taqadoum avant le dîner, mais personne voulait manger. Gomez est restée avec les gars de la section près des baraquements pendant que le lieutenant Donovan et l'adjudant Stout sont allés dans la tente des urgences.

On les a vus revenir de loin. Tout le monde les scrutait pour savoir ce que moi je savais déjà. La vérité n'a pas tardé à tomber.

« Pour l'instant, on garde ça pour nous », a dit le lieutenant Donovan. « Aucun contact avec l'extérieur. Pas de coups de téléphone à la maison. Pas d'e-mails. On va attendre que la mère soit notifiée officiellement, pas besoin qu'elle l'apprenne dans le journal local ou à la télé. »

Le commandant Leighton, bras croisés, observait le lieutenant Donovan depuis les marches du poste de commandement. Les

Marines des autres sections ont cessé de vaquer à leurs occupations pour écouter aussi.

« Il n'y avait rien à faire, a poursuivi Donovan. Il est mort dans l'hélicoptère pendant le transfert. »

Est-ce qu'il venait d'inventer ça pour me couvrir ? Il avait compris mon petit manège, tous ces pansements que j'avais appliqués sur un cadavre ? Ou il choisissait de ne pas en parler ?

À cet instant, je me suis rappelé la seringue de morphine dans ma poche de treillis. J'avais pas eu besoin de m'en servir sur Marceau, loin de là, mais elle était déjà signalée comme utilisée. J'ai pensé la jeter dans le désert, comme un putain de déchet. Mais je me suis ravisé. D'abord, parce que je voulais pas polluer, aussi dingue que ça puisse paraître. Ensuite, je me suis dit que quelqu'un pourrait la trouver et que ça m'attirerait des ennuis.

Après quoi, j'ai pensé à toutes les armes inutiles. À tout ce qui servait à rien tout le temps. Et j'ai eu besoin de rendre son utilité à quelque chose. N'importe quoi. Donc je suis parti dans les toilettes. Tout le bataillon était déjà au courant de ce qui s'était passé, et le Marine de la section de distribution de carburant qui était de surveillance a évité mon regard en faisant mine de devoir vérifier s'il y avait des graffitis sur les murs.

Je me suis enfermé dans une cabine, la plus éloignée. Un lapin avec un pénis démesuré était dessiné sur le mur. Un personnage typique de Marceau, griffonné au feutre juste au-dessus du papier-toilette. Le lapin riait, faisait des claquettes et chiait en même temps avec une bulle qui disait : « Je t'ai laissé un petit cadeau ! »

J'ai piqué la seringue dans ma jambe.

En attendant de ressentir quelque chose, j'ai sorti un stylo de ma poche de poitrine et j'ai écrit : « James Marceau. 1986-2006. »

Ensuite, alors que j'écrivais « Adjudant William Stout », un nuage d'indifférence m'a happé, et je n'ai même pas pris le temps de finir. J'ai glissé la seringue vide dans ma poche de treillis et j'ai traversé en flottant la base pour aller m'allonger sur ma couchette.

Je me sentais mieux. J'ai bien dormi, d'une traite.

Après quelque temps en pleine nature, Huck régresse. « C'était plutôt paresseux et gai, être couché confortablement toute la journée, à fumer et à pêcher », médite-t-il. « Deux mois ou plus ont passé, et mes habits étaient plutôt crasseux et en haillons, et je comprenais pas comment j'avais pu tellement aimer vivre chez la veuve, où il fallait se laver, et manger dans une assiette, et se peigner, aller au lit et se lever aux mêmes heures, et être sans arrêt à s'occuper d'un livre et avoir constamment Mlle Watson sur le dos à m'embêter. »

Le lecteur arabe peut comprendre ces propos. Comme il serait facile de rejeter le XXe siècle, avec ses villes et ses guerres fondées sur les profits pétroliers, et revenir à nos tentes de bédouins. La régression de Huck, quoi qu'il en soit, est un récit édifiant.

Amical et tout sourire

Nous faisons le tour de la place principale de Sousse, mes colocataires et moi, avec les jolies filles. En appelant Ben Ali à quitter Tunis et à faire face à la justice. Nous crions le nom de Mohamed Bouazizi. Nous agitons des drapeaux tunisiens et chantons des chansons idiotes.

Je pense à Lester, et comment il a cessé d'aimer la musique, cessé de me faire écouter des groupes, après ce qui s'est passé avec Marceau. Et comment son sac, dont il était si fier, est devenu un vrai foutoir après qu'il a commencé à voler des cachets.

Plus nous tournions autour de la place, poussés par la foule qui défilait en scandant des slogans, plus je m'éloignais de mes colocataires et de leurs nouvelles petites amies. Ils sont tous en couple maintenant, parfaitement assortis deux par deux, et je n'aurai plus de place quand ils feront la fête une fois leur manifestation finie. Bientôt, je me dis. Bientôt je vais pouvoir m'éclipser, et ils ne le remarqueront même pas. Je vais rentrer à la maison et écrire ma thèse.

Mais la foule s'arrête soudain après le cinquième tour. Un étudiant a trouvé un porte-voix, comme celui que le *mulazim* m'autorisait à utiliser, et depuis un balcon il enjoint la foule de s'organiser. Il nous dit de bloquer les entrées de la place pour obliger les forces de l'ordre de Ben Ali à se battre en tenue de combat s'il le faut, pour que les caméras occidentales – qui apparaissent ici et là même si elles préfèrent rester discrètes et se dissimuler dans la masse – filment les violences.

Mes colocataires s'excitent à cette idée, et je ne peux plus partir à présent. Ils m'entraînent avec leurs nouvelles copines pour aider à bloquer l'une des entrées de la place avec des bus municipaux.

Une des filles, la plus jolie, me saisit le bras et m'attire à l'écart. Il y a une caméra de télévision, me crie-t-elle à l'oreille. Il faut que j'aille parler anglais pour le mouvement de libération. Il faut que je raconte au monde notre histoire et que j'explique pourquoi nous allons gagner.

Comme toujours, il faut que je parle anglais pour des idiots.

Le lendemain du panneau, Hani a vendu ses premiers Coca-Cola à des Américains. C'était un petit convoi, ces premiers Américains. Juste quatre Humvee qui sont venus jusqu'à nous. Des membres de l'infanterie de Marine, je l'ai su après. Ils ne livraient pas de ravitaillement, ils ne rebouchaient pas de nids-de-poule, ceux-là. Des fusiliers marins, comme ils disent. Des gars qui s'aventuraient à l'extérieur uniquement pour trouver des terroristes à combattre. Libérés des menues missions, comme fournir leurs camarades en eau et nourriture ou bâtir des postes de contrôle, ils se concentraient sur cette tâche, disons, plus digne d'une guerre.

Ils ont vu le panneau et ils ont quitté la route principale, sans hésitation. La poussière a volé dans tous les sens quand ils sont sortis de leurs véhicules en criant des ordres à tue-tête. Ils soupçonnaient un piège.

Hani n'a pas eu peur, et je dois admettre que cette nouvelle détermination m'a surpris. Il avait un courage à part, celui des hommes d'affaires, qui lui permettait de se sentir en sécurité sur le bas-côté de la route avec ses Coca sous le bras. Il a souri et leur a fait signe d'approcher. Il a continué de sourire alors même qu'ils le tenaient en joue.

Moundhir et Abou Abdoul, Haji Fasil et moi, nous sommes restés à l'écart près de la ferme. Je leur ai dit de lever les mains. « Ils vont vous fouiller, ai-je ajouté. Ils vont aussi fouiller les bâtiments. Y a-t-il quelque chose qu'ils risquent de ne pas aimer, Haji ? »

Haji Fasil a posé les mains derrière sa tête en haussant les épaules. « J'espère bien que non. Mais j'imagine qu'on ne va pas tarder à le savoir. »

Moundhir a soupiré, déjà écœuré. Il se tenait près d'Abou Abdoul, s'assurant que leurs pieds se touchent, et prêt à s'avancer devant le vieil homme en cas de besoin.

D'un geste brusque, un Marine a poussé les Coca de Hani par terre. Un autre l'a fouillé au corps en passant les mains sous sa chemise. Et à deux, ils l'ont fait avancer vers la ferme.

Hani a continué de sourire, même avec les mains derrière le crâne, se comportant en allié. Amical et tout sourire.

Les autres Marines se sont éparpillés dans la ferme comme des fantômes, et quatre d'entre eux ont émergé derrière nous pour prendre le contrôle de notre petit campement. Accroupis, le fusil braqué sur nous et l'œil dans le viseur, ils se sont approchés en criant en anglais et à moitié en arabe.

« Haut les mains ! Haut les mains ! *La tetharrak ! Edeik ! Edeik !* Ne bougez pas ! »

Nous sommes restés immobiles pendant qu'un Marine passait son fusil derrière son dos. Puis il nous a obligés à nous asseoir un par un sur la bûche, de ses grosses mains gantées. Ensuite, il a saisi nos doigts et nous a contraints à les entrelacer au sommet de notre tête.

J'ai jeté un coup d'œil à Moundhir, espérant qu'il ne s'interposerait pas pour ménager Abou Abdoul. Heureusement, le Marine s'est montré plus délicat avec le vieil homme et Moundhir a laissé faire.

Les Marines ont attendu pour voir si nous allions bouger et essayer de nous échapper. Je sentais tous les fusils pointés dans mon dos. Ça réchauffait et picotait ma peau. Je sentais la balle attendant son heure dans chaque canon. Attendant que je commette une erreur. Mon cœur battait la chamade et j'ai commencé à respirer plus vite.

Les autres Marines ont emmené Hani dans toutes les cabanes en terre en le surveillant depuis chaque seuil. Ils attendaient une réaction de sa part, je le sais maintenant. Un indice de peur. Ils craignaient qu'il ait piégé certains endroits, et ils voulaient que Hani sache qu'il mourrait le premier, si tel était le cas.

Une fois la fouille terminée, ils ont assis Hani sur la bûche à côté de nous et ont appelé leur officier par radio. Ce dernier, un Noir aux bras musclés moulés dans son uniforme, s'est approché, accompagné d'un interprète. Le gros Koweïtien – vu son accent et sa montre de luxe – nous a souri avec suffisance. Il était encore plus jeune que moi.

« Bonjour, je suis le lieutenant Pederson, a dit l'officier en anglais. Bon, désolé de vous avoir fouillés comme ça. Les insurgés dans cette zone, les méchants, nous y obligent. Il faut aussi que je vous pose quelques questions. Qu'est-ce que vous faites ici ? Qui êtes-vous ? Et tout le tintouin. » Il a désigné l'interprète.

« Ce type, Pederson, a poursuivi l'homme en arabe, il va tous vous niquer. Il va vous la mettre bien profond. Alors dites-lui où vous cachez vos armes. C'est le cousin de Fifty Cent, le rappeur. Je rigole pas.

– Bien, avez-vous des armes ici ? a repris Pederson. Des fusils ? Un lance-roquette ? » Pederson a fait comme s'il hissait un lance-roquette sur son épaule. « Ça va, si vous avez un fusil. C'est une kalachnikov par foyer. » Il a ri doucement. « J'imagine qu'on peut appeler cet endroit un foyer. » Il a fait signe au Koweïtien qui s'est à nouveau exprimé en arabe pour prétendument traduire ses propos.

« Hé, *takfiri*, vous connaissez Abou Ghraib ? Ça sera pire. Dites à Pederson où vous gardez les roquettes ou on va vous empiler tous à poil là-bas et on diffusera des photos sur le Net. Ça sera partout sur MySpace, dès demain. »

Je voulais me taire. Laisser les choses suivre leur cours et rester simple témoin. Mais Hani et Haji Fasil se sont tournés vers moi, les sourcils levés, attendant que je prenne la parole. Ils ont vendu la mèche, donc j'ai ouvert la bouche.

« Bonjour, ai-je fait en anglais, toussant et hochant la tête à l'intention du lieutenant. On peut parler normalement, si vous voulez. Je parle très bien anglais. Tout d'abord, sachez qu'il n'y a pas d'armes ici. Je vous le promets. Même pas de fusils. C'est juste une ferme. Enfin... une station balnéaire. »

Pederson a haussé brusquement les sourcils.

« Oui, je parle certainement mieux l'anglais que ce Koweïtien. »
J'ai fait un signe de tête en direction de l'interprète. « Et permettez-
moi de vous dire quelque chose qu'il faut que vous sachiez : votre
Koweïtien vous ment. Il prétend que vous êtes le cousin de Fifty
Cent. Formidable au demeurant, si c'est vrai, car Fifty Cent est
bon. Un de mes préférés, en fait. Mais quoi qu'il en soit, ce Koweïtien vous ment. Presque tout le temps. »

Le gros Koweïtien s'est tourné vers Pederson, bouche bée et
paumes ouvertes.

« Donc, oui, ai-je poursuivi, à propos de cet endroit. À propos
de nous. Nous sommes de simples marchands. Nous vendons nos
articles contre des dollars, ou contre des dinars s'il n'y a pas
d'autre possibilité, mais nous préférons les dollars. Nous avons
du Coca-Cola et d'autres rafraîchissements. Nous avons des souvenirs irakiens, aussi, pour rapporter en Amérique. Bon, en réalité, ce n'est pas mon business. C'est celui de Hani. C'est lui que
vous avez vu tout à l'heure avec les Coca-Cola. Mais il ne parle
pas anglais. »

Pederson a eu un geste dans notre direction. « D'accord, allez,
levez-vous. Tous. Debout. »

Je me suis exécuté et j'ai mis les mains dans mes poches. Les
autres, lentement, m'ont suivi. « Oui, ai-je repris, comment dit
Fifty Cent, déjà ? "Deviens riche ou meurs en essayant", quelque
chose comme ça ? Ici, c'est exactement ça. »

Pederson s'est frotté les yeux et, très en colère, a saisi le gros
Koweïtien d'une main. De l'autre, il a désigné les Humvee. Dégage,
a-t-il semblé dire, on n'a plus besoin de toi. Sans même laisser une
chance au type de se défendre.

Une fois le gros Koweïtien parti en se dandinant, vaincu, Hani
et moi avons fait visiter à Pederson notre « ville touristique ».
Moundhir et Abou Abdoul sont retournés à leurs tâches. Haji Fasil
est resté près de notre feu de camp éteint, assis en silence.

Les Marines de Pederson ont continué de se déployer et d'inspecter les lieux. Hani souriait et montrait à l'officier américain
baraqué son stock de foulards, de colliers de prière et de vieilles

coupures à l'effigie de Saddam. Pendant tout ce temps, j'ai parlé en anglais pour lui.

« Hani affirme que vous ne trouverez pas d'articles de cette qualité en dehors de Bagdad », ai-je dit à Pederson. Et, parce que je ne voulais pas le rouler, j'ai ajouté à mi-voix : « C'est quand même de la merde, mais bon. Personne ne veut de ces keffiehs, c'est pour ça que Hani les a eus à si bon prix. »

Pederson a acquiescé. « Je te remercie de ta sincérité. Vraiment. »

Après la visite, Pederson a regagné son Humvee et a parlé dans sa radio pendant un moment. Hani et moi sommes retournés au feu de camp pour l'attendre. Quand Pederson a eu fini avec la radio, il a discuté avec un autre Marine. Un sergent, son second apparemment. Ils ont tous deux hoché la tête en riant.

« Qu'est-ce qu'il y a de drôle ? Pourquoi ils rient ? a demandé Hani.

– Ils pensent que tu es ridicule », ai-je répondu.

Pederson et son sergent souriaient encore quand ils sont revenus vers nous. « Il a fallu qu'on fouille pour trouver du liquide. On n'emporte pas vraiment d'argent avec nous comme ça. » Pederson a tendu à Hani un billet de vingt dollars humide. « On va prendre des Coca. On reviendra acheter autre chose plus tard. Des souvenirs ou des trucs comme ça. Mais pour aujourd'hui, juste des Coca. »

Hani a souri et a transporté quelques caisses de Coca-Cola jusqu'aux Humvee.

Pederson m'a entraîné à l'écart. « Je voulais te remercier personnellement. Je n'ai jamais aimé ce type. Je n'ai jamais eu confiance en lui. »

J'ai haussé les épaules. « Il y a des gens mauvais partout.

– On va revenir, tu sais. Souvent. » Il a soulevé ses lunettes de soleil pour me regarder dans les yeux.

« Avec plaisir. Vous serez les bienvenus. Et apportez vos maillots de bain. »

Il a ri, a secoué la tête et est reparti vers son Humvee.

Hani dansait tandis que les Américains s'éloignaient. Il riait en me montrant ses premiers dollars. Je l'ai poliment félicité, mais n'étais pas encore prêt à admettre que j'avais eu tort. Je lui ai répété les dernières paroles de Pederson. Qu'ils reviendraient pour acheter plus, et souvent. Alors que le sourire de Hani s'élargissait, je me suis demandé pourquoi Pederson m'avait regardé dans les yeux avec tant d'insistance.

La poussière soulevée par les Humvee américains n'était pas encore entièrement retombée que les clients suivants de Hani sont arrivés. Un camion transportant du gazole de la raffinerie de Baïji, au sud de Falloujah et de Ramadi. Un vieil homme et ses deux fils, sunnites probablement, se sont arrêtés et ont bu des Coca au bord de l'eau pendant qu'Abou Abdoul, affichant son plus beau sourire édenté, leur servait du poisson frit.

Dans les jours qui ont suivi, en attendant le retour de Pederson, Hani a fait de bonnes affaires et a pu dégager suffisamment de bénéfices sur son stock initial pour en reverser une part généreuse à Haji Fasil et à Abou Abdoul. Il a ensuite acheté deux fois plus de marchandises et même pu mettre de l'argent de côté pour notre voyage. Assez pour nous permettre d'aller jusqu'en Jordanie, et même éventuellement au-delà.

Mais il n'a pas été question de partir, et je n'ai rien demandé. Je craignais d'avoir à aborder la question de mon père. Si notre départ s'organisait avec certitude, Hani insisterait sans aucun doute pour que j'essaie au moins de trouver ma famille. Dans son esprit, surtout pour me faire plaisir. Mieux valait attendre le moment où une fuite précipitée se justifierait. Quoi qu'il en soit, grâce aux profits de Hani avec les Américains, il était probable que nous n'aurions bientôt plus besoin de mon père.

Le matin et le soir, quand nous nous rassemblions autour du feu de camp ou sur la plage, les conversations portaient sur d'autres sujets. Le temps, la pêche, les nouveaux achats possibles. Hani faisait des plans pour l'avenir, même s'il n'osait employer le mot.

Durant ces quelques semaines, chacun s'est accoutumé à la vie au bord du lac. Moundhir et Abou Abdoul, silencieux et inséparables, se levaient à l'aube pour pêcher avant que la chaleur ne devienne trop écrasante. Hani conduisait Haji Fasil au marché de Dra Dijlia tous les jours en milieu de matinée, puis le soir, pour qu'il maintienne ses anciennes petites affaires. Des militants de chaque bord continuaient de lui acheter différentes marchandises. Mais en partenariat avec Hani, Haji Fasil commençait à entrevoir la possibilité de s'agrandir.

Il pourrait peut-être avoir son propre camion. Voire un étal au grand souk de Ramadi.

Pour ma part, je lisais sur une chaise au bord du lac et travaillais à ma thèse. J'avais laissé ma dernière version dans le bureau du professeur al-Rawi par peur des postes de contrôle, mais j'avais encore suffisamment tout en mémoire pour prendre des notes, couper certains passages et en ajouter d'autres sur des bouts de papier brouillon. Je considérais mon temps au bord du lac comme des vacances. Une retraite académique, en quelque sorte. Je m'exonérais des tâches de la ferme sous prétexte que j'étais le seul véritable vacancier dans notre « ville touristique ». Un travail à part entière, entretenir ce mensonge.

Pederson n'a pas tardé à revenir, et très vite il était là tous les jours, mais à des heures variables. Mes activités étaient suspendues pendant ce temps, et durant plusieurs heures. Je le suivais partout en traduisant ses propos. Les Marines se montraient moins agressifs à chaque visite, tout en s'assurant que la route reste sous étroite surveillance pendant que leur supérieur faisait affaire avec nous.

D'autres clients potentiels, s'aventurant sur la voie rapide en camion ou en taxi, accéléraient à la vue des Marines, et j'ai commencé à me demander combien de temps il faudrait à ces hommes, tous issus d'Ansar al-Sunna ou de l'armée du Mahdi ou de quelque autre groupe armé, pour se rendre compte que les Américains n'étaient pas en train de nous fouiller ni de nous harceler. Combien de temps pour qu'ils comprennent que nous faisions affaire avec eux et buvions le thé ensemble comme de vieux amis ? Quand ce moment viendrait, je savais qu'il nous faudrait fuir si nous voulions rester en vie. J'allais devoir convaincre Hani.

Contrairement aux espérances de Hani, Pederson ne venait pas toujours avec des dollars. Il apportait parfois des dinars irakiens, flambant neufs. Mais dans ce cas, ses hommes et lui compensaient en achetant beaucoup de keffiehs et de colliers de prière. Ce qu'ils voulaient surtout, c'était des films de Hong Kong piratés. Ils dévalisaient notre stock.

Après les achats, le lieutenant Pederson acceptait toujours de boire du thé et s'asseyait pour bavarder avec nous. Je traduisais pour lui, m'efforçant de bien faire et d'être honnête.

« Dis-moi, Hani, a demandé Pederson un jour après un long silence, tu as déjà vu par ici des gens qui ne sont pas du coin ? »

J'ai joué le blasé, au lieu de laisser transparaître la terreur qui s'était emparée de moi en entendant la question. « Hani, il veut savoir si on a déjà vu des étrangers... »

Avant que j'aie le temps de le mettre en garde, Hani a répondu avec entrain : « Bien sûr. Des types de Syrie. Plein. Et des Égyptiens, aussi. La plupart transportent de l'engrais pour les fermes. Tu les as vus aussi, Kateb, n'est-ce pas ? »

Pederson avait compris les mots, la prononciation n'était pas si différente en anglais et en arabe, et je ne pouvais pas mentir.

« Syrie et Égypte, j'ai dit. Il a vu des hommes de Syrie et d'Égypte. »

Pederson a avalé une gorgée et s'est adressé directement à moi. « Et toi, Kateb ? Tu as vu des gens qui n'étaient pas d'ici ?

– Bien sûr. Personne ne vit ici sauf nous. Tout le monde vient d'ailleurs. »

Pederson a souri. « Oui. Allons marcher jusqu'au lac, toi et moi, tu veux ? »

Je l'ai suivi jusqu'à la plage pendant que Hani récoltait les piles de dinars que les Marines lui tendaient en échange des films piratés que j'avais étiquetés en anglais au feutre noir.

« C'est beau, ici, Kateb, a commencé Pederson. Le seul endroit où s'arrêter sur des kilomètres. Tout le monde passe par ici, et je parie que la moitié des gens s'arrêtent.

– C'était l'idée de Hani. Et ça marche. Mais quand on aura assez d'argent, on partira. »

Pederson a grimacé. « Pour aller où ? Retourner à Bagdad ?

– Non. On va d'abord aller en Jordanie, et de là on ira où on pourra obtenir un visa.

– Vous renoncez à l'Irak ? a-t-il fait, perplexe.

– Il n'y a pas assez de gens bien ici. Et sans gens bien, le pays ne peut pas être bon. » Je le pensais sincèrement, mais Pederson a souri comme si je venais de faire une blague.

« Ne pars pas sans me prévenir. Et si tu changes d'avis, viens me voir à Ramadi. On a besoin de bons interprètes. Et je voulais te donner ceci. » Sous son gilet pare-balles, il a pris une enveloppe et me l'a tendue. Il y avait des papiers à l'intérieur. « Cache ça, jusqu'à ce que tu en aies besoin un jour. Si ça t'intéresse, donne-la au soldat de garde au QG du gouvernement. Il te laissera entrer. »

J'ai vite glissé l'enveloppe dans mon pantalon avant que Hani ou Moundhir ne la voient. « *Shoukran*. Je ne crois pas que je m'en servirai. Mais merci. »

Nous sommes retournés au campement, où Hani comptait son argent. À voir comme il était concentré sur les billets, j'ai compris qu'il n'avait pas remarqué l'enveloppe, et j'ai décidé de ne pas en parler.

« C'était un plaisir, comme d'habitude. » Pederson a levé la main au-dessus de la tête en signe de remerciement, comme il nous avait vus le faire.

Je lui ai serré la main, fermement, à l'américaine, en le regardant dans les yeux.

Une fois les Humvee partis, j'ai demandé à Hani comment allaient les affaires.

« Il nous faut d'autres films, a-t-il répondu. Ils les achètent tous. Y'a plus rien pour les routiers.

– Les routiers achètent ça ?

– Évidemment. Des films d'action américains surtout. »

J'ai ouvert la bouche pour dire : « Quelle ironie », mais il s'était déjà éloigné. Vers le petit coffre où il cachait ses gains.

J'ai alors remarqué Haji Fasil sur le pas de sa porte et j'ai immédiatement deviné, à son regard, qu'il savait à propos de l'enveloppe.

« Tu peux venir à l'intérieur un moment, Kateb ?

– Bien sûr. Je crois que je vais faire une sieste. »

Une fois rentré, je n'ai pas perdu de temps. J'ai tout simplement sorti l'enveloppe de mon caleçon et l'ai jetée par terre. « Des papiers pour travailler avec les Américains à Ramadi. Ce n'est pas de l'argent, au cas où vous penseriez que j'arnaque les autres. »

Je suis passé devant Haji Fasil, en direction de la chambre où je gardais mon livre et mes notes, pensant la conversation terminée. En revenant, je me suis aperçu que Haji Fasil avait pris l'enveloppe et essayait de soulever un carreau de carrelage par terre près de la fenêtre pour la dissimuler en dessous.

« Ne vous embêtez pas, Haji, ai-je dit, surpris, il suffit de la brûler. »

Haji Fasil s'est levé, m'a saisi les épaules et m'a attiré tout près de lui. « Il faut que tu gardes ces papiers, Kateb !

– Haji, je vais aller en Jordanie…

– Avec l'argent des Coca ? Ne sois pas bête ! »

J'ai entendu une voiture arriver de l'autoroute, les bruits familiers des Irakiens ayant attendu le départ des Marines avant d'approcher.

Haji Fasil est tombé à genoux pour finir de cacher l'enveloppe et, en se relevant, il a murmuré : « Toi et Hani, vous n'avez pas le même destin. Tu le sais, non ? »

J'ai entendu des portières claquer et Hani se précipiter pour accueillir nos nouveaux clients. « Non, Haji. Je crois que vous vous trompez. Hani est mon frère. Moundhir va peut-être rester, et j'en serais ravi, mais Hani et moi, on a des projets, et il n'est pas question qu'on finisse dans ce désert avec un couteau planté dans la gorge. »

Dehors, Hani m'a appelé.

« Alors pars maintenant, a répliqué Haji Fasil. Laisse-le avec moi et je l'emmènerai au sud. À Ramadi, pourquoi pas ? Il s'en sortira mieux sans toi ici. »

J'ai regardé le carreau sale en songeant aux papiers américains cachés dessous. « Je ne pars pas sans lui. »

Avec plus d'insistance, Hani a encore crié mon nom.

« Il faut que j'aille voir ce qu'il veut. » J'ai frôlé Haji Fasil en sortant et franchi le pas de la porte.

Tandis que mes yeux s'accoutumaient à la lumière éblouissante du soleil de l'après-midi, j'ai entendu Hani dire : « Tu as de la visite, Kateb. »

J'ai alors distingué la vieille Mercedes noire autrefois garée dans l'allée de notre maison à Bagdad, et mon père et mon frère debout à côté.

Compte-rendu de fin de mission : tendances de l'activité ennemie

1. Engins explosifs improvisés passant de l'obus d'artillerie classique à la charge bourrée de nitrate d'ammonium. Les insurgés mélangent de l'engrais à du gazole et placent ce mélange explosif dans des sacs en plastique. Les engins contiennent peu d'éléments métalliques, ce qui les rend difficiles à détecter.

2. Nouveaux appareils de brouillage de la coalition de plus en plus efficaces pour neutraliser les détonateurs à distance. En conséquence, mises à feu déclenchées par téléphone portable ou radio de plus en plus rares.

3. Insurgés délaissant la mise à feu télécommandée pour le déclenchement activé par les victimes elles-mêmes. Les insurgés construisent des plateaux de pression à partir de deux fils métalliques, ou plus, qui sont mis en place pour se comprimer, donc se toucher, sous le poids du véhicule de la coalition. La compression des fils métalliques complète ainsi le circuit électrique et permet au courant d'une pile d'activer le cordon détonant.

4. Un programmateur de machine à laver permet souvent d'interrompre le circuit entre l'interrupteur et la pile. Cette technique offre la possibilité aux insurgés de placer l'engin, puis de s'éloigner à distance de sécurité avant d'armer véritablement la charge.

Avec mon plus profond respect,
P. E. Donovan

À armes égales

Comme convenu, je retrouve Paige au port de West End le samedi après-midi. Je reste à l'écart tandis qu'elle examine *Sentimental Journey* sous toutes les coutures. Elle n'éclate pas de rire au premier coup d'œil comme je l'avais craint, mais ne va pas non plus jusqu'à m'encourager en découvrant l'épave.

« J'adore ces vieux bateaux, glisse-t-elle. Les nouveaux modèles n'ont pas ces lignes, bas de franc-bord avec l'étrave étirée. Magnifique. Mais il faut que tu saches qu'il y a une raison. Il ne sera pas aussi rapide ou stable que les bateaux modernes.

— J'ai lu plein de trucs là-dessus.

— Dit celui qui n'a jamais navigué. » Puis une pensée lui fait froncer les sourcils, et d'une voix plus aiguë elle lance : « Tu sais quoi ? »

Et nous quittons le quai sale du port municipal pour gagner les pontons fraîchement récurés du Southern Yacht Club jusqu'à un Catalina à coque bleue baptisé *Smile*.

« Papa était un passionné des Beach Boys, précise-t-elle.

— Ils se sont brouillés depuis ?

— Non. Je veux dire, il était... il est mort il y a quelques années. » Avant que j'aie le temps de m'excuser ou de présenter mes condoléances, elle ajoute : « *Smile* n'est pas aussi bien entretenu qu'avant. Donc ne t'en sers pas d'exemple quand tu auras fini avec le tien. »

Je comprends le message et laisse le sujet du père de côté.

Paige me dit de m'asseoir dans un coin du cockpit, sans bouger ni toucher à rien. Elle parcourt rapidement le bateau pour le préparer à partir, en nommant tout ce qu'elle touche : « drisse » ; « écoute de grand-voile » ; « chariot » ; « barre »...

Le temps en cette fin d'après-midi est couvert et froid, et le lac gris et peu attirant. Nous sommes la seule embarcation à quitter le port. La houle nous frappe alors que l'étrave enroule le phare au bout de la digue, et le bateau commence à tanguer.

« Tu ne navigues pas encore, remarque Paige par-dessus le bruit du moteur. C'est des vagues, c'est tout. Juste que tu saches. L'hélice tourne toujours. »

Le menton rentré dans la poitrine et les mains dans les poches pour me protéger du froid, je marmonne : « Merci du tuyau. »

Je dois avoir l'air vexé, ou simplement mal en point, parce que ses sourcils se rejoignent en une expression de culpabilité, et elle décide de calmer le jeu.

« Tiens. Va au mât. Quand je te dis de tirer sur ce bout, la drisse, là, vas-y à fond. Ça va être très lourd. »

Je hoche la tête et quitte avec précaution le cockpit en gardant toujours une main sur le bateau.

« Maintenant, lance-t-elle en coupant le moteur. Tire ! »

Je tire de toutes mes forces sur le bout et entends les coulisseaux de grand-voile glisser avec difficulté dans la ralingue du mât. Elle ne plaisantait pas quand elle disait que le bateau n'était plus très bien entretenu. Mais j'ai envie de relever le défi et, après avoir redoublé d'efforts, la grand-voile est montée. Je bloque la drisse sur un taquet en faisant un nœud qui, je le sais, n'est pas marin et je repars vers le cockpit.

Comme je reprends ma place, Paige tire la barre vers elle. Le vent prend dans la voile qui se gonfle alors que le bateau vire de bord. *Smile* gîte brusquement d'un côté avant de repartir. Paige barre droit dans le creux d'une vague qui moutonne et la joie envahit mon estomac. Je ferme les paupières, sans même faire attention à l'eau saumâtre du lac qui fouette en pluie fine mon visage. D'une certaine façon, dans mes rêves, j'ai imaginé cette sensation à la perfection.

Lorsque j'ouvre les yeux, Paige me sourit comme je ne l'ai jamais vue sourire. Elle a lâché quelque chose, tiré sur une goupille qui empêchait ses zygomatiques de s'étirer.

« Tu adores ça, hein ? » Elle rayonne.

« Oui. »

Au bout d'une heure, Paige me laisse prendre la barre. Mon cœur s'accélère quand je sens la vibration du manche en bois contre ma paume. Nous faisons des allers-retours sur le lac, à deux cents mètres de la rive. Elle parle sans cesse, m'explique avec précision à quoi sert chaque winch, bout et écoute. Elle m'indique étape par étape comment tirer un bord et empanner correctement.

Comme je vire trop brusquement de bord, elle me sermonne avec le sourire. « Vas-y mollo. Sérieusement. »

Je tire d'un coup sur le gouvernail.

« Ducon. Vas-y mollo. Tu m'as presque fait passer par-dessus bord cette fois. »

Au crépuscule, je l'aide à affaler les voiles et à jeter l'ancre.

Nous admirons la lune qui s'élève dans le ciel. Serrée contre moi pour se réchauffer, sous une couverture moisie qu'elle a dénichée dans la cabine, Paige me parle d'un ami qui possède un atelier couvert que je pourrais probablement louer pas cher pour travailler sur *Sentimental Journey*. Je saisis son visage et l'embrasse, l'interrompant en pleine phrase. Son corps se relâche, et j'expire, soulagé, alors qu'elle me rend mon baiser.

Quand, malgré tous nos efforts, plus aucune activité physique ne parvient à nous réchauffer, nous nous réfugions dans la cabine. Et finalement, à contrecœur, nous nous endormons.

Le lendemain matin, nous rentrons au port à moteur et amarrons soigneusement *Smile*. Puis je lui promets de la retrouver chez Molly's le jeudi soir suivant pour boire des verres avec nos camarades de classe.

« Ils font un prix sur la High Life, dit-elle. Un dollar seulement.

– C'est juste du papier, n'est-ce pas ? » je réplique, en faisant un nœud de chaise avec une nouvelle dextérité dans les poignets.

Paige ne répond pas. Elle ne rit pas non plus. Sur le ponton où elle m'attend, elle a un air sérieux et bienveillant. Elle est prête à continuer de m'écouter. Prête à en savoir plus sur cette histoire d'argent en flammes. Plus sur le vieil homme et sa luzerne. Plus

226

sur tout ce que je voudrai bien lui raconter. Elle est prête à entendre n'importe quoi.

Soudain, un sentiment de terreur m'envahit. L'idée de boire des bières en public de manière responsable me fait complètement paniquer. Je m'imagine près d'elle, souriant, pendant que nos camarades de classe me posent des questions, et je n'ai qu'une envie : me cacher dans la pièce la plus petite et la plus sombre de la ville jusqu'à ce qu'elle m'ait oublié. Je m'efforce de chasser cette pensée tandis que nous traversons le parking à pied, pour regagner nos voitures respectives. Mais quelque chose a tourné en moi. Je reste poli, l'embrasse pour lui dire au revoir aussi sincèrement que je le peux, mais je suis sûr que Paige l'a remarqué aussi.

Je dors debout tout le dimanche, et le lundi je retourne travailler. Stall n'est plus aussi amical qu'il l'était le vendredi après-midi, et ne bronche pas lorsque je lui dis que je vais faire de l'analyse de données pour Sullivan toute la journée. Il feint la déception quand j'annonce que je n'aurai pas le temps de déjeuner… lui qui voulait annuler mais ne savait pas comment s'y prendre.

Je quitte le bureau de Stall et traîne les pieds dans le couloir en direction de mon box sans fenêtre. La pile de dossiers me rassure. Une telle quantité de travail est un don du ciel, une raison pour se terrer toute la journée. Je vais pouvoir me concentrer sur cette mission silencieuse, sans parler à personne.

Autant de travail m'occupera peut-être jusqu'au jeudi soir tard, ce qui me donnera une raison pour ne pas tenir la promesse que j'ai faite à Paige. Autant de travail m'obligera peut-être même à en emporter à la maison. Et lorsque ma mère m'enverra un e-mail en me demandant pourquoi je ne réponds pas au téléphone, je pourrai affirmer, la conscience tranquille, que j'avais trop à faire.

Je m'assieds à mon bureau et trie les dossiers de Sullivan en tentant de me convaincre que Paige s'attendra à ce que je lui pose un lapin. Cela ne la surprendra pas, je me dis, tout en luttant contre l'envie de détruire mon téléphone pour ne pas avoir à lire ses messages déconcertés au fil des heures le jeudi soir.

Le centre d'appels téléphoniques de la base me manque. L'inaccessibilité de l'endroit. La file d'attente pour appeler sa famille. La friture sur la ligne. La forte odeur de détergent industriel. Toutes les bonnes raisons pour raccrocher dès qu'on en avait besoin.

Le jour de mon anniversaire, peu après la mort de Marceau, je suis allé au centre d'appels juste avant l'heure du dîner. Le Philippin à l'accueil, un gamin maigre aux cheveux noirs mi-longs, m'a tendu une fiche bristol avec un numéro. Il m'a fait signe de rester dans la salle d'attente avant de se réinstaller sur sa chaise pour regarder un feuilleton sur son ordinateur portable.

Je me suis assis et j'ai attendu mon tour pour appeler à la maison, tout en observant le soldat de la garde nationale qui se trouvait dans ma cabine. J'essayais de savoir à son allure combien de temps j'aurais à attendre. Maigre et voûté dans son uniforme, il avait la quarantaine, les cheveux gris et le visage profondément ridé. Alors que d'autres grossissaient avec l'âge, lui s'affinait. J'ai fini par le reconnaître : il travaillait au mess. Assis sur un tabouret, son boulot était de vérifier que les Marines se lavaient bien les mains avant de manger. Il était payé pour ça, c'est tout. C'était toujours étrange de voir un simple soldat de quarante ans. C'était étrange de toute façon, de voir un garde national ici.

Je l'ai vu disposer cinq cartes téléphoniques sur la tablette et composer quatre numéros avant de trouver la carte qui fonctionnait. Lorsque quelqu'un a décroché en Amérique, il s'est penché en avant et il a éructé : « Remets l'argent sur le compte. » Son visage s'est empourpré, estompant les rides du bas vers le haut. « Remets l'argent sur le compte. Que j'aie quelque chose pour vivre quand je rentrerai. »

Il a remarqué que je l'observais, et j'ai tourné le regard pour ne pas l'embarrasser.

« Remets l'argent sur le compte. Remets l'argent sur le compte. Remets l'argent sur le compte. » De plus en plus fort. Puis cette femme en Amérique, qui qu'elle fût, est passée à l'offensive. Le garde a reculé sur sa chaise et a tenté de contenir l'assaut en répétant posément : « Sarah. Sarah. Sarah. »

J'ai regardé à nouveau. Il avait éloigné le combiné de son oreille pendant qu'elle criait. Apaisé l'espace d'un instant, il a fermé les yeux puis, vaincu, il a raccroché. Il s'est ensuite emparé de son fusil avant de passer devant moi, morose. Personne dans la tente n'a paru faire attention à lui.

Je me suis avancé vers la cabine vide, me suis assis et j'ai sorti une carte téléphonique de ma poche de poitrine. Ma sœur m'avait envoyé ce cadeau, mille minutes de communication, avec l'ordre d'appeler mes parents au moins une fois par semaine. Je n'ai jamais pu y parvenir, mais je faisais un effort le jour de mon anniversaire, au moins.

J'ai composé le numéro et vérifié l'heure pendant que la sonnerie retentissait. Je ne me rappelais jamais le nombre d'heures de décalage entre l'Irak et l'Alabama.

Ma mère a répondu avant que j'aie le temps de compter : « Vous êtes bien chez les Donovan.

— Salut, maman, c'est Pete.

— Oh… Pete !

— Désolé, j'ai oublié de vérifier. Quelle heure est-il chez vous ?

— Presque neuf heures du matin. Et il fait beau en plus. Je suis tellement contente de t'entendre ! Joyeux anniversaire ! Mais est-ce que c'est vraiment un *joyeux* anniversaire ?

— Oui. Merci.

— Tu veux parler à ton père, vite fait ?

— Oui, maman.

— Bouge pas. Je vais le chercher. »

Je l'ai entendue sortir sur la véranda à l'arrière de la maison et crier son nom. La porte à moustiquaire a claqué et j'ai visualisé le chambranle blanc, le fin grillage noir. Un monde verdoyant derrière. Une brise fraîche, des oiseaux, et des insectes bourdonnant dans les pins. La porte a grincé en s'ouvrant, des claquements de bottes ont retenti sur le sol de la cuisine et ma mère a dit : « C'est Pete. C'est son anniversaire. »

Il a pris le téléphone : « Fiston ?

— Salut, papa.

— Joyeux anniversaire.

– Merci.

– Tu le fêtes là-bas ? Tu as un gâteau, ou quelque chose du genre ?

– Non. C'est juste un jour comme les autres. » La cérémonie funéraire à la mémoire de Marceau avait eu lieu la veille. Je n'ai rien dit. « Qu'est-ce que tu fais aujourd'hui ?

– Oh, pas grand-chose. Je travaille dans le jardin. J'essaie d'empêcher le kudzu d'étouffer les pins.

– Et comment ça se passe ?

– Bah, ce n'est pas vraiment un combat à armes égales, si tu vois ce que je veux dire. Cette vigne ne cesse de pousser. » Il a soupiré. « Et toi, comment ça va ? Bien ?

– Oui. Ça va.

– Tu fais du bon boulot ? Tu travailles dur ?

– Oui.

– Bon, c'est le plus important. C'est comme ça qu'on passe un bon anniversaire.

– Oui.

– Bon, bah… prends soin de toi. Faut que j'aille bosser. Je te repasse ta mère. » Il lui a donné l'appareil et je l'ai entendu tousser pendant qu'il ressortait par la porte de derrière. Dans la verdure. Dans la brise.

Ma mère est restée silencieuse jusqu'à ce que la porte se referme. « Est-ce que tu as besoin de quoi que ce soit ? Tu veux qu'on t'envoie quelque chose ?

– Non, maman. Tout va bien. Je vais aller manger, en fait. Et il y a des gens qui attendent pour téléphoner. Il faut que j'y aille.

– D'accord. Joyeux anniversaire, mon chéri. » Et elle a ajouté d'une voix douce : « Ton père se fait un sang d'encre pour toi, tu sais.

– Oui.

– Il n'a qu'une hâte, c'est que tu rentres à la maison.

– Je sais.

– Je t'aime. Fais attention à toi.

– Je t'aime aussi. »

J'ai raccroché, je me suis levé et j'ai rendu la fiche au comptoir en sortant. Le sable m'a mitraillé le visage à cause du vent. Aussi chaud qu'un sèche-cheveux, même le soir. J'ai traversé le tarmac, au milieu des rangées de tentes et de bâtiments en aggloméré. Je suis passé devant le gymnase et l'épicerie. Je suis allé aux boîtes aux lettres et j'ai glissé deux enveloppes dans la fente. Une pour le père de Marceau, et une pour sa mère. Deux adresses différentes, dans deux États différents.

« C'est votre devoir », m'avait dit le commandant Leighton. « C'est à vous d'écrire aux parents pour les prévenir. C'est la loi. Pour le reste, faites comme bon vous semble. »

J'ai traversé la terre battue dans la pénombre, entre le vieux tarmac et le mess, pendant que l'alarme d'évacuation sanitaire retentissait dans la zone de maintenance. Le temps d'arriver au mess, deux hélicoptères avaient décollé. Ils ont viré en direction de Ramadi, filant à basse altitude. J'ai essayé de me rappeler l'ordre de mission pour la nuit, et si la compagnie avait des convois du côté de Ramadi.

Avant d'entrer dans le mess, j'ai vidé mon pistolet dans le tube et tiré sur la culasse pour m'assurer qu'il n'y avait plus de cartouche dans la chambre. Chaque arme devait être déchargée avant de pénétrer dans le mess, c'était le règlement. J'ai ensuite réenclenché la sécurité et glissé mon arme dans son étui.

J'ai avancé dans la file avec mon plateau, et le Bangladais qui était de service m'a garni mon assiette avec de la purée et un steak Salisbury. Cobb et les autres lieutenants étaient assis à leur table habituelle au fond de la tente. Je les ai comptés. Tous là. Personne de la compagnie n'était de sortie dans les environs de Ramadi, tout le monde était sain et sauf.

Un lieutenant que je ne reconnaissais pas était installé avec eux. Un type grand aux épaules larges, avec une carabine en bandoulière dans le dos – un officier d'infanterie *a priori*, qui ne travaillait pas à al-Taqadoum. Les lieutenants d'al-Taqadoum ne gardaient jamais leurs fusils sur eux dans la base. Nous les mettions toujours en sécurité dans le centre opérationnel lorsqu'on rentrait de mission à l'extérieur et nous ne gardions sur nous que nos pistolets.

J'ai parcouru des yeux le mess à la recherche d'un autre endroit où m'asseoir, une table vide où je pourrais manger seul sans que mon intention soit flagrante. Doc Pleasant et Dodge étaient assis ensemble, loin du reste de la section. Pleasant n'avait pas touché à son plateau, et j'ai remarqué pour la première fois qu'il avait maigri. Son uniforme flottait sur ses épaules. Dodge a désigné l'assiette de Doc et a commencé à piquer dedans, pensant peut-être qu'une fourchette étrangère encouragerait son camarade à manger quelque chose. Et ça a marché. Doc a éloigné Dodge d'un geste faussement exaspéré de la main et a pris une bouchée à contrecœur.

J'ai repéré Zahn et Gomez à l'écart, dans un coin éloigné eux aussi. Chacun les yeux rivés sur son plateau, ils attaquaient leur dîner. Ils parlaient par rafales, avec concision, tout en opinant du chef et en organisant la nourriture dans leur assiette afin de la consommer avec le maximum d'efficacité. Ils avaient l'air de construire la scène ensemble, avec détermination et une compréhension mutuelle. Cela renforçait l'image, aux yeux d'un jeune Marine, du sergent et de son caporal-chef, trop occupés, trop concentrés sur l'art de la guerre pour savourer leur repas.

Sous la table, j'ai remarqué leurs pieds. Elle tapait du bout de sa botte celle de Zahn pour reculer ensuite lentement son pied et lui, à son tour, faisait de même. Tous deux sans quitter leur plateau des yeux. J'ai fait comme si je n'avais rien vu et j'ai pris le large pour rejoindre la table des lieutenants.

Je me suis assis face au nouveau gars, le lieutenant d'infanterie avec la carabine, comme l'assemblée éclatait de rire.

Cobb pérorait devant sa cour. « Je suis sérieux ! Ils gardaient le truc dans une boîte sous un lit.

– Tu déconnes, mec. » Wong, celui qui dirigeait l'unité de distribution de carburant, a secoué la tête et a déchiré un petit pain. « Salut, Donovan. Ça va ? Faut que t'entendes ça. Cobb… recommence, mec. »

Cobb m'a adressé un signe de tête. « Salut, Pete. Vite fait, je te présente Brian Jagrschein. » Cobb a désigné du doigt l'officier d'infanterie. « Un pote de Quantico. Brian est avec Charlie Three-Nine à Ramadi. »

Je me suis penché par-dessus la table pour lui serrer la main, et j'ai dit : « Pete Donovan. Ravi de te rencontrer. Qu'est-ce qui t'amène par ici ?

– Transfert de prisonnier. C'est tout bon. Je laisse juste le temps à mes gars de bien manger avant de rentrer. » Il m'a regardé droit dans les yeux en me parlant, et il m'a plu immédiatement.

Une femme, pilote d'hélicoptère, était assise à sa droite. Je l'ai reconnue, ainsi que son pseudo, Moonbeam, inscrit en relief sur l'écusson de sa combinaison. Elle s'occupait des évacuations sanitaires. Et avait une bonne réputation. Une professionnelle.

« Bref, où j'en étais ? » Cobb a rassemblé ses esprits. « Ah, oui. Donc mon unité a trouvé le scorpion près du lac et ils l'ont mis dans une boîte de munitions. Ils l'ont ramené en douce dans nos quartiers et ils l'ont transvasé dans un carton. Ils ont balancé de la terre dedans avec quelques branchages, et ils ont décidé de le garder. C'est un peu devenu notre mascotte… »

À cet instant, la radio de Moonbeam, posée sur la table près de son plateau, a crépité. Entre les parasites, une voix a demandé de dégager la zone d'atterrissage à l'hôpital. Évasan : évacuation sanitaire. Trois blessés, urgence chirurgicale, arrivée dans deux minutes, prêts pour transfert immédiat. Elle s'est bouché une oreille pour ne pas être gênée par Cobb qui poursuivait son histoire.

« Ensuite, ils sont sortis de l'enceinte et ils ont attrapé quelques araignées-chameaux pour qu'elles se battent contre le scorpion. Oh, et ils l'ont appelé Fred. OK ? Fred, le rôdeur mortel. Le scorpion le plus dangereux du monde. Je ne rigole pas.

– C'est qui ? » a chuchoté Jagrschein à Moonbeam alors qu'elle s'efforçait d'entendre ce qui se disait à la radio. « Quelle section ? »

Elle a posé l'émetteur sur la table et a baissé le volume presque complètement. Elle a secoué la tête. Pas pour dire qu'elle ne savait pas, mais pour signifier que ce n'était pas le moment de poser la question.

« Et qu'est-ce que ces couillons ignoraient ? Que les araignées-chameaux sont les proies naturelles des rôdeurs mortels. Donc, en fait, c'était pas vraiment un combat. Ils lui donnaient sa pitance plutôt. Ils ont lâché les grosses araignées dans le carton et Fred le scorpion les a tuées en cinq secondes et il les a toutes bouffées. Bref, ils ont nourri cet enfoiré. Et constamment. Tant et si bien qu'il est devenu de plus en plus gros. *Très* gros même. »

Jagrschein s'est aperçu que je fixais ma purée, faisant de mon mieux pour ignorer Cobb, et il a décidé de me parler. Il cherchait peut-être à ne plus penser à l'hélicoptère en route pour l'hôpital avec des Marines à bord. Peut-être ses Marines.

« Alors, Pete, tu construis des avant-postes toi aussi, comme Cobb ?

– Non. J'ai la section travaux. On répare les routes. On bouche des nids-de-poule, des cratères, ce genre de truc.

– Tu as déjà colmaté un cratère à Ramadi ?

– Pas encore. À Falloujah surtout. À Habbaniyah, et plus au nord. »

De l'autre côté de la table, Wong est intervenu dans l'histoire du scorpion de Cobb. « Ouais, mais dis-leur comment tu les as trouvés », a-t-il suggéré, enthousiaste. « Quand t'es arrivé et qu'ils le nourrissaient… »

Cobb a souri à Wong. « Ah oui ! Merci de me le rappeler. Donc, j'allais dans les baraquements pour voir si les caporaux-chefs avaient préparé les gars à partir pour la mission du jour, et j'ai trouvé tout le monde agglutiné autour de la boîte en carton, en train de crier et d'applaudir… »

La radio de Moonbeam a encore crépité. Elle s'est levée, délaissant son plateau, et elle est partie précipitamment.

« … et je me dis : "Qu'est-ce que c'est que ce bordel ? Vous savez à quel point ce scorpion est mortel ? Vous avez déjà entendu parler des neurotoxines ?" Franchement, une morsure et tu convulses comme un malade, tu baves et tout. Et, cerise sur le gâteau, les stocks d'antivenin les plus proches sont carrément en Allemagne… »

Jagrschein a suivi Moonbeam des yeux pendant qu'elle quittait le mess, et il a semblé se demander s'il devait l'accompagner ou non.

« Et toi, Brian, ai-je lancé pour attirer son attention, tu opères dans les environs de Hurricane Point ? »

Il s'est tourné vers moi. « Absolument.

– Patrouilles ? Forces d'intervention rapide ?

– Ouais. Enfin, en quelque sorte. On a nos propres missions, en fait, avec mon unité. Des opérations spéciales.

— Mec, t'as pété un plomb quand tu les as trouvés comme ça ? »
Wong riait aux éclats.

Cobb a haussé les épaules. « Non, j'ai gardé mon sang-froid.
Mais ils ont cessé de crier et tout quand ils m'ont vu. Ça c'est sûr.
J'ai pas dit un seul mot. Je suis ressorti, c'est tout, et je suis allé
voir l'adjudant…

— Quel genre d'opérations spéciales ? j'ai demandé à
Jagrschein. Postes de contrôle ? Sites sensibles ?

— Nan, rien de tout ça. On escorte tous les jours le gouverneur
de la province d'al-Anbar pour qu'il aille travailler. On va le chercher chez lui, on doit se battre tous les matins pour l'emmener
au QG du gouvernement, et se battre tous les après-midi pour le
ramener à la maison.

— Se battre ?

— Ouais. Ça tire constamment.

— … et j'ai dit à l'adjudant : "Vire-moi ce putain de scorpion des
baraquements. Tue-le ou relâche-le, je m'en fous…"

— Mais pourquoi le faire, alors ? ai-je demandé. Pourquoi ne
pas juste lui dire de dormir au QG du gouvernement ? »

Jagrschein a haussé les épaules. « Pour conserver les apparences,
j'imagine. On part à la même heure tous les jours. On change un
peu l'itinéraire, mais sinon c'est un combat de tous les instants. La
ville entière sait quand il part et quand il revient. Un type courageux, il faut le reconnaître. Il est le dixième gouverneur en deux
ans. Les neuf autres ont été assassinés.

— … mais l'adjudant m'a répondu : "Mon lieutenant, on ne peut
pas faire ça. Ils se sont attachés à Fred le scorpion. C'est comme
leur animal domestique maintenant. Si on le tue, on va briser le
moral des troupes…"

— Qui a décidé ? ai-je poursuivi. Qu'il rentrerait tous les soirs ?
C'est lui ou c'est le commandant du régiment ?

— Lui, je crois. Si quelqu'un avait exigé qu'il le fasse, je suis
sûr qu'il aurait refusé il y a longtemps. Les bureaux du QG du
gouvernement ? Ils sont en hauteur, donc l'ennemi a une ligne de
tir directe sur le bâtiment de n'importe où dans le quartier. On lui
enfile un gilet pare-balles et un casque, par-dessus son costume et

sa cravate, et on lui fait monter l'escalier quatre à quatre. Toujours sous les tirs. Une vraie galère. Et toutes les douilles par terre ! On n'arrête pas de glisser dessus en essayant de répliquer.

– … donc on a trouvé un compromis. J'ai dit à l'adjudant : "Écoute, noie cette sale bestiole dans le gazole pour conserver son corps, et on le mettra dans de la résine époxyde. D'accord ? Fais-en un presse-papiers, ou un truc comme ça…"

– Et on patrouille à pied autour du QG du gouvernement pendant le journée, pour que l'ennemi reste un peu sur la défensive. Histoire de les maintenir suffisamment à l'écart pour pouvoir passer le portail dans l'après-midi sans se faire pilonner au lance-roquette. On essaie de les empêcher de planquer des engins explosifs sur toutes les routes. Et les patrouilles à pied, mec ? Ça rigole pas, ça. On fait tout le chemin à fond de train. Ça tire dans tous les sens.

– … ensuite, après trois jours à tremper dans le gazole, les Marines l'ont récupéré avec une pince en l'attrapant par la queue. Ils étaient sur le point de le mettre dans la résine époxyde, et l'enfoiré est revenu à la vie ! Il s'est tortillé pour se libérer de la pince, et une fois tombé par terre, il s'est enfui. Fred, l'indestructible pétroscorpion ! Donc, quelque part dans cette base rôde le plus gros scorpion du monde, et il résiste à nos armes.

– Toute cette ville, Ramadi, a déclaré Jagrschein, est prête à exploser.

– Voilà, vous connaissez mon histoire de scorpion maintenant. » Cobb a levé les yeux de son steak Salisbury et s'est rendu compte que l'assemblée ne faisait plus attention à lui. La moitié des lieutenants écoutait à présent Jagrschein.

Mais Wong lui restait fidèle. « C'est à mourir de rire, Cobb. Tu devrais écrire cette histoire.

– Désolé, je te retiens, ai-je dit à Jagrschein. Tu veux sûrement aller vérifier cette évasan.

– Ouais, je devrais. »

Il s'est levé pour partir. Je l'ai imité.

« Heureux d'avoir fait ta connaissance, Pete, a-t-il conclu. Passe me voir à Hurricane Point, si tu es dans le coin. »

Il a tourné les talons et s'est éloigné en direction de la porte. J'avais encore à manger dans mon assiette, mais aucune envie de me rasseoir pour écouter Cobb et Wong. Suivre Jagrschein n'était pas non plus une option, il penserait peut-être que je voulais prolonger la conversation. Donc je me suis dirigé vers la table des desserts avec mon plateau, et j'ai examiné les tranches de gâteau jusqu'à ce que Jagrschein ait quitté le mess. Ensuite, je suis parti moi aussi.

J'ai pris un raccourci pour rejoindre les quartiers de notre compagnie, puis j'ai décidé d'admirer le fleuve du haut du talus. J'ai grimpé jusqu'au sommet, où je me suis assis. L'éclat de la pleine lune illuminait les bâtiments devant moi, baignait le fleuve et les champs inondés, et chatoyait dans la chaleur des générateurs de Habbaniyah.

Une étrange idée m'a traversé l'esprit : je ne devrais pas laisser passer mon anniversaire sans marquer un minimum le coup. Je ne pensais pas le mériter, non. C'était surtout à cause des enveloppes que j'avais postées plus tôt. Les mots vides et inutiles adressés aux parents de Marceau. J'ai pensé au premier principe de leadership qu'on nous avait appris à l'école d'officiers : *Connais-toi toi-même et aspire toujours à t'améliorer.* Une vraie connerie.

Après quoi, tandis que je cherchais un point de départ pour commencer à mieux me connaître, la porte du baraquement a grincé en contrebas, et quelqu'un a marmonné en escaladant le talus. Je n'ai pas bougé. L'individu a glissé, a planté un genou dans la terre, et a juré : « Putain. »

J'ai tout de suite reconnu la voix – Dodge –, mais suis resté silencieux jusqu'à ce qu'il arrive en haut et s'installe à quelques mètres de moi, un livre à la main.

« Dodge ? »

Il a sursauté. « *Mulazim* ? Putain. Vous m'avez fait peur.

– Désolé. Ce n'était pas voulu.

– Depuis combien de temps vous êtes assis là, *mulazim* ?

– Pas longtemps. Quelques minutes, peut-être ? Tu sais que tu n'as pas le droit de venir ici, n'est-ce pas ?

– Oui. » Il a souri. « Et vous ? »

J'ai souri en retour. « C'est une occasion particulière.

– Ah bon ?

– C'est mon anniversaire.

– Ah, bah, joyeux anniversaire alors, *mulazim*. » Il a glissé le livre sous sa jambe et a fait mine d'applaudir.

« Comment on dit "joyeux anniversaire" en arabe ?

– *'Eid milad sa'id.*

– J'aime bien, ai-je menti inutilement. J'essaierai de m'en souvenir. » Nous sommes restés sans rien dire un moment et j'ai senti qu'il aurait aimé que je parte. Soudain angoissé à l'idée de me retrouver seul, je l'ai obligé à continuer de me parler. « Qu'est-ce que tu fabriques avec ce bouquin, au fait ? J'ai toujours voulu te le demander.

– Ça ? » Il a pris le livre sous sa cuisse. « C'est juste un truc que j'étudie. Un truc que j'aime bien.

– Je peux voir ? »

Il a hésité. Puis, haussant les épaules, il m'a tendu l'ouvrage. « Bien sûr. »

À la lueur de la lune, j'ai lu les mots défraîchis sur la page de titre abîmée. « *Huck Finn* ? Vraiment ?

– Évidemment. » Dodge avait gardé la main tendue, attendant que je lui rende le livre.

J'ai parcouru quelques pages, couvertes de notes en arabe et en anglais. « Tu lis vraiment ça ? Enfin, c'est difficile pour beaucoup d'Américains.

– Oui. Comme je vous l'ai dit, je l'étudie. » Il a fermé la main plusieurs fois, avec insistance, donc je lui ai rendu le livre.

« Où as-tu appris à parler anglais ? Ça fait longtemps que je voulais te le demander aussi.

– À l'école.

– À la fac ? »

Il a eu un mouvement de recul. « Il paraît que je ne dois pas parler de ça.

– Oh, c'est vrai, désolé. » Le silence est retombé, puis j'ai trouvé autre chose à dire, une nouvelle raison de le retenir. « Tu as l'air de bien t'entendre avec Doc Pleasant. C'est bien.

– Ah bon ?

– Oui. Vous êtes tous les deux encore nouveaux dans la section. Et, tu sais… c'est toujours bien d'avoir un pote.

– Vous le pensez vraiment, *mulazim* ? »

J'ai haussé les épaules. « Bien sûr.

– Parce que j'ai eu l'occasion de vous observer, et vous n'avez pas l'air d'avoir d'amis du tout. » Il a attendu ma réaction un instant, puis a poursuivi : « C'est votre anniversaire, aujourd'hui ? Et vous venez ici tout seul ?

– C'est vrai. » J'ai ri. « Mais j'ai des amis. C'est juste que… pas ici.

– Pas ici. » Dodge a hoché la tête d'un air entendu. « Oui. Avoir des amis ici, c'est problématique. »

J'ai levé les yeux vers lui, scrutant son visage au clair de lune. Son expression, habituellement détendue et avenante, m'a paru à cet instant sans pitié. Il avait presque l'air menaçant, le regard rivé sur le fleuve.

« Je n'en suis pas si certain. » Et, pour lui montrer que je n'étais pas complètement borné, j'ai ajouté : « Écoute, je sais que ça ne peut pas te plaire, ce que nous… Enfin, le fait qu'on soit ici. Mais j'espère qu'on peut être amis quand même. » Quel crétin de dire ça, ai-je songé.

« Vous croyez vraiment que c'est ça qui me contrarie, *mulazim* ? Le sort de Saddam ?

– Quoi, sinon ? Pourquoi on ne peut pas être amis ? » J'ai souri et me suis penché pour lui donner un petit coup de coude, histoire d'alléger l'atmosphère.

« Parce que si on a des amis, ça veut dire qu'on a des gens autour de soi.

– Bien sûr. Mais c'est une bonne chose, non ? »

Dodge a secoué la tête. « Vous ne comprenez pas. Les gens ont des ennemis. D'autres gens. Des gens qui veulent vous couper la tête. Il suffit d'un ami. Comme vous. Si je suis votre ami, alors tous les Américains sont mes amis, et tous les autres sont mes ennemis. Si je me lie d'amitié avec un Kurde, alors tous les Kurdes sont les miens et je serai contre les sunnites et les chiites. » Il a agité le dos de sa main en direction du fleuve. « On ne peut pas avoir d'amis ici. On ne peut pas faire partie d'un groupe. » Puis il a ajouté, en soupirant : « On a une famille, c'est tout. »

J'ai attendu un peu avant de prendre la parole. « Tu as une famille, Dodge ? »

Il a soupiré à nouveau. « J'ai un père et un frère. C'est tout.

– Oh. C'est bien, déjà.

– Et vous, *mulazim* ? Vous avez une famille ? »

Je me suis frotté les mains et j'ai acquiescé. « Bien sûr. Bien sûr. J'ai des parents. Une mère et un père. Ils vivent encore ensemble. Toujours mariés. » Je me suis dit que ce détail sur le mariage intact de mes parents, toujours si essentiel pour les Américains de mon âge, pouvait être insignifiant pour Dodge. Les enveloppes me sont brusquement revenues à l'esprit. La mère et le père de Marceau et leurs adresses différentes.

« Mes parents sont profs, ai-je poursuivi. Ma mère enseigne le français et mon père est proviseur. Il entraîne l'équipe de football aussi. De football américain, je veux dire.

– Vous avez des frères et sœurs ?

– Une sœur.

– Elle est mignonne ? » Dodge a eu un sourire narquois. « Ça pourrait être une bonne raison pour devenir votre ami, si vous y tenez vraiment.

– Je crois que oui. » J'ai ri. « Elle est plus vieille que moi. Et, bien sûr, elle est mariée. Enceinte de son premier enfant aussi, en fait.

– Vous allez être oncle *Mulazim* bientôt ?

– Juste Pete. Oncle Pete.

– Oncle Pete *Mulazim*.

– Encore mieux. L'oncle Pete "inutile". Pas mal, non ? »

Nous sommes à nouveau restés sans mot dire, pendant une bonne minute.

Enfin, j'ai suggéré : « Tu sais, si tu as besoin d'aller voir ta famille, dis-le-moi. On te fera escorter.

– Merci. *Shoukran*. Mais ça ne va pas être possible.

– Tu n'as pas envie de voir ton père ? Ou ton frère ?

– C'est eux qui ne veulent pas me voir, j'en ai bien peur. »
Dodge a souri.

« Ça m'étonnerait.

– Vous devriez me croire, *mulazim*.

– D'accord. Je te crois sur parole. » J'en suis resté là. Je me
suis levé pour partir. Un bon leader se devait de laisser la vue à
Dodge. « Allez, bonne nuit, Dodge. » J'ai épousseté mon pantalon.
« C'était bien de se parler.

– *'Eid milad sa'id.* »

J'ai fait volte-face et j'ai avancé dans la terre meuble, dévalant
la pente du talus.

« Téléphonez à vos parents, *mulazim*, a lancé Dodge dans
mon dos.

– On ne cesse de me le dire.

– Faites-le. Sinon, ils seront déçus. » Je l'ai vu ouvrir son livre.
Je me souviens qu'une pensée m'a traversé l'esprit à ce moment-
là. Quelque chose que j'ai voulu partager avec Dodge en ce jour
d'anniversaire, mais c'était impossible à cette distance.

C'est nous, ai-je songé. C'est nous qui serons déçus. Cette guerre
restera dans notre souvenir comme la dernière fois que nos parents
nous auront déçus.

Je n'ai rien dit, et l'ai laissé lire son livre au clair de lune.

Papa,

On dirait bien que je vais rester ici un peu plus longtemps que prévu. Surtout parce que le magasin de La Nouvelle-Orléans a besoin d'une personne supplémentaire pendant les vacances. C'est peut-être une bonne opportunité, tu vois ? Histoire de montrer que je pourrais gérer la boutique de Houma tout seul un de ces quatre. Je vais loger chez Landry et je chercherai un endroit temporaire dans quelques jours. Je rentrerai en voiture le soir de Noël et je resterai jusqu'au lendemain matin. Pour prendre des vêtements et des trucs, mais je dois travailler à La Nouvelle-Orléans le jour d'après. C'est promis, je t'appelle.

Lester

« *Trouble in River City* »

Lizzy plie mes habits sur son lit, en séparant les vêtements de travail des autres. C'est pas qu'il y ait une grande différence. Trois pantalons et six chemises. Elle se complique moins la vie avec ses propres fringues. Elle les balance en tas par terre avec le reste.

Je suis assis, le dos calé dans ses oreillers. Me sens totalement inutile. « Pas la peine de t'embêter.

– C'est rien, mec. » Sans quitter la télévision des yeux, elle me demande : « Tu suis ce qui se passe en Tunisie ? »

Je regarde par-dessus son épaule les images des informations. De la fumée et des bombes, des policiers qui tuent des gens à l'air innocent dans une ville du Moyen-Orient. Pas un truc qui m'intéresse *a priori*, si on me donne le choix. « Pas vraiment. Pourquoi ?

– Ben, la semaine dernière, il y a un type qui s'est immolé devant une préfecture pour protester contre l'oppression gouvernementale. Et maintenant, tout le monde est dans la rue. On dirait qu'ils vont même peut-être réussir à destituer ce dictateur, ce Ali machin-truc, là.

– Waouh. Dingue.

– Carrément. Et le plus dément c'est qu'ils ont tweeté le truc en direct et tout, jusqu'à ce que le gouvernement bloque Internet.

– Regarde ça », dis-je en fixant la télévision par-dessus son épaule. C'est la nuit là-bas, et les gens installent des barricades sur un rond-point. Ils agitent des drapeaux, ils crient des slogans, ils manifestent.

« Bon. Et l'Irak, dit Lizzy, glissant doucement à la question qu'elle voulait poser depuis plusieurs jours. Tu y étais quand ?

– Vers 2006.

– Et ce que t'as fait, ce que t'as vu là-bas, est-ce que ça influence ta façon de voir le monde ? Genre : ce qui se passe en Tunisie ?

– Ma façon de voir quoi ? Les émeutes ?

– Non, mec. La putain de liberté. Les gens qui se battent pour leur liberté. »

Je prends un moment pour réfléchir et trouver autre chose à dire que la vérité, à savoir que je ne pense jamais à ça, et je lâche : « Bah, j'espère que tout le monde s'en sortira sain et sauf. »

Lizzy ne peut réprimer un petit sourire narquois et elle se tourne vers la télévision, le front ridé, charmante. Elle est perplexe, ce qui est compréhensible j'imagine, dans la mesure où je ne sais pas moi-même ce que j'entends par ce que je viens de dire.

« Tu espères que tout le monde s'en sortira sain et sauf ? répète-t-elle finalement, comme si j'avais dit un truc idiot sans m'en rendre compte.

– Oui. » Je hausse les épaules. « Je déteste quand les gens se blessent.

– Mec… » Elle éclate de rire. « Tu étais à la guerre. »

Je cherche mes mots. « Ouais, je suppose qu'on peut appeler ça comme ça. »

Elle rit de plus belle. « Désolée. Je ne voulais pas me moquer, ou quoi. Je ne croyais pas qu'un vétéran dirait ce genre de chose, c'est tout. Je pensais que vous étiez tous du genre : Tant mieux pour eux. Il faut se battre pour la liberté ! Que vous étiez à fond, quoi. »

J'aimerais avoir dit quelque chose de mieux, de plus avisé, parce que cette réponse de loser, espérer que personne ne soit blessé, me colle à la peau maintenant. Je m'efforce de paraître concerné pour que la prochaine fois je dise un truc moins con.

Mais Lizzy a l'air d'être déjà passée à la suite. Elle se tourne vers l'écran et dit : « Je me demande comment ils arrivent à bloquer Internet dans tout un pays ?

– Ils le faisaient en Irak, à une plus petite échelle. Pas les Ira-kiens. Les Marines, je veux dire. »

Lizzy se redresse. « Ah bon ?

– Ouais. Quand quelqu'un était blessé. Ils coupaient les téléphones et Internet pour que personne ne puisse appeler ou écrire à ses proches pendant quelques jours. Ils appelaient ça River City.

– Pourquoi ?

– Pourquoi ils appelaient ça comme ça ?

– Non, je sais pourquoi ils appelaient ça comme ça. Je veux dire, pourquoi ils coupaient les téléphones et Internet ?

– Ah. » J'ai cessé de réfléchir à la meilleure façon de dire la vérité. « Parce qu'ils voulaient pas que les familles apprennent ce qui s'était passé par les journaux ou les voisins, je pense.

– Apprennent que quelqu'un était blessé ? On en parlait aux infos, de ça ? »

J'ai inspiré. « Ouais. Enfin, tué. Je voulais pas le dire comme ça, mais c'était surtout quand quelqu'un se faisait tuer.

– Oh, désolée, Les. C'est nul.

– Ça va. Ça arrive. »

Je m'en veux maintenant. D'avoir abordé la question. La conversation est devenue emmerdante. Et elle se retrouve à dire des trucs emmerdants, genre : « C'est nul. » J'ai encore le temps de bassiner cette fille avec cinq trucs emmerdants avant qu'elle me vire, je me dis, et je me prends à espérer que ça n'arrive pas tout de suite.

Mais une question me vient à l'esprit. « Attends. Comment ça, tu sais pourquoi ils appelaient ça River City ?

– Pas toi ? »

Je lui confirme que non d'un signe de la tête.

« *The Music Man*. Tu connais ? La comédie musicale ? Il y a une chanson intitulée *There's Trouble in River City*. » Elle finit de plier mon linge.

« Tu aimes les comédies musicales ?

– Répète ça à mes amis et je te tue. » Elle me lance un caleçon à la figure, et je souris. Malgré tout ce que Landry m'a raconté sur Lizzy, cette histoire pourrait tenir encore une semaine. Peut-être même jusqu'au jour de l'An.

Je regarde à nouveau par-dessus son épaule les images de la Tunisie à la télé.

Je pense à Kateb. Je parie qu'il aurait quelque chose à m'apprendre sur la question.

« *Le colonel Grangerford était un gentleman, vous comprenez,
pense Huck. Il était un gentleman des pieds à la tête ; et c'était
tout pareil pour sa famille. Il était bien né, comme on dit, et ça
vaut tout autant pour un homme que pour un cheval, c'est ce que
disait la veuve Douglas.* »

*Huck comprend qu'il n'y a pas d'honneur à naître dans une bonne
famille. Mais il ne peut résister aux charmes du colonel Grangerford, un gentleman bien né. Le fleuve coule vers le sud, et pendant qu'ils sont sur le radeau, Huck est heureux de flotter au fil
de l'eau. Mais une fois à terre, Huck a terriblement besoin d'un
homme d'autorité.*

Le second fils d'Abou Mohammed

Des balles fusent au-dessus de nos têtes, et la jolie fille près de moi se cramponne à mon bras.

« Ne t'inquiète pas, je crie pour me faire entendre malgré le tumulte. Ces balles ? C'est juste des avertissements. Histoire de nous faire peur et de nous faire rentrer à la maison. »

Elle opine du chef et se met à pleurer.

« Viens, je hurle. Mets-toi contre ce mur. »

La foule en panique se bouscule derrière nous. Si j'arrive à retenir cette fille, à l'empêcher de courir, on évitera peut-être de se faire piétiner à mort.

J'aperçois mes colocataires au centre de la place. Ils se cachent derrière une statue et semblent être surpris par les tirs. C'est trop pour eux, et maintenant évidemment ils voudraient rentrer à la maison. J'avais bien raison de ne pas vouloir sortir. Les idiots.

La fille me demande pourquoi je suis si calme.

« L'Irak, cousine. C'est normal pour nous, là-bas. »

Dans un moment il y aura une accalmie et nous pourrons fuir. La foule va se clairsemer, nous pourrons regagner l'avenue principale et nous rapprocher de notre appartement. Mais je me rends compte qu'après les premiers tirs, personne ne bouge. Tout le monde reste. Et les policiers, qui viennent de procéder aux tirs de sommation, sont maintenant un peu désemparés. Ils croyaient que nous allions déguerpir. Nous étions restés malgré les gaz lacrymogènes. Nous restons malgré les tirs de semonce. Ils n'ont plus d'alternative, et je ne crois pas qu'ils veulent nous tuer.

La foule commence à comprendre ce qui se passe et des acclamations s'élèvent ici et là.

Même la jolie fille. Elle bondit de joie tout en m'enlaçant. « Ça y est, crie-t-elle. Ça y est ! On y est ! »

La foule en liesse se met à chanter *Touness bledna* (« Tunisie notre pays »). La jolie fille m'entoure la taille tout en chantant elle aussi, et nous nous balançons en rythme. « Pourquoi tu ne chantes pas ? demande-t-elle après quelques paroles.

– Parce que la Tunisie n'est pas mon pays, cousine, je réponds sans hésiter. Je suis juste de passage. »

Elle fronce les sourcils et détourne le regard. Vers les siens. Se concentre sur la chanson.

Hani s'en tirerait mieux que moi avec cette fille. Il saurait comment l'embrasser et l'aurait déjà fait à l'heure qu'il est, j'en suis sûr.

Mon père aimait bien Hani et disait souvent que nous aurions dû être frères, lui et moi. J'ai toujours pensé que mon père voulait dire qu'il aurait préféré avoir Hani comme second fils.

Hani rendait à mon père son affection en s'excusant pour moi. Nous, les enfants de Saddam, avons appris à faire ça très tôt. Supplier c'était aimer, et une confession ficelée dans un mensonge, de la flatterie. Lorsque nos aventures se prolongeaient jusque tard dans la nuit, lorsque nous manquions le dîner, ou que nous ne rentrions tout simplement pas à la maison, Hani montrait à mon père son amour en avançant des explications plausibles sous forme d'excuses, d'aveux et de mensonges.

« C'est la seule chose à faire, disait-il. Ton père est vieux et fatigué. Il faut le respecter. Avoir au moins la décence de mentir. »

Tard le soir ou tôt le matin, il pénétrait dans la maison sans lumière. Il n'était jamais question de rentrer en catimini, avec le bruit de la lourde porte d'entrée et celui de nos pas sur le carrelage. Mon père sortait de sa chambre en peignoir et chaussons, les cheveux soigneusement lissés pour la nuit.

Hani s'avançait vers lui et implorait son pardon, prétendant qu'il avait eu des problèmes avec ses devoirs et que j'avais bien voulu rester pour l'aider.

Mon père savait que nous lui mentions, j'en suis sûr. Il n'était pas bête, et il connaissait Hani aussi bien que ses deux fils. Mais il appréciait mon amitié avec Hani. Il appréciait son optimisme. Je crois qu'il était fier que je puisse avoir un ami aussi loyal.

Il éloignait Hani en lui tapotant la joue et en déclarant : « Laisse-moi dire deux mots à Kateb. »

Mais il ne me réprimandait jamais. Il ne m'a jamais frappé, même quand j'étais enfant, après la mort de ma mère. Il se contentait de repartir dans sa chambre et de me demander doucement où nous étions allés. Il souriait et me taquinait gentiment, s'inquiétant pour mon avenir. « Comment, disait-il, puis-je avoir un fils si paresseux et si coquin ? »

Au fond je m'en fichais, je n'éprouvais donc pas le besoin de m'excuser ou de mentir à mon père, mais Hani cherchait toujours à plaire. La respectabilité de mon père l'impressionnait. Ce dernier était un des hauts fonctionnaires historiques de Saddam, digne et imperturbable. Et nous, les enfants élevés sous Saddam ? Nous n'étions jamais vraiment libres. Même si notre adolescence nous poussait vers la rébellion, l'État nous ramenait toujours à la maison.

Donc, lorsque mon père et mon frère sont apparus dans notre « ville touristique » et sont sortis de la vieille Mercedes, en pantalon et chemise élégants, comme si rien n'avait changé, Hani a suivi son instinct premier.

Il s'est dirigé vers la voiture et a posé la main de mon père sur son front. « Abou Mohammed, au nom de Dieu, je vous demande pardon. »

Mon père a souri et a pris les joues de Hani dans ses mains. « Au nom de Dieu, je te pardonne. Tu es un bon garçon, Hani. Que la paix soit avec toi. »

Pendant ce temps, je suis resté sur le pas de la porte de la ferme comme un gamin coupable qui redoute d'approcher.

« Et regarde Kateb ! C'est un homme maintenant ! »

Mon frère Mohammed se tenait derrière Hani et souriait. De ce sourire que je connaissais depuis longtemps, celui qu'il avait adopté un jour où mon père m'avait réprimandé pour avoir volé des bonbons. Le sourire satisfait de l'aîné, du plus vieux des fils dont notre père avait tiré son nouveau nom en cette époque de guerre : le père de Mohammed.

Je me souviens, à ce moment, avoir voulu montrer à Mohammed que nous n'étions plus des enfants. Que j'étais un homme comme lui, que son sentiment de supériorité ne m'impressionnait pas le moins du monde. Que j'étais heureux d'inviter mon père et mon frère à boire le thé dans notre campement. Heureux de les présenter à mes nouveaux amis. Je voulais me montrer digne.

Au lieu de quoi, lorsque mon père a souri et m'a ouvert les bras, je me suis avancé, l'ai enlacé et me suis mis à sangloter. J'ai pleuré parce que j'étais content de le voir en vie et que je regrettais de ne pas être rentré à la maison après mon rendez-vous avec le professeur al-Rawi, bien des mois plus tôt. Je regrettais d'avoir eu peur de combattre. J'ai pleuré parce que je me sentais coupable de n'avoir pas vraiment essayé de le retrouver. J'ai pleuré comme un orphelin.

Nous nous sommes attardés un moment, mon père me consolant en me disant qu'il m'aimait. Après m'être dégagé de son étreinte, je me suis approché de Mohammed. Mon frère m'a serré contre lui, m'a passé la main dans les cheveux et a ri. « Tu as l'air d'une femme, avec les cheveux longs comme ça. »

Je me suis penché et lui ai tiré la moustache. « Et toi, t'as toujours l'air d'un petit commerçant. Tu fais vieux, avec cette moustache ! »

C'était une blague qui datait d'avant la guerre, quand je me moquais de lui parce qu'il s'était enrôlé dans l'armée de Saddam. Mohammed avait été officier, capitaine de la garde républicaine, mais j'insistais toujours pour dire qu'il avait l'air d'un petit commerçant. C'était drôle à l'époque. Mais comme l'armée n'existait plus, la blague est tombée à plat.

Il s'est raidi, et je ne peux pas dire que je ne m'y attendais pas.

Malgré tout, nous avons marché main dans la main jusqu'au feu de camp pendant que Hani partait en courant chercher Moundhir et Abou Abdoul.

Mon père et mon frère se sont assis face à moi, stupéfaits devant la ville touristique de Hani qu'ils découvraient petit à petit. D'abord curieux, ils se sont vite montrés perplexes. Il y avait à présent des lampes à huile et des chaises cassées éparpillées autour de la cabane de la plage. Un des Marines de Pederson avait donné à Hani une guirlande de petits drapeaux en plastique publicitaires à l'effigie d'une marque de bière américaine, et il l'avait suspendue sous l'auvent.

« Hani nous a raconté votre projet quand on l'a croisé au marché, a dit Mohammed.

– Oh, ai-je fait, surpris. Hani ne m'avait pas parlé de cette rencontre. Vous aimez notre petite station balnéaire ?

– Pourquoi pas ? C'est agréable pour se détendre. Et un endroit sûr entre Samara et Ramadi, ce n'est pas facile à trouver. »

Haji Fasil est apparu sur le pas de sa porte, et mon estomac s'est serré quand l'enveloppe de Pederson m'est revenue en mémoire.

« Kateb, mon petit, m'a sermonné Haji Fasil, tu ne me présentes pas à ta famille ? »

Je me suis levé. « Père, je te présente Haji Fasil. C'est sa ferme. Il nous a sauvé la vie et nous a ouvert sa maison, Dieu merci. C'est mon ami. »

Mon père, qui s'était levé avant que j'aie fini de parler, s'est approché de Haji Fasil et l'a embrassé sur les joues. « Haji. Que Dieu vous bénisse. Merci. Que la paix soit avec vous. Merci. »

Haji Fasil s'est laissé embrasser, mais n'a rien offert en retour. Son visage est resté de marbre. Il s'est contenté d'articuler : « Dieu soit loué, telle était sa volonté. »

Haji Fasil est rentré à l'intérieur pour préparer du thé, et lorsqu'il est ressorti, nous étions tous réunis autour du feu de camp.

« Ton père vit tout près d'ici, Kateb, a dit Hani d'une voix mielleuse. À Habbaniyah. »

Haji Fasil s'est agité en entendant le nom de la ville, sachant quel genre d'hommes trouvaient à s'y loger : les loyalistes au régime de Saddam. « Comment avez-vous pu vous installer là-bas ?

– Grâce au cheikh Hamza, que j'ai connu pendant la construction du Grand Canal. Il a fourni au ministère des hommes pour creuser. Il nous a donné, à Mohammed et moi, l'ancienne maison d'un officier de l'armée de l'air. Mais nous n'y sommes que temporairement. Jusqu'à ce que nous retournions à Bagdad.

– Quand les chiites s'autodétruiront, a ajouté Mohammed d'une voix monocorde avant d'avaler une gorgée de thé. Vous connaissez le cheikh Hamza, Haji Fasil ?

– Non. » Il a haussé les épaules. Simple marchand, sous la cuirasse de ses habits de bédouin élimés, Haji Fasil avait eu plusieurs fois ce genre de conversation, j'en étais sûr.

« Nous allons emmener Kateb avec nous, ce soir, a déclaré Mohammed. Il faut qu'il voie son neveu. » Mon frère a frappé la terre du pied dans ma direction. « Ibrahim te réclame, Kateb. » Il a fini son thé en buvant longuement. « Vous pouvez vous passer de lui, n'est-ce pas, Haji Fasil ?

– Oui, oui. » Haji Fasil a fait un geste de la main. « C'est Hani qui gère. Kateb étudie surtout.

– Bien. Il faut qu'on y aille, alors. Les contrôles de nuit vont bientôt commencer. » Mohammed s'est levé et a enfoncé les mains dans ses poches.

Mon père a posé délicatement sa tasse dans le sable et s'est levé aussi. « Tu es prêt à partir, Kateb ? »

Leurs ombres sont restées suspendues au-dessus de moi, comme les vieilles statues à la gloire de Saddam.

« Dans deux minutes, ai-je répondu, songeant à l'enveloppe. Il faut juste que je rassemble mes affaires. »

L'enveloppe pouvait me permettre de rester en liberté et en vie si les Américains nous tombaient dessus.

« Pas la peine, mon frère. » Mohammed a souri. « On te ramènera avant que tu aies besoin de changer de vêtements. »

Sur ce, Hani et Haji Fasil nous ont dit au revoir. Je me suis levé et j'ai accompagné ma famille jusqu'à la Mercedes, flanqué de part et d'autre de mon père et mon frère, tels des gardes attentifs.

Haji Fasil nous a salués de la main depuis le campement, silencieux et poli comme toujours.

Mon frère a cessé de jouer la comédie. Il s'est tourné vers moi et m'a ordonné sèchement : « Assieds-toi à l'arrière. »

J'ai plongé sur la banquette en cuir et il a claqué la portière derrière moi, un peu plus fort que nécessaire.

Le jour de sa mort, un mois après que j'avais élu domicile dans son bureau, le professeur al-Rawi était resté avec moi jusque tard dans l'après-midi pour parler de ma thèse.

« Tu sembles très intéressé par ce que les Américains considèrent comme l'autorité, a-t-il déclaré en allumant une cigarette. Tu soulèves la question : "Pourquoi les citadins croient-ils pouvoir lyncher le duc et le roi ?" Ou encore : "Qu'est-ce qui donne le droit aux Grangerford de demander rétribution aux Shepherdson ?" Dis-moi, Kateb, pourquoi l'autorité t'intéresse autant ? »

D'abord interloqué, après un moment de réflexion j'ai répliqué : « C'est une histoire de rébellion, monsieur. La rébellion doit agir contre l'autorité, non ? N'est-ce pas important de comprendre l'autorité contre laquelle Huck se rebelle ?

– Kateb, Kateb…, a ri le professeur al-Rawi. Finalement, Huck doit retenir deux leçons fondamentales. La première, que la civilisation est une illusion. La seconde, que la seule autorité qui existe est la conscience de l'être humain. »

J'ai acquiescé, comme si je comprenais, mais je n'ai rien dit.

Le professeur al-Rawi a souri. « Penses-y, Kateb, et nous en reparlerons demain. Il faut que je rentre maintenant, sinon je risque de devoir affronter la colère de ma femme. » Il s'est emparé de son attaché-case et a ajouté avec un petit rire : « Mais peut-être ne comprendras-tu vraiment l'autorité que lorsque tu auras une femme. »

J'ai souri en retour et lui ai souhaité bonne nuit.

Mon frère a démarré et s'est engagé avec précaution sur le chemin défoncé.

« On a de la chance de t'avoir trouvé, Kateb, a déclaré mon père, me souriant depuis le siège passager. Est-ce que tu préparais un mauvais coup, là, dans le désert ? Ou tu aidais juste Hani à étudier ?

– Non, ai-je répondu, nous avons quitté Bagdad, mais on a dû s'arrêter pour trouver de l'essence. On s'est rendu compte que c'était imprudent de poursuivre notre route.

– Alors comme ça, tu as passé ton temps à lire ? » a demandé mon père. Puis, s'adressant à Mohammed, il a dit : « Prends par l'est. Je voudrais voir l'état du canal. »

Je me suis frotté les genoux et me suis efforcé de parler. « Je suis tellement content de voir que vous allez bien, ai-je articulé. Après être resté si longtemps sans nouvelles, je commençais à m'inquiéter...

– Et c'est pour ça que tu es resté à Bagdad ? a soupiré Mohammed. Tu parles que tu t'inquiétais.

– Non, ai-je balbutié, non, j'ai essayé de rentrer ce soir-là, mais après avoir parlé avec mon professeur... » J'ai laissé ma phrase en suspens, sans aucune envie d'aller au bout de ma pensée.

Mon frère m'a ignoré et s'est à nouveau concentré sur la route. Ce qui ne m'a pas surpris, mais lorsque mon père est resté silencieux lui aussi, un intense chagrin m'a envahi. J'aurais aimé que mon père exige de moi des réponses. Mais il n'a rien dit.

Mohammed a tourné vers l'est, sur l'autoroute qui filait non loin du canal et du lac. Les roseaux et les palmiers poussaient en abondance et ployaient sous le vent printanier. Sur les rives inondées, les arbustes du désert, verdâtres malgré eux, foisonnaient.

Soudain, la stupide station balnéaire de Hani m'a manqué.

Mon père a désigné un endroit en contrebas dans le canal. « Là, a-t-il fait à l'intention de Mohammed. Comme je t'ai dit. Des pompes et un système de filtration, qui utilisent l'électricité de Haditha. Et c'est protégé, dans du béton avec des portes en acier. » Il a bougé les mains comme pour imiter des portes imaginaires. Ses yeux se sont illuminés : son vieux rêve, mort depuis des années maintenant, pourrait peut-être se ranimer, il pourrait peut-être finir son canal.

« Père... », ai-je murmuré.

Mohammed a ouvert sa fenêtre et a allumé une cigarette. « Je vais parler au cheikh Hamza et à l'Américain au prochain *choura*

257

et je leur dirai que c'est le projet dont les Américains ont besoin. Le projet pour la télévision. »

Mon père a soupiré. « Les Américains demanderont au gouvernement des troupes pour garder les pompes.

— Des troupes de Bagdad, a précisé mon frère. Mais il faut faire attention, hein ? Avoir ces *takfiri* debout en plein soleil ? À la vue de tous ? »

Mon père a hoché la tête et s'est frotté le menton.

« Père… », ai-je répété plus fort.

Il m'a regardé dans le rétroviseur et a souri. « Ne t'inquiète pas. On ne t'a pas oublié, Kateb. Il faut que nous discutions de ces questions avec le terrain sous les yeux pour nous organiser. Tu peux te joindre à nous, si tu veux.

— Les Américains, Kateb, a dit mon frère. On parle des Américains, et tu les connais mieux que nous deux. »

Je suis devenu cramoisi. J'ai ouvert la bouche pour dire quelque chose, mais sans savoir quoi. Et suis resté muet. J'ai regardé le bas-côté. Les roseaux et les arbustes s'asséchaient alors que nous nous éloignions du fleuve vers le sud.

« Kateb, a fait mon père, pivotant sur son siège, l'air incrédule. Tu crois qu'on est en colère contre toi ?

— Quelqu'un est en colère. Le cheikh Hamza, c'est ça ?

— Kateb, mon fils. » Mon père a souri sincèrement. « Nous ne sommes pas en colère contre toi. Tu fais affaire avec les Américains ? Eh bien, nous aussi. Comme tout le monde. »

Mohammed a ri et a jeté sa cigarette par la fenêtre. « Mais il n'y en a pas beaucoup qui ont l'idée de leur vendre du Coca au bord de la route. Bien joué, frangin. »

Mon père a jeté un regard sévère à Mohammed et a poursuivi : « Oui, Kateb. Tu as réussi et nous sommes fiers de toi. Maintenant, on va te mettre à l'abri, si Dieu le veut. Voilà pourquoi nous sommes venus te chercher. »

J'ai croisé les bras et me suis détourné pour regarder dehors. Je sentais les yeux de mon père sur moi. Il voulait que je m'exprime. Précisément ce que j'avais désiré quelques minutes plus tôt, que j'avais même désiré pendant des années. Mais c'était avant de savoir où les mots nous mèneraient.

« Nous parlerons après le dîner », a ajouté avec bienveillance mon père.

Nous avons roulé en silence le reste du trajet jusqu'à Habbaniyah, à l'exception de quelques curieuses réflexions de Mohammed sur l'état de la route ou sur l'emplacement d'un poste de contrôle tenu par les Marines américains et les soldats irakiens de la nouvelle armée. Ces nouveaux soldats apprenaient encore leur métier, a-t-il déclaré. Ce sont des gamins de Bassora, encore ados, trop contents d'envoyer de l'argent à la maison. Mais ils s'aguerrissaient, ils prenaient confiance, jour après jour.

Mon frère serrait un peu plus le volant chaque fois qu'il voyait ces soldats dans leurs uniformes trop grands, récupérés dans les vieux stocks de l'armée américaine.

Le soleil avait commencé à décliner lorsque nous sommes arrivés à Habbaniyah, et les postes de contrôle ont changé. Des policiers locaux et de jeunes hommes en maillot de football, kalachnikov à la main, ont remplacé les Américains et leurs apprentis irakiens. Ces hommes paraissaient connaître mon père et Mohammed. Ils nous ont laissés passer sans une question. Nous avons quitté l'autoroute pour nous faufiler dans les rues étroites de la ville.

Des détritus jonchaient les voies rapides du désert, comme c'était le cas depuis le début de la guerre. Mais une fois les postes de contrôle franchis, lorsque nous avons pénétré dans la ville, les rues sont devenues propres, comme l'Irak d'avant. Du gravier parsemait la place du marché pour empêcher la poussière d'envahir les étals. Les marchandises traditionnelles, comme de la nourriture ou des vêtements, jouxtaient les articles modernes, climatiseurs et téléphones portables. Des planches placées sous les gouttières permettaient aux piétons d'éviter la gadoue quand ils sortaient de chez eux ou de leurs boutiques.

Signes de la présence gouvernementale. Signes que quelqu'un prenait soin de cette ville.

Mohammed a descendu un chemin non goudronné, au milieu de villas ayant appartenu à d'anciens officiers. De hauts murs jaunes s'élevaient de chaque côté, derrière lesquels se trouvaient des maisons identiques construites en béton, à la soviétique. On n'y voyait aucun signe de vie, presque toutes étaient abandonnées. Les cours en terre battue cuisaient au soleil et la poussière volait dans les bâtiments dont les canalisations et les encadrements métalliques de fenêtres avaient été pillés.

Mohammed s'est approché d'une villa située presque au bout du chemin, et j'ai aperçu une pelouse verdoyante et la fumée sale d'un générateur à travers un portail entrouvert.

Deux hommes ont surgi pour ouvrir le portail lorsque Mohammed a klaxonné.

Il a avancé lentement, et six hommes ont entouré la voiture. Trois autres, s'essuyant les mains sur leurs vêtements crasseux, sont apparus au coin de la maison pour nous voir arriver. Deux autres encore, avec des fusils dissimulés sous leurs longues tuniques, étaient assis sur des chaises de chaque côté de la porte d'entrée.

Ils n'avaient pas de barbe, mais une moustache soigneusement taillée. Des sunnites, les deux.

Mon neveu, Ibrahim, jouait sur la pelouse avec un ballon dégonflé. Le garçon que je connaissais avant la guerre était timide et toujours dans les jupes de sa mère. Je l'ai vue, elle aussi. Nasim. Trop belle et intelligente pour mon frère, je l'avais toujours pensé. Par la fenêtre de la cuisine, elle a appelé son fils et lui a fait signe d'une main de rentrer tandis qu'elle maintenait de l'autre son foulard. Elle n'avait jamais porté le hijab avant la guerre. Une étudiante, Nasim. Elle avait fait médecine.

Mohammed a garé la voiture. Un gros homme s'est approché et a ouvert ma portière. Il a souri et s'est penché pour défaire ma ceinture.

J'ai résisté, d'instinct, et j'ai regardé mon père.

« Tu as plein de nouveaux amis, Kateb, a-t-il dit.

– Le second fils d'Abou Mohammed, a fait l'homme. De retour à la maison, Dieu merci. » Il a souri derechef, comme si j'avais de l'importance, comme s'il voulait que je me souvienne de lui.

« Bonjour », ai-je articulé, un faible rictus aux lèvres.

Je suis sorti du véhicule pendant que les hommes affluaient autour de nous. Ils m'ont souri et souhaité la bienvenue, puis, obséquieux, se sont tournés vers mon frère. Des lèche-bottes espérant se faire remarquer. Lorsque mon père et mon frère se sont dirigés vers la maison, les hommes se sont dispersés. J'ai suivi le mouvement de près, ne sachant trop où me mettre.

Les trois hommes aux vêtements sales se sont éclipsés derrière le mur. Ils connaissaient leur place, eux, apparemment.

Devant moi, mon père a chuchoté quelque chose à l'oreille de Mohammed.

Mon frère a poursuivi son chemin jusqu'à la maison, nous laissant mon père et moi seuls dans le jardin.

Mon père m'a pris la main. « Tu m'épates, mon fils. Tu t'en es bien sorti sans nous. C'est tout ce qui compte. Je suis fier de toi, Kateb. Et tu devrais l'être aussi. » Il m'a attiré à lui pour m'enlacer. « Maintenant, est-ce que tu veux voir ? » a-t-il murmuré.

J'ai reculé d'un pas. « Voir quoi, père ?

– Comment je suis devenu un homme d'affaires. » Il m'a emmené par la main jusqu'à l'angle de la maison derrière lequel les ouvriers avaient disparu, et j'ai compris que les générateurs n'alimentaient pas des lampes ou des climatiseurs pour la maison, quel luxe ! Non, ils faisaient fonctionner une industrie : une usine s'étalait devant moi dans la cour.

« Voilà ce que fait ton père pour gagner de l'argent, maintenant. »

Des bétonnières tournaient pendant que des rangées de moules rectangulaires attendaient d'être remplis de ciment frais. Deux des hommes sales étaient assis sur de petits tabourets. L'un retirait les blocs de ciment des moules en plâtre. L'autre les lavait et les peignait. Dans son dos, des piles identiques de blocs jaunes et noirs s'élevaient. Le troisième homme a surgi d'une remise, poussant une charrette pleine de blocs supplémentaires, encore dans le plâtre.

Concentrés sur leur travail, ou du moins désireux de le paraître, ces hommes savaient que mon père les observait sans même avoir à lever les yeux pour s'en assurer.

« Tu as remarqué les autoroutes en chemin, Kateb ? a demandé mon père. Et comme les rues sont bien entretenues ?

– Oui, je crois. C'est mieux, en tout cas.

– C'est très important pour le cheikh Hamza. Il faut qu'al-Anbar montre des signes de progrès. Il a obtenu du gouverneur de la province de payer pour remplacer les bordures d'accotement qui délimitent les chaussées. Il a des hommes pour ça. On fabrique les bordures et on les lui vend.

– Ah. Très malin. » Je me souvenais de toutes les fois où mon père m'avait emmené voir le canal lorsque j'étais enfant, et de sa satisfaction à la vue du chantier. Du travail honnête, pas comme la politique. Dans ce nouvel Irak, peut-être avait-il laissé définitivement la politique derrière lui et était-il devenu un simple homme d'affaires.

« Malin. » Il a souri. « Oui. Très malin. » Il m'a pris par l'épaule. « Rentrons. Allons voir ce que Oum Ibrahim nous a mijoté. »

Nous avons laissé les hommes à leur besogne et sommes entrés dans la cuisine par la porte latérale. Le petit Ibrahim s'est précipité pour s'accrocher à ma cuisse. « Oncle Kateb, tu es rentré pour de bon maintenant ? »

Je l'ai pris dans mes bras et lui ai embrassé la joue. « Oui, je suis rentré.

– Tant mieux, parce que tout le monde ici est trop vieux pour jouer avec moi. »

Nasim s'est approchée de nous et l'a récupéré. « Il faut que Kateb se repose avant de jouer avec toi. » Puis elle l'a posé par terre et m'a longuement enlacé. « Je suis si heureuse de te voir, Kateb. Et en vie.

– Content de te voir aussi. Tu cuisines pour tous ces hommes, Nasim ?

– J'essaie. » Elle a ri avant de retourner à ses fourneaux. « Le petit déjeuner et le déjeuner pour les ouvriers dans la journée. Le dîner pour notre petite famille quand tout le monde est parti. » Elle a porté Ibrahim sur une natte dans un coin de la cuisine, près de l'entrée du salon, et a déposé un plateau avec du pain et du fromage devant lui.

262

J'ai pensé à ses rêves de médecine. Elle les avait troqués contre un rôle de cuisinière et de femme de ménage.

Mon père est arrivé du salon et s'est arrêté derrière elle. Il a humé l'odeur d'agneau rôti et lui a adressé un petit sourire. Il s'est approché de la natte, s'est assis avec son petit-fils qu'il a installé sur ses genoux, faisant mine de se délecter de la galette de pain pour encourager le garçon à manger.

Ibrahim a souri et a attrapé le pain des mains de son grand-père.

J'entendais Mohammed discuter avec ses collègues dans la pièce voisine. Je me suis collé au chambranle de la porte, près de mon père et d'Ibrahim. Feignant de m'intéresser à eux, je jetais des coups d'œil obliques dans le salon.

« On regarde d'abord ou on discute ? a demandé le gros.

– On regarde », a répondu Mohammed.

Les carreaux par terre ont crissé alors que les hommes disposaient des chaises en cercle. Le gros a sorti un caméscope de son sac et une vidéo a démarré sur le petit écran de l'appareil. Les autres se sont penchés pour voir.

Le haut-parleur crépitait, saturé. J'ai reconnu des bruits de voitures sur l'autoroute, de camions s'arrêtant et d'hommes criant. J'ai aussi entendu la respiration de quelqu'un. Le cameraman, un gamin effrayé, d'après la façon dont il chuchotait, a ordonné à un autre gosse de rester tranquille et de ne pas bouger.

« Tu vois, là, a fait le gros, ils sortent tous en même temps en se servant de leur radio pour se coordonner.

– Oui, a dit Mohammed.

– Et là. Ils se déploient. Sur trois fois la longueur d'un camion.

– Hum.

– Mais regarde, ils ne sont pas fous. Ils ne prennent pas leur robot. C'est trop évident. Si on arrive à planquer une bombe là, devant, assez mal pour qu'ils la repèrent, mais assez bien pour qu'ils y croient, on peut en mettre une autre dans la bordure juste derrière. Là où ils s'arrêtent et sortent.

– C'est une tactique vieille comme le monde, a déclaré Mohammed. Mais oui, c'est vrai. »

Par terre à mes pieds, assis sur les genoux de mon père, Ibrahim avait fini son pain et regardait autour de lui pour qu'on le félicite. D'abord mon père, puis Nasim. Elle a souri et s'est tapoté la cuisse. Ibrahim a sauté des genoux de mon père pour se précipiter vers elle. Elle a mis la bouilloire à chauffer pour faire du thé.

Mon père est resté sur la natte et a observé son petit-fils en train de jouer.

Un brouhaha de voix est monté du salon. Le gros a pris la parole plus fort que les autres. « Ils envoient un homme devant pour vérifier le vieux pneu sur la route, tu as vu ? Et ils garent les camions sur le côté en amont, tu as vu aussi ? Soit on se fait le type devant, soit on vise les camions derrière. »

Les autres hommes ont murmuré leur approbation, comme pour eux-mêmes. Personne ne s'est adressé à l'assemblée directement.

Mon frère s'est éclairci la voix et tout le monde s'est tu. « Parle de ça avec tes hommes. Je vais chercher des cigarettes. » Mohammed m'a vu et m'a souri en traversant la pièce. « Il y a un petit commerçant que je dois voir. »

Il est sorti par la porte de devant. Un des gardes, un jeune homme avec une kalachnikov suspendue sous la tunique, s'est précipité à sa suite.

Mon père, toujours assis par terre près de moi, a tendu la main pour que je l'aide à se lever.

Le gros, devenu le chef après le départ de mon frère, a pris les choses en main dans le salon. Il a donné des ordres à ses hommes. Deux par deux.

« Vous deux. Allez en repérage sur le site de l'attaque. Marquez les bordures à la craie. Utilisez le vieux signe. »

J'ai senti le poids de mon père au bout de mon bras tandis qu'il se relevait avec difficulté en gémissant. Une fois debout, il s'est appuyé sur mon épaule pour retrouver son équilibre.

« Vous deux, a poursuivi le gros, pointant le doigt, laissez de l'espace entre les nouveaux blocs pour que les bombes et les détonateurs glissent facilement à l'intérieur. Ceux qui les poseront ne sont pas là. Vous ne les verrez pas. » Le gros a remarqué que mon père et moi l'observions et l'écoutions. Il s'est levé et s'est adressé à mon père : « Abou Mohammed, nous sommes prêts. Est-ce qu'on y va maintenant, avec les blocs ?

– Oui, a répondu mon père. Ils sont dehors. Les ouvriers ne vont pas tarder à débaucher. Vous devriez partir en même temps qu'eux. »

Les hommes ont repoussé leurs chaises dans les coins de la pièce et sont sortis par la cuisine.

Mon père m'a pris la main et m'a emmené vers une fenêtre donnant sur le jardin. Nous avons regardé les hommes faire entrer un camion à plateau par le portail et le garer là où ils allaient pouvoir charger les bordures d'accotement.

« On a un problème, Kateb », a dit mon père.

Je suis resté silencieux. Il m'a lâché la main.

« Les chiites au sud veulent donner notre pays aux Iraniens. Les partisans de Moqtada al-Sadr à Bagdad tuent des hommes comme nous par dépit. Ici, dans le désert, des morveux saoudiens et égyptiens qui ont rejoint al-Qaida parce qu'ils n'ont rien de mieux à faire tuent des hommes de valeur pour rien. Les Américains et les Kurdes nous tuent tous. »

Le gros a ordonné à ses hommes de transporter cinq bordures marquées à la craie dans le coffre ouvert de la Mercedes.

« Nous sommes l'honorable résistance, Kateb. Ansar al-Sunna. Les derniers Irakiens. Nous combattons les djihadistes qui laissent des têtes décapitées dans la rue. Nous poussons les chiites au chaos. Et nous nous attaquons aux Américains. Pas parce qu'on les déteste, non. Seulement parce que ce sont des envahisseurs. Il faut les chasser. Plus ils perdront de sang, plus vite ils partiront. »

Le petit convoi est ressorti par le portail, le camion à plateau suivi par la Mercedes.

Mon père a mis la main à la poche pour en tirer une liasse de dinars. « Notre prochaine action va avoir lieu tout près de ta maison sur la plage, Kateb. » Il m'a tendu de l'argent. « Si Dieu le veut, les Américains accuseront les partisans de Moqtada al-Sadr après. Tu vas nous aider, n'est-ce pas ? »

Pour information :

J'ai été pour la première fois averti du comportement erratique de l'infirmier militaire Pleasant le ou aux alentours du 25 juin, lorsque le sergent-chef de l'unité m'a informé que ce dernier se tenait à l'écart de ses camarades, et qu'au retour des convois et des opérations de sécurisation des routes, il disparaissait dans les baraquements jusqu'à l'heure du dîner. Pendant les repas, il mangeait très peu et de toute évidence avait perdu du poids.

Au début de notre mission, l'infirmier militaire Pleasant avait acquis une bonne réputation grâce à l'enthousiasme avec lequel il cherchait toujours à apprendre auprès des autres Marines, même si cela allait au-delà de ses fonctions.

Cependant, avant la fin du mois de juin, l'infirmier militaire Pleasant n'était plus connu que pour son moral en berne et son allure négligée.

Avec mon plus profond respect,
P. E. Donovan

Boutons de Laiton

« C'est à cause de ma voiture, je dis à ma mère. Il faut que je la fasse réparer et je n'ai pas les moyens en ce moment. Je ne crois pas qu'elle puisse faire le voyage dans l'état où elle est. Et c'est trop tard pour acheter un billet d'avion. »

J'ai toujours pensé en être incapable, et pourtant je suis en train de mentir à ma mère pour ne pas devoir passer Noël chez mes parents. Je serre les dents en espérant qu'elle ne va pas proposer de payer pour l'avion.

Elle soupire, et l'espace d'un instant j'ai l'impression qu'elle s'efforce de ne pas pleurer. Je suis loin du compte. Elle reprend sa voix tranchante de prof et demande : « Tu veux dire ça à ton père ? Ou je dois le faire pour toi ? »

Je n'hésite pas une seconde. « Tu n'as qu'à le faire. »

Elle laisse un silence s'installer pour que je puisse changer d'avis, que je grandisse et que je dise la vérité. Comme je n'ajoute rien, elle dit : « Bon, joyeux Noël, alors. Je t'aime.

– Je t'aime aussi. » La culpabilité me submerge. « Je suis vraiment désolé. Partie remise. »

Elle refuse de me rassurer, achevant la conversation sèchement. « Je t'appellerai le matin de Noël pour que tu parles à ton neveu. Essaie de répondre. »

Les néons s'éteignent les uns après les autres dans l'étage de bureaux tandis que je retourne à mes analyses de données dans mon box. Savoir que je suis seul dans les locaux me soulage. Mais le réconfort est de courte durée. Mon téléphone portable, posé au sommet d'une pile de dossiers, annonce bruyamment que j'ai reçu un message d'Empathie : « ? »

Je tape une réponse rapide : « Désolé. Plein de boulot. T'appelle bientôt », et je suis pris d'une crampe d'estomac en l'envoyant.

Je me remets à la tâche. Je suis devenu très compétent, ce qui me console quelque peu. Ma vitesse de travail commence à devenir légendaire. Je suis une machine, comme dit Sullivan. Peu importe le nombre de dossiers qu'il me dépose dans la journée, il trouve toujours des rapports circonstanciés le lendemain matin sur son bureau. Je crois qu'il parie dans mon dos avec ses collègues sur la quantité maximale que je peux absorber.

Je soupçonne le commandant Leighton d'avoir fait pareil avec moi, d'avoir parié sur mon compte avec les autres officiers du régiment. Il n'y avait pas de limites au nombre de nids-de-poule que mon unité pouvait combler. Mes Marines étaient des superhéros. Ils pouvaient tout faire.

Le commandant Leighton a entendu parler de la mission par des amis dans le régiment. Des commandants en charge d'autres compagnies plus attrayantes. Ils lui ont raconté qu'une section avait été envoyée patrouiller à pied dans le lotissement abandonné autrefois réservé aux employés de l'usine d'armement chimique d'al-Muthanna. Le commando, qui cherchait des caches d'armes, avait en réalité trouvé un trou béant dans lequel étaient soigneusement entassés des fûts métalliques, scellés et oubliés en plein soleil. Quelqu'un était parti précipitamment, avant d'avoir eu le temps de recouvrir le trou de terre.

Le régiment avait dépêché une équipe de chimistes sur place pour enquêter, et les colonels avaient dû retenir leur souffle en pensant avoir enfin mis la main sur ce qu'il fallait. La raison presque oubliée qui nous avait poussés à faire le voyage jusque dans ce pays. La rumeur s'est répandue à tous les échelons, jusqu'à Bagdad, propageant la meilleure des mauvaises nouvelles.

Mais après avoir testé les résidus présents sur les fûts, l'équipe de chimistes de guerre n'a rien trouvé de spécial. Juste un assortiment de produits industriels ordinaires. Des acides caustiques et autres substances corrosives et des boulettes de concentré de pesticides. Dangereux et problématiques, sans aucun doute. Mais rien d'intéressant pour Bagdad, donc les atouts stratégiques capables d'intervenir sur le terrain qui étaient en route pour prêter main-forte ont fait demi-tour immédiatement. Les équipes de désarmement chimique. Les experts civils. Ils sont tous repartis vers la zone verte en laissant le régiment se débrouiller avec les fûts.

Car les fûts ne pouvaient pas rester là où ils se trouvaient. Avec le temps, le métal rouillerait. Leur contenu s'infiltrerait dans les nappes souterraines pour finir dans le fleuve. Ou l'ennemi mettrait la main sur les produits et en ferait bon usage pour nous nuire.

Le régiment était incapable de déterminer à qui revenait la responsabilité du désarmement chimique, donc le commandant Leighton avait porté sa compagnie volontaire. Les superhéros. Le génie se chargerait du boulot que personne d'autre ne pouvait ou ne voulait faire.

Il a annoncé la mission le lendemain, pendant le briefing quotidien : « C'est pour ça qu'on est là. Pour permettre à nos camarades d'agir. Grâce à notre travail, les autres peuvent se concentrer sur la lutte antiterroriste. Cette mission est taillée pour nous. »

Ses hommes sont restés silencieux et immobiles. Les lieutenants fixaient leurs notes. Les adjudants, moins intimidés, s'observaient les uns les autres, bras croisés et l'air désapprobateur. Mais nous évitions tous de croiser le regard du commandant Leighton. Personne ne voulait de cette mission.

« Nous avons le soutien du Département d'État, heureusement », a poursuivi le commandant, caressant lentement son crâne chauve. « Un officier chef de projet attaché à la reconstruction de la province nous retrouvera sur place avec des camions et du personnel local pour transporter les fûts. Tout ce que nous avons à faire, c'est sécuriser le site, enlever les fûts scellés du trou, et les transférer. »

L'assemblée n'a pas sourcillé, malgré cette brève tentative d'encouragement.

« C'est pourquoi la section travaux va s'y coller, a-t-il enfin proclamé. Ils ont le matériel roulant qu'il faut, ils connaissent ce genre de théâtre d'opérations, et ils sont les mieux préparés. »

Ma bouche s'est asséchée d'un coup, et j'ai levé les yeux de mon carnet alors que le commandant Leighton haussait les sourcils et hochait la tête à mon intention. Je ne pouvais pas le regarder, donc je me suis concentré sur son crâne brûlé par le soleil, ses phalanges poilues et les lunettes suspendues à son cou.

« À vos ordres, mon commandant », ai-je dit.

Cobb, assis près de moi, m'a levé le bras en l'air comme si je venais de gagner un match de boxe. Les autres ont ri nerveusement et je me suis efforcé de sourire.

Après le briefing, je suis allé prévenir Gomez et Zahn. J'ai emmené l'adjudant Dole avec moi, et il a râlé sans discontinuer jusqu'à ce que nous arrivions aux baraquements de notre section.

« Incroyable. Une connerie sur toute la ligne, a-t-il fulminé. C'est absolument pas dans nos cordes. C'est pas à nous de faire ça. C'est juste dingue, lieutenant. Il faut que vous lui parliez.

– Pour lui dire quoi ? Qu'on souffre tous d'arthrose aux genoux ? »

Il a juré à mi-voix. « C'est pas notre putain de boulot. Je me souviens, une fois, aux Philippines. Ça devait être en 1995, quelque chose comme ça. Le commandant de la compagnie voulait que les Marines abrègent leur permission pour aider un village qui avait un problème d'égout. Et le lieutenant a dit pas question. Il a menacé d'en parler à la hiérarchie. C'était une longue mission, en plus. Ça devait être…

– Dole, tais-toi. »

Il a continué de bouillir en silence, les bras croisés, alors que nous approchions de Gomez et Zahn qui attendaient les détails de la mission du jour, à l'ombre des baraquements. Je leur ai annoncé la couleur directement. Il n'y avait aucun moyen d'arrondir les angles, aucune raison de les baratiner.

« Nous n'avons pas de procédure pour ce genre de situation, ai-je constaté. Pas de manuel d'instructions. Donc, on va faire avec ce qu'on a. Nous allons agir comme en cas d'attaque chimique. On sort les masques à gaz et on enfile les combinaisons de protection et les gants en caoutchouc. Et on va se relayer. »

Zahn a sorti une boîte de tabac à chiquer de sa poche et en a glissé un morceau sous sa lèvre. Il a raclé le pied par terre et a regardé le sol.

Gomez s'est pincé les lèvres, refusant de lever les yeux vers moi.

« Il va faire chaud dans ces combinaisons, ça c'est sûr, ai-je poursuivi. Donc, on va exiger un surplus de glace à emporter avec nous. On va demander à Doc Pleasant de prendre tout ce qu'il faut pour se réhydrater. On fera un ordre de passage, et on va s'y tenir. Vingt minutes dans ces combinaisons, maximum. Pas d'épuisement à cause de la chaleur. Et on s'en tient aux procédures de décontamination.

– À quelle heure on part, mon lieutenant ? a demandé Gomez les yeux rivés sur son carnet et le stylo prêt à écrire.

– Demain à la première heure. Visons deux heures du matin. Je veux qu'on soit opérationnels sur place avant l'aube. On pourra peut-être se débarrasser de ce truc avant la chaleur de l'après-midi.

– OK. » Elle a soupiré avant d'ajouter mollement : « Mon lieutenant. »

J'ai frotté mes paumes moites sur mon pantalon. « Écoutez. Tous les deux. Regardez-moi. »

Gomez et Zahn ont levé les yeux.

« Ça ne va pas être facile, c'est évident. Mais il faut faire avec. Et aucune raison de tirer la gueule devant les Marines. Ça ne ferait qu'empirer les choses pour eux.

– À propos, est-ce que l'adjudant vient avec nous, mon lieutenant ? a demandé Zahn. Il va y aller avec la combinaison et le masque ? »

J'ai jeté un coup d'œil par-dessus mon épaule pour voir si l'adjudant Dole avait relevé la pique, mais il avait déjà presque traversé l'étendue de terre qui nous séparait du cybercafé.

« Non, ai-je répondu. L'adjudant ne peut pas être des nôtres. »

Zahn a secoué la tête et a laissé échappé un rire.

Je ne l'ai pas repris. Il n'y avait pas de raison. « Des questions ? »

Ils n'en avaient aucune, donc je les ai libérés pour qu'ils préparent les autres. Ils auraient à peine une heure pour dormir, je le savais.

Je suis passé au magasin du corps pour prendre ma combinaison de protection avant de rentrer dans ma chambre et d'écrire l'ordre de mission au stylo feutre sur mon tableau plastifié. Je me suis endormi avec mes chaussettes aux pieds.

L'alarme de ma montre m'a réveillé à minuit. Je me suis habillé à la lueur de ma lampe torche infrarouge, pour ne pas anéantir ma vision de nuit. J'ai lacé mes bottes, remonté la fermeture Éclair de ma combinaison ordinaire, enfilé péniblement mon gilet pare-balles. Avant de quitter le bâtiment dans la pénombre, je suis passé au centre opérationnel. La sueur me coulait sur les joues, descendait dans mon cou et stagnait au niveau de mon col. À cause du gilet pare-balles.

Cobb était d'astreinte de nuit, et il a souri par-dessus sa tasse de café. Un ordinateur portable diffusait un film sur le bureau derrière lui. Il s'est penché pour mettre sur pause. « Tu sors ?

– Dans pas longtemps. Cinq véhicules, vingt-deux passagers. » Je me suis dirigé vers le présentoir des armes et j'ai détaché mon fusil.

Cobb a inscrit nos numéros. « OK, mec. Amuse-toi bien. » Il a posé son doigt sur la barre d'espace, prêt à retourner à son film.

Je suis resté derrière sa chaise pour regarder par-dessus son épaule les instruments de surveillance et les écrans. « Tout va bien ? » L'écran de contrôle, qui affichait une carte de la province d'al-Anbar couverte de symboles représentant les unités alliées, ne signalait qu'un convoi logistique de camions conduits par des civils en route pour la Jordanie, et quelques postes de contrôle mobiles, mais pas grand-chose d'autre.

Cobb a confirmé. « Ouais. C'est calme. »

J'ai passé le fusil dans mon dos. « Je t'appelle de l'entrée. » En sortant, j'ai entendu Cobb remettre son film en marche.

Un essaim rouge de lampes torches m'a guidé jusqu'à notre zone de départ. Des moteurs tournaient et des Marines juraient dans la pénombre. Deux d'entre eux m'ont frôlé en transportant une glacière, et je les ai entendus discuter tandis qu'ils hissaient leur chargement à l'arrière de leur Humvee.

« Il est sérieux, avec ces putain de combinaisons ? » a fait l'un.

Son camarade a marmonné une réponse, trop bas pour que je puisse comprendre ce qu'il disait ou pour deviner de qui il s'agissait.

« Gomez avait l'air en colère. Je sais que ce n'était pas son idée, a-t-il poursuivi. Je te parie cinq dollars qu'on le verra pas dans une de ces combinaisons de merde. »

Je me suis arrêté, silhouette corpulente avec un fusil, et j'ai écouté ce qu'ils n'auraient pas dit sur moi s'ils avaient su que je me trouvais là. Ils m'ont à nouveau frôlé en rebroussant chemin en direction du matériel à charger.

« Si ça se trouve, il va se lancer. Genre, il va enfiler la combinaison juste à la fin pour aider avec le dernier fût, tu vois ? Histoire d'en foutre plein la vue avec ses principes d'exercice de l'autorité à la con. Enfoiré d'élève officier. »

J'ai rougi et reculé dans la pénombre pour éviter qu'ils me rentrent dedans. Au bout d'une vingtaine de mètres, je suis reparti vers la zone de départ, en m'assurant de ne pas réapparaître au même endroit. J'ai appelé à voix haute Gomez et Zahn pour annoncer ma présence. Les Marines ont cessé leurs bavardages lorsqu'ils m'ont entendu, mais ils ont continué de vaquer à leurs occupations.

Gomez et Zahn sont arrivés au pas de course et se sont immobilisés tout près de moi. Gomez m'a fait son rapport. Pas d'absents. Des combinaisons de protection pour tout le monde. De la glace et de l'eau en supplément. Tous les véhicules avaient fait le plein et étaient prêts. Je me suis dirigé vers le Humvee de Gomez et me suis assis sur le capot pendant que, avec Zahn, elle rassemblait les hommes.

J'ai lu l'ordre de mission mot pour mot à la lueur rouge de ma lampe torche – un briefing direct sans encouragement ni panache. Je leur ai indiqué la route et l'ordre de marche. Je leur ai énuméré les procédures à appliquer en cas d'embuscade à plus et moins de cinquante mètres, en cas d'engin explosif improvisé, ou de véhicule en difficulté. Je leur ai donné nos fréquences radio et les pseudos des unités de soutien.

Je n'ai pas laissé Doc Pleasant parler. Je les ai briefés pour lui : « Buvez beaucoup d'eau. Autant de liquide que possible. »

J'ai demandé s'il y avait des questions, puis j'ai passé la main au sergent Gomez avant de rejoindre mon véhicule, de m'installer sur mon siège et de programmer les fréquences et les codes sur ma radio.

J'ai entendu quelqu'un ronfler. C'était Dodge, endormi à l'arrière. Il avait raté le briefing.

Doc Pleasant s'est glissé sur le siège à côté de lui et lui a poussé l'épaule. « Dodge, réveille-toi, putain. »

Dodge a bougé en grognant. « Je suis réveillé. Réveillé. »

Pleasant a soupiré. « Tu sais ce qu'on fait au moins ?

– Bien sûr. On va quelque part dans le désert où je vais parler arabe à des mecs irakiens. Vous, messieurs, vous transporterez des barils pleins de sales trucs en transpirant et en râlant. Tout le monde sera énervé, toute la journée. » Il a fermé les yeux, croisé les bras et s'est rendormi.

Je l'ai laissé faire. Il avait plus ou moins compris en quoi consistait la mission.

Le convoi a franchi le portail et s'est élancé. Nous avons traversé Falloujah. Sans encombre. Puis nous avons pris vers le nord à l'échangeur et nous nous sommes retrouvés sur une quatre voies déserte qui, par miracle, était correctement éclairée par des lampadaires en état de marche. L'autoroute filait à travers le désert.

Il n'y avait aucun autre convoi ni véhicule civil, donc nous avons roulé sur deux voies. Nous avons ignoré la ligne blanche pour rester aussi loin que possible du bord de la chaussée.

À quatre reprises, Gomez a stoppé le convoi pour inspecter des tas d'ordures ou de gravats suspects. Nous avons appliqué les cinq et les vingt-cinq mètres à chaque fois. Nous avons varié notre vitesse et nos distances de sécurité. Nous avons fait en sorte d'être des cibles difficiles à atteindre.

Même avec toutes les précautions et les haltes sécurité, nous avons atteint le point de rendez-vous prévu avant l'aube. Des coordonnées géographiques, fournies par le bureau de la reconstruction du Département d'État à Ramadi, nous ont permis d'arriver jusqu'à une piste qui coupait un terrain vague vers le nord-ouest. Nous nous sommes arrêtés là, avons placé les véhicules en position de défense à cinquante mètres de la route, et avons attendu que le Département d'État nous donne signe de vie.

Six heures se sont écoulées.

Le soleil s'est levé et la température a grimpé. La carrosserie de nos Humvee est devenue trop chaude pour qu'on puisse la toucher à main nue. La circulation avait repris sur l'autoroute, des camions-citernes transportant du carburant filaient vers le nord, de vieilles camionnettes chargées à bloc acheminaient leur bric-à-brac vers les marchés des villes avoisinantes, et des taxis, pleins d'individus aux yeux indiscrets, passaient près de notre périmètre immobile et vulnérable. Le point de rendez-vous était situé non loin d'un carrefour fréquenté. N'importe qui équipé d'un mortier et de quelques obus explosifs pouvait facilement évaluer la distance. Plus les heures avançaient, plus je devenais nerveux.

Gomez a commencé à s'inquiéter aussi. Elle ne restait pas en place. Elle arpentait sans cesse le périmètre et s'en prenait aux Marines qui paraissaient manquer de vigilance.

Posté près de ma radio, je parcourais le réseau, mais les fréquences que le Département d'État nous avait fournies demeuraient silencieuses. Pendant ce temps, le centre opérationnel de la compagnie nous ordonnait de ne pas bouger et d'attendre.

Au début, dans la pénombre, la voix franche de Cobb résonnait dans le casque. Lorsque Wong a pris le relais au lever du soleil, j'ai senti qu'il souriait en entendant que j'étais de mauvaise humeur. J'ai eu l'impression de savoir quand son attention se détournait au gré de ceux qui arrivaient dans le centre opérationnel pour le petit café du matin.

Je me suis rendu insupportable en venant aux nouvelles toutes les cinq minutes. Pour finir, la voix du commandant Leighton a retenti.

« Ici Hellbox-Six », a-t-il aboyé, exagérant la dernière syllabe, le chiffre rappelant que c'était lui qui commandait. Je pouvais imaginer comment il avait arraché la radio des mains de Wong. « Restez en place. Le régiment confirme que le soutien est en route. Cessez de demander la permission de changer de position. Terminé. »

On venait de me dire, autant que les communications radio pouvaient le permettre, de fermer ma gueule et d'attendre. J'ai suspendu le casque à son crochet, laissant Dodge et Pleasant surveiller le véhicule pour aller parcourir le périmètre de sécurité.

Je m'efforçais de paraître calme, détendu, d'humeur égale. Comment un type comme Cobb gérerait ça ? Mes Marines, en nage dans les tourelles ou derrière les portes blindées, hochaient la tête et me jetaient des regards noirs. J'essayais d'opiner du chef et de sourire en retour, mais mes zygomatiques récalcitrants me faisaient grimacer de façon grotesque et artificielle.

Les Marines, chacun leur tour, s'enfermaient dans leur véhicule pour remplir de pisse des bouteilles d'eau vides. Le régiment avait interdit toute urination publique, eu égard à la culture islamique. J'ai vérifié la pile grandissante de bouteilles d'urine qui s'accumulaient au beau milieu du périmètre, à la recherche de couleurs trop foncées. Pour mon plus grand réconfort, j'ai pu au moins constater que les Marines n'avaient pas de problèmes d'hydratation. Les litres et les litres de pisse n'avaient pas la moindre teinte orangée.

Malgré tout, j'ai songé à l'allure que les Marines auraient dans la chaleur de l'après-midi, avec les combinaisons de protection et les masques à gaz. Ils craqueraient vite, me suis-dit.

J'ai regagné mon véhicule, me suis posté près de la radio, et j'ai écouté Dodge et Doc Pleasant parler musique. Ce dernier était vautré sur son siège, le pied se balançant par la portière ouverte. Son sac d'infirmier était posé bien en dehors de sa portée, les fermetures Éclair tachées de terre. Il ne l'avait pas ouvert depuis une semaine.

« C-Murder, ça c'est du lourd », a-t-il dit, touchant le sol du bout de la botte. « Un vrai criminel.

– C-Murder est un sale petit poseur du Sud, Lester, a répliqué Dodge. Ces types qui se croient tout permis, ils ne parlent que de bagnoles et de gonzesses. Ils ne pensent qu'à l'argent, pas comme les vrais gangsters de la côte Ouest.

– T'as un peu raison. Mais C-Murder a dit aussi un truc du genre : "Tu me dois de l'argent, négro, et tu vas saigner pour me l'payer." Et il rigolait pas. »

Dodge a réfléchi un instant à la phrase. « C-Murder a vraiment dit ça ?

– Oui. Et c'est un criminel. Il a été condamné. Il a tué un mec quelque part à La Nouvelle-Orléans. »

Dodge a gloussé. « On dirait l'Irak. Le sang est aussi important que l'argent. »

Je suis intervenu. « Tu viens de Louisiane, non, Doc ? »

Il a regardé l'horizon et a acquiescé. « Oui, mon lieutenant.

– Près de La Nouvelle-Orléans ?

– Non, mon lieutenant. Pas vraiment. Plus au sud-ouest. Du pays cajun.

– Tu vas en ville des fois ? ai-je demandé.

– Seulement pour me mettre minable. » Il a sursauté et tenté d'écraser la mouche qui venait de se poser sur son front. « La Nouvelle-Orléans c'est la défonce. A-ssu-rée. » Il a souri, hébété et satisfait, en fermant un peu trop longtemps ses yeux injectés de sang.

Je me suis approché et lui ai tapé sur le genou. « Tu devrais aller marcher, Doc. » J'ai souri. « Va faire un tour. Vérifie que tout le monde boit. »

Il a ouvert les yeux et m'a fixé un moment.

« Va voir. » J'ai fait comme si je n'avais pas remarqué son air défiant. « Va te dégourdir les jambes. »

Il s'est levé, a mis son sac d'infirmier sur son épaule et m'a frôlé sciemment en s'éloignant.

J'ai regagné mon siège et, dans le rétroviseur, j'ai vu Dodge qui lisait son livre. J'ai interrompu sa lecture : « Comment il va ces temps-ci ? Doc, je veux dire. »

Dodge a levé les yeux. « Pourquoi vous me posez la question à moi, *mulazim* ?

– OK. Vous n'êtes pas amis. Mais vous parlez beaucoup ensemble. Donc… comment il va ?

– Je dirais que Lester va presque aussi bien que vous, *mulazim*. » Dodge a tourné sa page.

À cet instant, Zahn a crié depuis l'autre extrémité du périmètre que des véhicules approchaient. Je me suis précipité pour en savoir plus.

J'ai d'abord vu le nuage de poussière, à environ un kilomètre et demi sur l'autoroute. Quatre Suburban blindés en ont émergé, suivis de deux camions à plateau Mercedes plus vieux. Ils filaient sur la ligne médiane les uns derrière les autres. Des fusées éclairantes jaillissaient des vitres arrière des Suburban à intervalles réguliers, qu'il y ait des véhicules civils devant eux bloquant le passage ou pas. Le chauffeur qui ouvrait la route s'efforçait d'avoir une conduite intimidante. Parfois, il changeait de file et chargeait des camionnettes et des taxis qui ne dégageaient pas la chaussée assez vite.

« Agents de sécurité privés ? a demandé Zahn.

– Ça m'en a tout l'air, ai-je répondu. C'est comme ça que le Département d'État se déplace il paraît. »

Je suis reparti au pas de course vers ma radio en me disant que les Suburban voudraient s'identifier, mais seul un léger sifflement retentissait sur les ondes. J'ai appelé Gomez, elle a fait quelques foulées dans ma direction et s'est arrêtée assez près pour m'entendre. « C'est le soutien qu'on attend, ai-je fait. Ils ne se sont pas annoncés, mais laisse-les approcher. »

Elle a fait la moue et est repartie au pas de course. « Écoutez ! a-t-elle hurlé. On laisse ces putain de Suburban tranquilles. Compris ? Ils sont avec nous ! »

Malgré l'avertissement de Gomez, chaque Marine a grimacé lorsque les Suburban ont pénétré en trombe dans notre périmètre. Ils ont tourné sur le chemin de terre et les camions irakiens à leur suite se sont arrêtés à une vingtaine de mètres de nous. Leurs moteurs tournaient toujours.

Leurs portières se sont ouvertes d'un coup et des hommes en pantalon beige et polo noir ont bondi à l'extérieur. Brandissant des fusils d'assaut dernier cri et des pistolets-mitrailleurs équipés d'optiques et de lampes torches en tous genres. Ils regardaient dans leurs viseurs à travers des lunettes Oakley flambant neuves. Ils ne portaient pas de casques, mais certains avaient la tête couverte. L'un d'eux avait une crête à l'iroquoise. Ils se déplaçaient comme s'ils avaient appris à le faire dans un film, balayant le désert de la pointe de leur arme sans rien viser de particulier mais avec un air mauvais et méfiant.

Les mercenaires se sont calmés un à un, et ils se sont redressés tel le premier homme préhistorique. Un type avec une arme de poing attachée à la cuisse, qui semblait être le chef, s'est dirigé vers moi. Le fil d'une oreillette descendait dans sa barbe pour disparaître dans le foulard à carreaux qu'il portait autour du cou, et était relié à une radio fixée sur son gilet pare-balles qui avait l'air confortable.

« Mec, c'est toi le boss ? a-t-il lancé avec une inflexion de Californie du Sud.

– Il paraît.

– Tu es lieutenant ? On est censés se retrouver ici, non ? Je m'appelle Doug. Allons voir Boutons de Laiton.

– Quoi ?

– Boutons de Laiton, mec. Le client, quoi. Le gars du Département d'État. »

Doug a fait volte-face pour repartir vers son Suburban. Je suis resté immobile un instant, puis j'ai avancé maladroitement à sa suite. Par-dessus mon épaule, j'ai crié à Gomez : « On se tient prêts. »

Elle a acquiescé et a préparé les Marines à lever le camp.

Doug m'a escorté jusqu'au deuxième Suburban et a ouvert la portière arrière, côté conducteur. « Monsieur Moss ? J'ai le gars avec moi. »

J'ai senti l'air glacé à un mètre. Se déverser du véhicule, glisser sur mon casque et envelopper ma nuque. Malgré mon ressentiment grandissant à cause de tout ce que représentaient ces Suburban, je n'ai pas pu m'empêcher d'adorer la sensation de froid venue du monde civilisé.

Mes yeux se sont accoutumés à la pénombre qui régnait à l'intérieur du véhicule et j'ai vu un gamin d'une vingtaine d'années, petit, avec un sourire avenant. Des cheveux blonds surgissaient de sous son casque. Il portait un pantalon noir, rentré n'importe comment dans des bottes de combat immaculées, et un blazer bleu marine sous son gilet pare-balles, orné de boutons de laiton aux poignets. Sur ses genoux était posé un classeur ouvert.

« Bonjour. Je suis M. Moss », a-t-il dit avec un accent texan très chic, sans hésiter une seconde à s'accorder le titre de *monsieur* malgré son jeune âge. Il s'est penché pour me serrer la main, sans toutefois chercher à sortir du véhicule ou à détacher sa ceinture.

« Lieutenant Donovan. » Je l'ai salué d'une main au gant trempé de sueur.

M. Moss s'est essuyé la paume sur le pantalon. « Bien. Voilà comment on va procéder. Vous allez nous suivre jusqu'à la piscine. Vos Marines vont charger les barils sur ces camions, et notre ami irakien va emporter les produits chimiques avec lui. Des questions ? » Il a souri.

« Attendez. Un Irakien ? Et c'est quoi cette histoire de piscine ?

– OK. Ne perdons pas de temps. Ni d'air climatisé. On y va. » Il a tendu le bras et a claqué sa portière.

Doug m'a tapé sur l'épaule. « On va vous emmener là-bas. Ce n'est pas loin. »

Avant que j'aie le temps de lui demander pourquoi ils étaient si en retard, pourquoi ils ne nous avaient pas contactés par radio, ou qui il était tout simplement, Doug avait tourné les talons et se dirigeait vers son Suburban.

J'ai rejoint Gomez et Zahn. Ils avaient remis nos véhicules en ordre de marche et attendaient, appuyés contre le capot de mon Humvee.

« Qu'est-ce qu'on fait, mon lieutenant ? a demandé Gomez.

– On les suit. » J'ai haussé les épaules.

« Ces enfoirés de Blackwater vous ont donné leur fréquence radio ? a-t-elle fait.

– Peu importe de toute façon, a lancé Zahn. Ils sont tellement occupés à se dire qu'ils sont géniaux qu'ils ne pourraient pas t'entendre. » Il lui a donné un coup de coude en souriant.

« Non, ai-je dit. Ça n'avait pas l'air de les intéresser. »

Zahn a éclaté de rire. « Ça c'est sûr. J'ai demandé à un de ces trouducs comment il avait obtenu son taf, et il m'a répondu qu'il était videur avant à San Diego. Un Anglais lui a filé sa carte. Je crois qu'ils ne savent même pas comment se servir de leurs MP5. C'est un putain de joujou pour eux.

– Donc finissons-en, et que ça saute », ai-je décrété.

Le chauffeur du premier Suburban a klaxonné.

« Et merde, a soufflé Gomez. Suivons-les. »

Nous avons regagné le chemin de terre cahoteux, et Dodge, assis derrière, m'a demandé : « Est-ce qu'ils vous ont dit qui conduit les camions, *mulazim* ? Ces Irakiens ?

– Non. Pourquoi ?

– Ansar al-Sunna. J'en suis sûr.

– Comment tu le sais ? » J'ai posé la main sur le tableau de bord pour me maintenir malgré les secousses et me suis tourné vers Dodge.

« Vous savez que ce n'est pas mon premier métier, *mulazim* ? Je faisais du commerce avant, je vendais des trucs à des gens par ici. Ces Irakiens font partie d'Ansar al-Sunna. »

J'ai hoché la tête. « Je vais en parler au mec du Département d'État. Merci.

– Pas de quoi. » Dodge a agité la main. « Ils récupéreront sûrement ces barils de toute façon. C'est Ansar al-Sunna qui dirige tout ici. »

La route en terre a contourné un petit promontoire, et une zone résidentielle fermée a surgi devant nous. À l'image de celles de la côte Ouest américaine, avec pavillons en stuc identiques et impasses. J'ai cligné les yeux à deux reprises pour m'assurer que je ne rêvais pas.

« Ah, c'est pas pareil », a murmuré Zahn, brisant le silence qui s'était emparé de nous tous.

Je me suis retourné vers Dodge pour savoir ce qu'il en pensait, il a haussé les épaules. « Les scientifiques qui travaillaient avant au gaz de Saddam vivaient ici. C'est pour ça que c'est caché, loin de l'autoroute, avec juste un chemin en terre pour y accéder. »

Les détails nous sont apparus plus précisément. La guérite du gardien était abandonnée, et les maisons vides aux fenêtres brisées n'avaient plus de porte. Des pillards avaient débusqué l'endroit depuis longtemps et emporté tout ce qui avait de la valeur. Pourtant, comme nous franchissions le dos-d'âne qui séparait le chemin de terre de l'asphalte lisse d'une grande rue, j'ai eu l'irrépressible impression d'être en route pour rendre visite à un ami dans l'Alabama. Et ce d'autant que les Suburban devant nous se sont arrêtés plus ou moins en cercle au fond d'une impasse tandis que les camions irakiens se garaient dans les allées de garage voisines.

Gomez a pris la parole à la radio et a dit au convoi de stopper. On a appliqué les cinq et les vingt-cinq mètres, ajoutant quelques coups d'œil rapides aux fenêtres cassées des pavillons en quête d'éventuels snipers, tandis que les mercenaires nous observaient, mi-curieux, mi-amusés. Je suis sorti de notre Humvee en demandant à Zahn de me suivre.

Doug est venu à notre rencontre. « Les fûts sont dans une piscine vide, derrière cette maison. Allons-y.

– Attendez, ai-je dit. C'est quoi, cette histoire de piscine ? On nous a parlé d'un trou à ciel ouvert. »

Doug a haussé les épaules et s'est engagé dans l'allée de garage la plus proche. Nous lui avons emboîté le pas jusqu'à ce qu'il s'immobilise devant une porte de jardin. « Contractuellement, je ne peux pas aller plus loin. » Tandis que Zahn et moi franchissions la porte, il a pris une position tactique, pistolet-mitrailleur au poing, montant la garde à l'entrée du jardin comme s'il cherchait à se faire pardonner de ne pas pouvoir contractuellement nous accompagner.

La porte s'ouvrait sur une allée en pierre longeant une maison à l'américaine, ce qui a ravivé l'impression que Zahn et moi arrivions les premiers à une fête d'anniversaire au bord d'une piscine. Je me suis efforcé de chasser à nouveau ce sentiment de déjà-vu et de me rappeler que j'étais à la guerre.

L'instant suivant, je n'ai plus eu d'efforts à faire. Comme nous tournions au coin de la maison, la piscine nous est apparue et l'odeur chimique nous a pris à la gorge. Nous nous sommes mis à tousser et à cligner les yeux. De grosse larmes ont coulé sur mes joues, immédiatement différenciables de la transpiration qui ruisselait déjà sur mon visage.

« Putain, mon lieutenant, a fait Zahn en s'étranglant. Pu…tain de merde. Enfoirés. » Et il s'est retourné, s'agenouillant, incapable d'aller plus loin.

« Reste ici », ai-je réussi à dire.

Je me suis couvert le nez et la bouche avec ma cagoule en Nomex et me suis approché du bord. En me penchant avec précaution, j'ai vu dans le bassin une douzaine de barils environ, originellement peints en blanc mais qui étaient lentement en train de prendre une teinte de rouille. Une mystérieuse poudre avait creusé dans le métal, s'était répandue et recouvrait le fond de la piscine d'une espèce de couche de talc. J'entendais les substances chimiques réagir les unes aux autres sous le soleil de l'après-midi qui accélérait le processus. La poudre blanche rongeait des boulettes roses et crachait des cristaux verts, suintants. Un nuage chatoyant flottait au-dessus du bassin, malsain et épais. Les yeux me brûlaient.

Je me suis éloigné en titubant pour rejoindre Zahn. Il était toujours à genoux, cherchant désespérément à retrouver son souffle. Je l'ai tiré par le col de sa combinaison pour le remettre sur pied, puis l'ai entraîné avec moi. Nous avons dépassé Doug et j'ai fait asseoir mon caporal-chef sur le pare-chocs de notre véhicule. Ses joues se couvraient de boursouflures et ses larmes coulaient à flots.

J'ai appelé Doc Pleasant, qui a accouru sans son sac, bouche bée.

« Doc, nettoie-lui les yeux. Essaie de… Vois ce que tu peux faire. »

Doc a opiné du chef et, tendant la main pour prendre son sac, a juré et est reparti le chercher.

Malgré le voile qui brouillait ma vision, j'ai aperçu les Marines assurant la sécurité devant des maisons certainement similaires à celles dans lesquelles ils avaient grandi, et j'ai pensé aux enfants qu'ils avaient été quelques années plus tôt. Je les ai imaginés jouant au ballon dans la rue. Arrivant à la porte en smoking, un bouquet à la main, avant de repartir avec leur dulcinée au bal de la promo. Je suis même allé jusqu'à me figurer l'impossible : Gomez ouvrant la porte en robe de soirée et acceptant des fleurs.

J'ai cligné les paupières pour dégager les larmes, et les Marines ont réapparu dans mon champ de vision. La mine stupéfaite, ils regardaient sidérés le solide et imperturbable Zahn anéanti par l'odeur de produits chimiques de cette piscine.

Gomez est arrivée en courant, elle s'est agenouillée devant Zahn et l'a regardé. « Qu'est-ce qu'il y a ? » a-t-elle demandé, implorante. « Ça va ? » Elle a essayé de toucher son visage, mais Zahn a dégagé sa main d'un geste.

« Recule, a-t-il sifflé. Plus loin, bordel. Au cas où le vent tourne. » Elle a acquiescé. « Walter. Walter. Regarde-moi. Bien. OK. Maintenant, penche-toi en arrière. Laisse Doc te nettoyer les yeux. » Elle s'est tournée pour me faire face. « Lieutenant…

– Ouais. Fais-les…

– Lieutenant. Votre visage. »

Je me suis touché les joues et j'ai senti les cloques qui enflaient. « Fais-les reculer par ici. »

J'ai aperçu Dodge, debout derrière Gomez. « Dodge. Avec moi. »

Il m'a suivi vers les Suburban parqués au fond de l'impasse en murmurant : « *Mulazim*, vous ne pouvez pas faire ça.

– Le Département d'État a des Irakiens ici, ai-je dit. Il faut que je leur parle.

– *Mulazim*.

– J'ai compris. »

Doug, ayant de tout évidence abandonné son poste à la porte du jardin, a souri et demandé : « Tu y vas, mec ?

– Non. Il faut que je parle à M. Moss.

– Bien sûr. »

Nous sommes repartis vers le Suburban. Doug a ouvert la porte et l'air froid s'est à nouveau déversé, cette fois sur mes bottes, aussi épais que de la neige fondue.

Et, comme la fois précédente, M. Moss n'a pas pris la peine de sortir. « Bon. Ça va prendre combien de temps selon vous ? » Il a jeté un coup d'œil à son classeur, puis à sa montre.

« Monsieur Moss, ce n'est pas ce qu'on nous a annoncé. Nous ne sommes pas équipés pour ce genre de situation. »

Il a mis ses lunettes de soleil. « Ah, c'est décevant.

– Écoutez. Hors de question que mes Marines descendent dans cette piscine, même avec les combinaisons spéciales et les masques. Ces fûts ne sont pas scellés. On ne peut pas décontaminer dans ces conditions. »

M. Moss a ri. « Eh bien, c'est plus que décevant dans ce cas. Vous m'avez fait perdre mon temps. Et vous avez mis en danger nos vies en nous faisant venir jusqu'ici. Je vais devoir en référer à votre colonel.

– Oui, c'est ça.

– Il faudra mentionner votre nom. Lieutenant… comment déjà ?

– Allez vous faire foutre. » Une rage inattendue est montée en moi. J'ai fait de mon mieux pour la contenir.

Doug a sifflé et s'est écarté.

Dodge s'est approché et a collé son épaule dans mon dos.

M. Moss a fermé son classeur. « OK, lieutenant Allez-Vous-Faire-Foutre. Pourquoi croyez-vous que j'ai accepté de venir ici ? Pourquoi croyez-vous que le bureau de la reconstruction de la province s'intéresse à ce qui se passe ici ?

– Franchement, ça m'est égal.

– Parce que c'est une occasion de gagner cette guerre. De faire un pas dans ce sens. De montrer aux Irakiens qu'on est là pour les aider. Pour leur montrer de quoi les Américains sont capables. De travailler dur. » Il a désigné les camions irakiens et les hommes accroupis par terre, près des hayons, impatients. « Ces messieurs vont se vexer. Pire, nos amis irakiens le prendront comme une insulte s'ils ne récupèrent pas ces fûts aujourd'hui, comme promis. »

Dodge a ricané sous cape.

« Qui est-ce ? a fait M. Moss.

– Mon interprète. Et il affirme que vos amis irakiens appartiennent à Ansar al-Sunna. »

M. Moss a finalement explosé. « Qu'est-ce qu'il en sait, bordel ?

– Je vis ici », a répliqué Dodge, avant de s'interrompre soudain. Il a dégagé son épaule de mon dos pour reculer ostensiblement. Quelque chose l'avait affolé, mais avec M. Moss qui me fixait, je n'ai pas eu le temps de savoir quoi.

« Donc, c'est tout ? a demandé M. Moss.

– Oui. C'est tout. »

M. Moss a appelé son homme de main. « Doug ? Faites venir Mohammed ici. » Il a claqué sa portière, s'enfermant dans son cocon glacé et blindé sans un mot de plus.

« Dodge… » Je me suis retourné, mais il rebroussait déjà chemin vers les Humvee, la cagoule en Nomex remontée sur le visage et les lunettes de soleil sur le nez. Il regardait par terre, et a fait un grand détour pour éviter Doug qui escortait un jeune Irakien bien habillé vers le Suburban.

Comme je courais derrière lui pour le rattraper, Doug m'a lancé : « Alors, on n'a pas gagné la guerre aujourd'hui, mec ?

– Pas aujourd'hui.

– Tant mieux. » Il a éclaté de rire. « Ça veut dire que j'ai encore du boulot. Je vais pouvoir finir de payer ma résidence secondaire au bord de la mer avec trente ans d'avance. »

Je m'apprêtais à détourner les yeux, mais quelque chose a retenu mon attention. Quelque chose dans le jeune Irakien, Mohammed, qui marchait avec Doug. Ses traits m'étaient familiers. La façon dont il scrutait, perplexe, le dos de Dodge. Il m'a remarqué et nos regards se sont croisés.

Il a hoché la tête, l'air sérieux, et j'ai fait de même. Sans savoir pourquoi. La portière du Suburban s'est ouverte à nouveau, et j'ai continué de l'observer tandis qu'il se lançait dans une conversation animée avec M. Moss.

Dodge était déjà installé sur son siège, impatient de partir, lorsque j'ai atteint le Humvee. Zahn était assis derrière le volant, sans casque, une bouteille d'eau entre les cuisses. On aurait dit qu'on l'avait tabassé. Sa portière était ouverte, et Gomez se tenait à côté de lui, la main posée sur sa cuisse.

« Lieutenant ? a-t-elle demandé, presque penaude.

– Ça va pas. On part. »

Elle a laissé échapper un petit rictus, pas le large sourire qu'elle réservait à Zahn. « Vraiment, mon lieutenant ?

– Oui. On démarre dans trois minutes. »

Elle a fait volte-face et a détalé en criant : « On se réveille ! Les commandants de bord au rapport ! »

Je me suis assis à ma place et j'ai examiné Zahn. Son visage était luisant de pommade, ses cloques commençaient à désenfler sur ses joues et ses yeux s'asséchaient. « Ça va aller pour conduire ?

– Oui, mon lieutenant. Mais, vous… lieutenant, il faut vous occuper de vous. »

À cet instant, et pour la première fois depuis que je m'étais éloigné en titubant de cette piscine, j'ai senti la douleur. Comme si des créatures affamées, microscopiques et griffues, s'étaient infiltrées dans des rainures sans cesse grandissantes de ma peau et se frayaient un chemin vers mes sinus. J'ai grimacé et me suis regardé dans le rétroviseur. Des cloques suintantes grossissaient en cercles concentriques autour de mes yeux. De façon affreusement symétrique, et s'étendant implacablement vers le bas de mon visage.

Doc Pleasant s'est penché vers mon siège en me tendant une boîte de pommade. Il avait dû vider le contenu de son sac sur le siège arrière pour la trouver. « Apliquez ça sous vos yeux, mon lieutenant. »

Je me suis exécuté, et la sensation de soulagement m'a coupé le souffle malgré moi. J'ai fermé les paupières, renversé la tête en arrière, et continué d'étaler l'onguent les mains tremblantes. Un vrai bonheur. Une sensation de froid a recouvert mon visage, malgré l'air étouffant qui régnait dans le Humvee. J'ai inspiré profondément plusieurs fois et j'ai soupiré.

Lorsque j'ai ouvert les yeux, Doc Pleasant et Zahn me souriaient.

« Bien joué, mon lieutenant. » Zahn a tendu sa main gantée et m'a tapé la cuisse.

Gomez a annoncé à la radio : « Le collectif. On y va. »

J'ai froncé les sourcils à l'intention de Zahn. « Roule. »

Zahn nous a fait sortir de la résidence et nous avons retrouvé la route en terre pleine d'ornières et de nids-de-poule. Dodge a baissé sa cagoule, enlevé ses lunettes et montré son visage, pâle et desséché.

« Ça va, Dodge ? ai-je demandé.

– À peu près aussi bien que vous, *mulazim*. » Il a avalé sa salive avec difficulté comme s'il allait vomir.

Commandement de la section travaux, régiment du génie,
à l'infirmier militaire Lester Pleasant.

Nous vous avertissons ce jour des défaillances suivantes :
Manque de préparation adéquate pour les missions.
Retard systématique au briefing précédant les missions.
Apparence personnelle non professionnelle.
Comportement inapproprié envers vos supérieurs.
Nous vous ordonnons de prendre immédiatement les mesures
nécessaires afin de remédier à ces manquements. Votre hiérarchie
se tient à votre disposition pour vous y aider. Si aucun change-
ment ne devait avoir lieu de votre part, une procédure judiciaire
ou administrative sera entreprise à votre encontre, ce qui vous
exposera à un éventuel renvoi, ou plus.

Onde de choc

Noël à la maison était devenu étrange, et je ne m'y attendais pas. Ces dernières années, depuis que j'avais compliqué les choses avec la famille, on s'achetait un truc à emporter pour le dîner, papa et moi, on s'échangeait un ou deux cadeaux, puis on regardait un match de foot universitaire à la télé. Et ça suffisait bien.

Mais cette année, après avoir quitté l'appartement de Lizzy et conduit jusqu'à chez moi, je me suis senti comme un étranger dans cette vieille maison. On aurait dit que j'avais rompu un pacte en le laissant seul ici et que la maison m'en voulait.

Les lattes de parquet gémissaient dans le couloir quand je longeais les portraits de ma grand-mère, de mon père, de tous mes oncles, tantes et cousins. Ils me souriaient sur les murs, et les grincements résonnaient comme s'ils me parlaient. Me demandaient pour qui je me prenais à le laisser seul ici sans personne pour s'occuper de lui. Tu crois vraiment que tu vas tenir avec cette fille punk-rock et ses amis ?

Quel que soit l'endroit où mon père allait, j'avais l'impression que la maison chancelait pour le suivre. Quand il sortait sous la véranda en laissant la porte à moustiquaire claquer derrière lui, je sentais la façade s'incliner et les stores se pencher au-dessus de lui comme des palmiers. Quand il entrait dans la salle à manger, la porcelaine de ma grand-mère dans le vieux vaisselier tintait tant qu'elle pouvait. Plus d'une fois, je l'ai senti devant la porte de ma chambre à se demander s'il devait frapper ou non.

Je lui ai donné un couteau de poche le matin de Noël, et il m'a tendu cent dollars.

« Je me suis dit que t'aurais besoin de liquide. Pour louer quelque chose, ou un truc comme ça.

– Merci, mais je ne sais toujours pas si je vais rester à La Nouvelle-Orléans. Je serai sûrement de retour dans quelques jours. »

C'était le matin de Noël. Maintenant, c'est le réveillon du jour de l'An, et je ne l'ai pas rappelé depuis que je suis parti avec ma camionnette chargée à bloc.

J'ai déposé toutes mes affaires chez Landry pour que Lizzy ne les voie pas. Je ne veux pas qu'elle flippe en voyant mes trucs, qu'elle pense que je suis prêt à m'installer et que j'attache trop d'importance à notre histoire. Ses amis sont tous de retour en ville et je ne suis pas sûr qu'elle ait encore besoin de moi.

Mais elle m'a invité chez elle en milieu d'après-midi, et maintenant, après avoir batifolé un peu, elle me demande de l'accompagner au feu d'artifice où elle doit rejoindre ses amis. « T'es sûr que tu ne veux pas venir ? C'est mes amis qui t'inquiètent ? Parce que faut pas, hein ? Ils t'aiment beaucoup. »

Elle se frotte contre moi sous les draps. Comme si elle s'en voulait d'avoir fait allusion à Sebastian. Qu'est-ce qu'elle croit ? Que se frotter contre moi va arranger les choses ? Bah, c'est pas le cas, mais peu importe en fait.

« Je préfère pas. Je suis encore fatigué à cause du boulot, et ça va être blindé là-bas sur la levée. Je suis pas vraiment d'humeur à ça, je crois. »

Elle soupire, déçue. « OK…

– Désolé », je murmure.

Et l'air dans mes narines chauffe. C'est la honte qui brûle en moi. Je suis là, à priver cette fille de ce qu'elle veut. L'empêcher de voir ses amis. Et je ne vais même pas lui dire pourquoi. Je ne compte pas lui dire la vérité de toute façon.

Elle n'a qu'à y aller seule. J'ouvre la bouche pour le lui dire, mais choisis finalement de me taire. Par égoïsme. Je préfère qu'elle reste avec moi. J'aime sentir sa poitrine sur ma peau. Son soutien-gorge en dentelle qui m'érafle sur le côté chaque fois qu'elle inspire profondément. Je voudrais que ça dure toujours.

Mais dehors des crétins ont déjà commencé avec leurs feux d'artifice. Ça éclate de partout. Des explosions et des sifflements à travers tout le quartier. Des pétards et des fusées en série.

Ça me rappelle les rafales de fusils-mitrailleurs, quand on garait les deux Humvee sur le remblai pour que les tireurs s'entraînent. Ils me laissaient pas tirer, c'est sûr. Je restais juste sur le côté avec mon sac de secours au cas où quelqu'un se brûle avec les douilles chaudes qui giclaient des armes.

Zahn menait la danse. Il marchait derrière les Humvee pendant les tirs, et quand un tireur gardait la main sur la gâchette un peu trop longtemps ou que les deux fusils étaient actionnés en même temps, il criait : « Écoutez-vous ! Écoutez-vous, bordel ! »

Plus tard, sur la route, il m'a expliqué ce qu'il entendait par là : « S'assurer qu'ils tirent un à la fois. Économiser les canons. Une rafale courte, c'est douze ou quinze munitions. Ensuite il faut laisser le canon reposer. L'autre fusil prend le relais, et ainsi de suite. Il faut soutenir le feu sans vider les chargeurs ni surchauffer l'arme. »

C'était quand il parlait encore clairement. Avant que le coup qu'il a pris sur la tête le ralentisse.

Les feux d'artifice font de plus en plus de bruit, de plus en plus près. Les explosions appellent les explosions, les amateurs se lâchent avant le grand show, et ça commence à ne plus ressembler à des rafales de mitrailleuses sous contrôle, mais à quelque chose de pire.

C'est juste des parents sur leurs sièges pliables, je me dis. Qui laissent leurs gamins se défouler avec des feux d'artifice à deux balles que leur père est allé acheter au-delà des limites du comté, là où ils sont en vente libre. Des ados qui veulent montrer à leurs copines comme ils sont courageux. En tenant la fusée un peu trop longtemps après avoir allumé la mèche. Et qui rigolent pendant que les filles s'enfuient en râlant.

Une fusée jaillit devant la fenêtre de la chambre de Lizzy. Un éclair blanc comme une explosion de mortier. Pas de jolies couleurs, rien. Que de la fumée et du bruit. Qui peut aimer un truc pareil ?

Lizzy, j'imagine. Elle se redresse et pousse un cri perçant. C'est gloussement et compagnie, cette fille. Elle s'excite à cause des feux d'artifice comme je le faisais sûrement quand j'étais gamin, mais je ne m'en souviens plus. Elle écarquille les yeux et me fait signe d'approcher de la fenêtre pour voir. Son sourire. Il n'est pas comme d'habitude. Elle arrive pas à le contrôler. Je fixe son soutien-gorge en dentelle blanche pendant qu'elle regarde ailleurs. J'ai encore envie de le sentir contre moi. Alors je me décale vers le rebord de la fenêtre, les jambes sous les couvertures.

Je ne vois rien. Juste de la fumée bleue qui glisse par-dessus le toit des voisins et surgit au carrefour pour se propager dans la rue. Heureusement que je ne sens rien, pas encore. Cette odeur de soufre, vide comme la mort. Une chaîne de pétards explose quelque part et le visage de Lizzy s'illumine à nouveau. Elle sourit et se jette sur moi en gémissant comme un foutu chiot.

Une autre fusée siffle dans la rue, juste à côté de la fenêtre, et Lizzy tend le cou pour regarder. Elle ne me voit pas grimacer, et c'est tant mieux.

On se câline encore quelques minutes. Moi derrière elle, légèrement éloigné pour qu'elle ne sente pas les battements de mon cœur, et les mains posées sur son pantalon de pyjama. J'essaie d'enfouir mon visage dans ses cheveux dans l'espoir que leur parfum m'apaise. Ils sont si propres, ses cheveux. Comme s'ils n'avaient jamais connu la moindre goutte de sueur. Je respire profondément, et mon cœur ralentit un peu. Je commence à me sentir bien. On se colle et je me demande si elle ne va pas s'endormir tout simplement. Elle doit être fatiguée après avoir travaillé toute la nuit. Si Lizzy dort pendant une heure ou deux, je vais pouvoir mettre son super casque et écouter de la musique à fond. J'ai trop hâte que les sauvages dehors arrêtent avec leurs pétards de merde. On pourra peut-être sortir ensuite, quand le feu d'artifice sera fini, après minuit, à temps pour tout le truc romantique du Nouvel An.

Mais elle soupire. « Tu es sûr que tu ne veux pas qu'on aille retrouver mes amis près de la rivière ? »

Ce n'est pas vraiment une question, je le sais.

Je la serre contre moi. « Restons encore un peu. »

Mon souffle pousse une mèche blonde dans son cou. Elle la repasse derrière son oreille. En plein dans mon visage. Juste là où je peux la respirer.

Elle se tourne pour me regarder. « S'il te plaît, s'il te plaît, Les ? » Elle sourit avec tendresse, et je ne trouve rien à dire. Rien du tout. Je ferai ce qu'elle veut. N'importe quoi pour qu'elle continue de sourire comme ça.

« Bon. Le feu d'artifice, pas longtemps, OK ? Ensuite, on ira à cette fête chez Landry dont tu m'as parlé.

– D'accord. Le feu d'artifice, pas longtemps. »

On descend Elysian Fields dans sa voiture. La circulation devient moins dense après Rampart. Tout le monde doit déjà être sur la levée. Le grand spectacle va commencer dans quelques minutes. Lizzy se gare où elle ne devrait pas, et sort de la voiture d'un bond avant que j'aie le temps de dire quoi que ce soit.

Je la suis à travers le quartier français. On passe devant l'ancien hôtel de la monnaie. C'est comme si toute la ville s'était donné rendez-vous sur la levée. Des familles transportent des chaises et des couvertures pour s'asseoir dans l'herbe entre les rails de chemin de fer et le sentier piétonnier. Des jeunes déambulent avec des packs de douze bières dans les bras, distribuant les cannettes à leurs amis. Lizzy me prend la main et me tire dans la foule. Elle sourit. Excitée.

Le soleil est couché. Ça sent enfin l'hiver. Il va même peut-être geler cette nuit.

Malgré tout, j'ai les paumes moites et ma main ne cesse de glisser de celle de Lizzy. Elle se faufile dans la masse et je m'efforce de ne pas la perdre de vue. Je panique déjà, mais elle ne semble pas le remarquer.

Quand je la rattrape, elle sourit et m'embrasse sur la joue. « Allez ! Ça va commencer ! »

On traverse les rails sur la levée et on retrouve les amis de Lizzy. Bien installés sur des couvertures étalées par terre, maintenues par des sacs de pétards et de feux d'artifice et des packs de bière. Je vois d'abord Sebastian. Il allume un cierge magique et ouvre une bière. Il est grand et maigre, et porte un jean noir étroit assorti à ses cheveux. Lizzy court vers lui et l'enlace. Il lève le cierge au-dessus de sa tête et passe son autre bras autour d'elle. J'arrive par-derrière, à travers la fumée noire et épaisse du cierge.

Sebastian m'aperçoit et étreint Lizzy une ou deux secondes de trop à mon goût. Puis il se libère et me tend la main. « Salut, mec. Content que tu sois venu.

– Ouais, je fais, je voulais pas rater ça. »

Deux copines de Lizzy dont j'ai oublié les noms, des filles de son cours d'histoire de l'art, la rouquine au gros tatouage en forme de poisson sur le bras et la brune potelée avec les cheveux en brosse, fouillent dans leur arsenal de feux d'artifice. Même de loin, je vois bien qu'elles sont complètement saoules. Elles trouvent ce qu'elles cherchaient et applaudissent.

« Je crois que ça va commencer, dit Sebastian à Lizzy. Ils ont mis la barge en place. C'est une question de secondes. »

Il y a une famille sur une couverture à côté des filles bourrées. Trois gamins. Les filles allument quand même la fusée. Qui siffle et explose, comme une grenade assourdissante, au-dessus de la famille. Cette merde retombe en ombrelle étincelante juste au-dessus de nos têtes dans un bruit monstrueux, et les gamins se réfugient sous les bras de leur père.

« Hé, je crie en m'avançant vers les filles, ça va pas ou quoi ? »

Elles me regardent, stupéfaites. La fumée de leur stupide feu d'artifice empeste le soufre. On se croirait en enfer.

« Regardez ce que vous faites ! Y'a des gamins, bordel ! Espèces de connasses ! »

Comme j'avance vers elles, la première véritable fusée décolle de la barge. Du rouge qui explose au-dessus de l'eau pour impressionner. Je vois la lueur, la détonation résonne dans ma poitrine, et j'entends le son juste après. Le tout en un quart de seconde. Exactement comme dans mon souvenir…

Quand ça a explosé, je regardais Zahn dans le rétroviseur. Pas la route comme j'aurais dû. Il me fixait à cause de la question stupide que je venais de lui poser. Ensuite, j'ai senti la violence, l'onde de choc s'engouffrer par la trappe de la tourelle.

Quand le véhicule s'est immobilisé, j'ai entendu le lieutenant Donovan ordonner à tout le monde de rester attaché, pour s'assurer qu'on était vraiment arrêtés. Ensuite j'ai entendu les rafales de mitrailleuses au-dessus de ma tête. Une attaque multiple. Une embuscade finement organisée. D'abord, ils déclenchent la bombe, et après ils tirent à l'arme légère pendant que tu essaies de sortir.

Le Humvee était déjà en flammes. La fumée pénétrait à l'intérieur par le moteur. Des douilles de mitrailleuses tombaient de la tourelle, brûlantes, et des éclats d'acier fusaient dans l'habitacle. On ne pouvait pas rester dans le véhicule. J'ai commencé à essayer de me détacher.

Dodge s'est libéré avant moi. « Lester, mec, magne-toi. Viens par là. » Il m'a attrapé par le bras et m'a tiré vers sa porte.

Une fois dehors seulement, j'ai pensé au tireur. Où était-il, putain ? Était-il tombé à cause de l'explosion et est-ce qu'on l'avait écrasé avec le Humvee ? Et Zahn ? Il était mort ?

Le lieutenant Donovan m'a empoigné l'épaule et m'a poussé dans un fossé. Il tirait Zahn par les sangles de son gilet pare-balles. « Prends-le. Il est inconscient. Prends-le. »

J'ai hoché la tête alors que le lieutenant Donovan s'éloignait au pas de course en parlant calmement à Gomez par radio. Ensuite, j'étais dans un fossé, la tête de Zahn sur les genoux pendant que les tirs s'intensifiaient autour de nous. J'ai détaché la lanière de son casque et passé la main à l'intérieur pour voir s'il y avait du sang. J'ai senti une odeur de fumée se dégager de ses cheveux et il a ouvert les yeux.

Je sens l'odeur de fumée dans les cheveux de Lizzy alors qu'elle me donne un coup d'épaule pour m'éloigner de ses copines. Elle me crie dessus dans le vacarme du feu d'artifice. Lueurs et explosions envahissent le ciel. De plus en plus vite.

« Arrête, Les. Tu hurles. Arrête ! »

Sebastian est là aussi, debout entre moi et les filles saoules. Ils me regardent, avec mépris.

Je baisse les yeux vers Lizzy ; son sourire a disparu. J'ai tout gâché.

« Désolé. » Je tourne les talons et repars dans le quartier français à la recherche d'un bar où elle n'ira jamais. L'odeur de ses cheveux flotte encore dans mes narines.

Cinglé de Lester. C'est Dodge. Tu te souviens de moi ? En fait, je m'appelle Fadi maintenant. J'ai dû changer de nom parce que j'étais en danger. Ça fait un bail, hein, et je ne t'ai même pas dit au revoir en partant. J'en suis vraiment désolé. C'est devenu dangereux pour moi après Ramadi. Beaucoup de gens n'auraient pas tardé à me reconnaître, et j'ai dû partir vite fait.

Je suis en Tunisie à présent. C'est difficile ici aussi, donc j'aimerais bien venir en Amérique. Est-ce que tu peux m'aider ? Le gouvernement américain a besoin d'une lettre certifiant que j'ai travaillé pour les Marines en Irak. Quand les lignes téléphoniques fonctionneront à nouveau, j'essaierai de t'appeler, si tu me donnes un numéro.

Les poseurs de bombes

J'envoie ce message à Lester et j'éteins mon ordinateur. Ça me gêne, mais il faut le faire. Nous avons besoin de contacts en Amérique, et je suis le seul dans l'appartement qui puisse en trouver. Le seul à connaître des noms.

Ben Ali s'efforce de bloquer l'accès à Internet, et nos méthodes pour contourner ses pare-feux ne fonctionnent pas longtemps. Les messages doivent être succincts. C'est encore le réveillon du jour de l'An, en Amérique, et je me dis que Lester doit être dehors à embrasser des filles. Il va sûrement lui falloir un moment avant de me répondre.

Ici en Tunisie, il y a des filles à embrasser mais pas de festivités ni de musique. Juste des baisers sérieux, qui suintent la peur. Après la première manifestation sur la place, les premières balles réelles et les corps jonchant les rues, mes colocataires ont fini par comprendre. Et je crois que je les aime plus à présent. Avant la première manifestation, ils cherchaient juste un prétexte pour faire la fête. Mais quand la police leur a montré la mort, ils ne se sont pas enfuis comme je m'y attendais. Ils se sont engagés.

Maintenant, ils réfléchissent à la prochaine manifestation et organisent un nouveau comité d'étudiants dans notre appartement. Ils appellent la France et l'Amérique avec un téléphone satellite volé à la police. Ils ont trouvé quelques cracks en informatique de l'autre côté des mers, qui les aident à contourner la censure d'Internet.

Et ils évoquent de plus en plus l'idée de m'envoyer parler en anglais devant les caméras. Sans même me demander mon avis. Ils se contentent de le dire, tout simplement. « C'est une arme, affirment-ils. Sa maîtrise de la langue anglaise est une arme. Il faut qu'on s'en serve. »

Je me demande si cela ferait rire Hani. Kateb, une arme. Ce n'est pas faux.

Mon frère, Mohammed, m'a déposé au lac le matin, alors que Hani, Moundhir, Haji Fasil et Abou Abdoul commençaient à peine leur journée. Après le départ de mon frère, j'ai sorti la liasse de dinars que j'avais réussi à cacher dans mon pantalon et j'ai entraîné Hani derrière la ferme.

« Hani, regarde cet argent. Mon père me l'a donné hier soir. On peut partir maintenant, Hani. »

Hani a écarquillé les yeux et j'ai commencé à compter. « Il faut en donner au moins la moitié à Haji Fasil », a-t-il marmonné. Ensuite, il a secoué la tête, contrarié. « Mais ce ne sont pas des dollars. On a besoin de dollars si on veut passer en Jordanie ou en Syrie. Les dinars ne nous serviront à rien.

– On arrivera bien à les changer en cours de route, ai-je dit, m'efforçant de ne pas avoir l'air désespéré.

– Mais on ne trouvera pas de meilleur endroit qu'ici pour changer de l'argent. Pederson revient aujourd'hui. Tu pourrais lui demander de nous aider, non ? Peut-être qu'au QG du gouvernement à Ramadi, ils nous donneraient des dollars ? »

Un frisson m'a parcouru. D'abord dans mes paumes, puis dans mes bras et le long de mes jambes. « Pederson revient aujourd'hui ?

– Oui. Bien sûr, a confirmé Hani avec insouciance. Il est revenu hier déjà, après ton départ. Il a dit qu'il utiliserait notre cabane sur la plage pour organiser des rendez-vous avec des soldats de la nouvelle armée et d'autres gens. Des marchands et des cheikhs. Comme si c'était un *choura*, d'après ce que j'ai compris.

– Quand ? ai-je lâché en lui saisissant les épaules.

– Très bientôt. Ce matin. Pourquoi tu poses la question ? » Hani a froncé les sourcils, perplexe.

Je l'ai laissé là et j'ai rejoint en courant Haji Fasil qui fumait devant la maison en buvant du thé.

« Haji, ai-je lancé, essoufflé. Vous devez partir avec Abou Abdoul.

— Pourquoi ? a-t-il répliqué, aussi calme que Hani mais pas si stupide. Est-ce que ton frère et ton père arrivent pour nous tuer ?

— Non, mais les Américains reviennent aujourd'hui...

— Oui, je sais. Des hommes sont passés tard hier soir. Je les ai vus cacher des bombes, Kateb.

— Où ?

— Sur l'autoroute. Deux bombes. Une au nord, l'autre au sud. Je crois qu'ils projettent de coincer les Américains avec les explosions, et de les attaquer ensuite avec des balles et des rockets depuis le désert. » Haji a eu un geste vague, comme si nous discutions d'une stratégie de football. « Et je les ai vus tôt ce matin. Installer leurs mitrailleuses dans la pénombre. Dissimuler leurs voitures dans le désert. Pour préparer leur fuite, si Dieu le veut. »

La colère m'a saisi. Je lui en voulais de rester assis avec autant de calme, à fumer une cigarette et boire du thé. « Pourquoi restez-vous alors ? Fuyez ! Allez à Ramadi ou à Falloujah et revenez quand cet endroit sera de nouveau sûr.

— Parce que, Kateb, a-t-il soupiré, si nous ne sommes pas là, les Américains sauront que c'est un piège. Ils passeront rapidement leur chemin, et les hommes comme ton père seront déçus de ne pas avoir pu les tuer comme prévu. Ils rejetteront la faute sur moi, Kateb. Et pour finir, ils me tueront. » Il a allumé une nouvelle cigarette. « Non. Non, tu vois, la seule chose à faire, c'est de rester. Laisser les choses se dérouler comme Dieu le veut et tâcher d'éviter les balles. Laissons des Américains mourir si c'est écrit, laissons-les tuer ton frère et ses hommes s'ils le peuvent, et nous survivrons, Kateb. »

À cet instant, alors que Haji Fasil finissait son thé, j'ai entendu les moteurs américains. Pederson et ses hommes arrivaient par le nord. Je me suis avancé sur le chemin de terre qui rejoignait la voie rapide et j'ai vu leurs Humvee s'approcher. Je me suis demandé où les bombes étaient cachées.

« Hum. Un peu en avance », a déclaré Haji Fasil en retournant à l'ombre.

J'ai vu Hani les saluer de la main, totalement inconscient du danger. Aussi buté qu'une pierre, Hani.

« Où sont Moundhir et Abou Abdoul ? ai-je demandé à Haji Fasil.

– En train de pêcher. » Il s'est assis contre le mur de sa ferme et a sorti une cigarette. « Ils sont en sécurité sur l'eau, si Dieu le veut. »

Les Marines de Pederson ont garé leurs Humvee et ont inspecté le périmètre à la recherche de bombes ou d'autres dangers, comme d'habitude. Mais avec beaucoup moins d'application que le premier jour où nous les avions rencontrés. Nous avions gagné leur confiance. Ils appréciaient notre ville touristique presque autant que Hani l'avait souhaité.

Pederson s'est avancé à pied, directement vers moi. « Tu nous as manqué quand nous sommes revenus hier, Kateb. » Il m'a serré la main. Il souriait sous son casque et derrière ses lunettes de soleil. « Nous avions un interprète de l'armée irakienne, mais il n'était pas aussi bon que toi. »

J'ai avalé ma salive. « Évidemment. J'avais une rapide course à faire hier. Mais je suis de retour maintenant.

– Oui, tant mieux. Tant mieux. » Pederson m'a invité d'un geste à marcher avec lui en direction du campement. « Bon, aujourd'hui on a une petite entrevue avec vos voisins pour voir si on peut sécuriser un peu plus la zone. Ton aide sera la bienvenue. »

J'ai entendu d'autres moteurs. Cette fois venant du sud. Des moteurs plus bruyants. Pas la bonne vieille mécanique américaine. C'était la nouvelle armée irakienne qui venait pour parler.

Pederson s'est assis sur une bûche, a levé les yeux et a souri. « Parfait. Juste à l'heure. »

Je sentais déjà les bombes qui allaient les tuer dans leurs camionnettes précaires. Des bordures d'accotement, que j'avais vues la veille dans l'usine derrière la maison de mon père, les attendaient, remplies d'obus.

« Dites-leur de s'arrêter, je me suis entendu dire.

– Quoi ?

– Dites-leur qu'il y a une bombe sur la route, mais ne le criez pas à tue-tête et ne vous excitez pas non plus. Des gens nous observent. »

Il a opiné calmement du chef. D'un air entendu. Il a collé ses lèvres à son micro. « Halte. Halte. Ici Actual. Selon nos informations, une embuscade serait imminente. Prévenez l'équipe de conseillers. Il faut qu'ils s'arrêtent. Et dites aux gars de la sécurité de pousser vers l'ouest, à vous. »

Puis il s'est assis et m'a regardé. Il transpirait et respirait bruyamment mais maîtrisait admirablement sa peur.

« Une bombe pour vous au nord. Et une autre au sud pour les *joundis*.

– Et ensuite quoi, Kateb ?

– Des balles. Depuis le désert. »

Il a hoché la tête, comme si tout cela ne posait aucun problème. « OK. »

J'ai regardé mes pieds et j'ai frissonné.

« Tu fais ce qu'il faut, Kateb. On va s'occuper de tout ça. »

Je l'ai cru. Comme il se levait et s'éloignait pour préparer ses hommes au combat, j'ai eu en cet Américain une confiance absolue. Parce qu'il m'aimait bien. Et j'ai pensé, durant ces quelques minutes seulement, qu'on allait tous s'en sortir. Qu'après le combat, les Américains nous escorteraient en lieu sûr.

Même lorsque les bombes ont explosé, l'une après l'autre, et que j'ai plongé dans le sable pour me protéger le visage, j'ai continué d'y croire encore un peu. Caché derrière un tronc d'arbre couché, j'ai écouté les balles siffler au-dessus de ma tête et j'ai cru que tout le monde vivrait jusqu'au lendemain. Que Moundhir et Abou Abdoul, en sécurité sur l'eau, trouveraient un endroit pour aller pêcher tous les jours. Que Hani et Haji Fasil plaqués à terre par quelque Marine dévoué, resteraient sous la protection du courage américain jusqu'à ce qu'ils puissent se rendre à Ramadi et qu'ils ouvrent leur propre échoppe dans le grand souk. Même lorsque je me suis un peu plus enfoncé dans le sable parce qu'un genou s'enfonçait dans mon dos, j'y ai cru. Je n'ai commencé à douter que lorsque les étroites menottes en plastique des Américains m'ont serré les poignets.

Des hommes m'ont remis de force sur pied et j'ai compris, pour la première fois, combien mon père et mon frère étaient devenus experts dans leur guerre. Les Marines ont pris le temps de me montrer l'étendue des dégâts tandis qu'ils me poussaient vers les Humvee.

J'ai vu, au sud, les camions de l'armée irakienne qui fumaient, détruits, cernés de membres déchiquetés.

J'ai vu le corps désarticulé de Haji Fasil gisant près de la ferme, un vilain trou dans le front. Le mur derrière lui était éclaboussé de sang. Qui avait tiré la balle qui l'avait tué ? Un Américain ? Un *joundi* ? Mon frère ? Qui sait ?

J'ai vu Hani ramper pour échapper aux Américains qui voulaient le menotter comme ils l'avaient fait avec moi. Il cherchait à rejoindre Moundhir, qui s'éloignait à la nage du *kitr* criblé de balles. Il était rentré quelques minutes trop tôt de son expédition de pêche. J'ai vu Hani se libérer et aller aider Moundhir à tirer sur la rive le corps disloqué d'Abou Abdoul.

Les Américains m'ont poussé dans un véhicule avec Pederson, qui a ordonné à ses Marines de m'enlever les menottes. « Enlevez-lui ça, tout de suite », a-t-il hurlé avant de se retourner vers moi, à nouveau prévenant. « Désolé. On t'a mis les menottes au cas où quelqu'un regarderait encore. On attend une équipe de spécialistes pour analyser le terrain, et ensuite on te ramène au QG du gouvernement pour que tu puisses faire un rapport à nos agents du renseignement… »

J'ai cessé d'écouter. Par la fenêtre, je venais de voir Moundhir prendre délicatement la tête de Hani dans ses mains puissantes et caresser les cheveux de notre ami tandis qu'ils pleuraient tous deux.

« Bien sûr, ai-je dit à Pederson. Emmenez-moi où vous voulez. Peu importe. »

J'accuse réception de votre lettre d'avertissement.

Bien que je ne me sois pas adressé à un supérieur hiérarchique, et n'aie en conséquence pas enfreint le Code unifié de justice militaire, mes remarques irrespectueuses envers un membre des services diplomatiques américains ont terni l'image du corps des Marines et de la Marine américaine. J'ai fait preuve de manque de discernement et mes actes étaient grossiers et indignes d'un officier des Marines.

Même si elle n'envisage aucune mesure de réprimande à mon égard, je m'engage à prendre votre lettre en considération et à rectifier mon comportement comme il se doit. J'accomplirai plus attentivement mon devoir, à la fois en garnison et au combat.

Avec mon plus profond respect,
P. E. Donovan

Indigne

Je hèle un taxi sur Saint Charles Avenue à onze heures et demie le soir du réveillon et demande au chauffeur de m'emmener dans le quartier français. À juste titre, il n'a pas l'air partant mais finit par accepter. J'ai décidé sur un coup de tête d'aller traîner chez Molly's en espérant y trouver Paige. Puisque je n'ai pas le courage de l'appeler, c'est le mieux que je puisse faire.

Sur Canal Street, la foule devient infranchissable, donc je donne au chauffeur un gros pourboire pour compenser le fait de le laisser en plan, coincé dans la cohue, sans client potentiel ni possibilité de s'extraire de là facilement. Molly's est situé à l'autre extrémité du quartier français, presque au niveau d'Esplanade Avenue. C'est à plus d'un kilomètre à pied, à travers des rues bondées, les fêtards ivres déambulant en masse vers la rivière pour tenter de voir la fin du spectacle.

Je traverse Jackson Square au plus fort du feu d'artifice et, tandis que j'avance péniblement dans la foule, je m'efforce de ne pas remarquer les couples qui se glissent dans les coins sombres.

Me rendant soudain compte qu'avec mes bottes et mon jean je ne suis pas habillé pour l'occasion, je me sens gêné et pris au dépourvu. Partout où je regarde, les gens sont sur leur trente et un. Les femmes en robes de soirée chatoyantes bravent le froid nocturne en se collant contre des hommes en pantalon de costume et pull à col montant. Je baisse la tête et tente de me cacher dans mon blouson. J'ai peur de rencontrer un camarade de classe, seul comme moi en ce réveillon du jour de l'An, et qu'on comprenne que je n'ai même pas assez d'estime de moi-même pour m'habiller correctement pour l'occasion.

Contre toute attente, Paige me manque. J'ai très envie de l'appeler, mais à minuit un soir de réveillon ? Après avoir fait le mort cinq jours d'affilée ? Non. J'aurais l'air pire que désespéré. Affreusement égoïste.

Même si Paige ne travaille pas, même s'il se trouve qu'elle est chez Molly's, j'ai du mal à l'imaginer contente de me voir. Au fond, je la cherche peut-être pour qu'elle me dise de vive voix que je suis un idiot. Il faut que je grandisse, et ce n'est pas une bonne idée de commencer par un coup de fil à minuit. Je devrais accepter les choses comme elles sont. Je devrais assumer mes responsabilités.

Boutons de Laiton s'était dépêché de rentrer à Ramadi pour raconter l'histoire de notre altercation. Il avait dû en parler à qui voulait l'entendre car c'était devenu le sujet de toutes les conversations ce soir-là au mess. Le lieutenant qui avait le culot de tenir tête à un diplomate. Jeune certes, mais quand même. Tous les officiers du régiment ont bien ri, j'en suis sûr. Mais pas l'état-major.

Nous sommes arrivés dans la zone de dispersion peu avant le crépuscule et je suis resté à l'écart tandis que Gomez et Zahn supervisaient l'organisation du matériel et le nettoyage des véhicules. Ils sommaient les Marines de se dépêcher pour qu'ils puissent manger quelque chose avant la fermeture du mess.

Cobb, présent parce qu'il préparait ses hommes pour une mission de construction de nuit, m'a pris à part. Il était d'astreinte au centre opérationnel lorsque le commandant Leighton avait reçu l'appel en fin d'après-midi. Parce que je n'étais pas arrivé à al-Taqadoum à temps pour le prévenir, le commandant Leighton avait été pris de court. Le régiment avait eu vent de l'altercation avant lui, ce qui était impardonnable. De l'extérieur, à cause de moi, c'était à croire qu'il ne savait pas contrôler ses lieutenants ni même se tenir au courant de leurs facéties.

Mon estomac se noua. Je l'imaginais piquer une crise dans les bureaux le lendemain matin, laissant éclater sa fureur à travers les cloisons en contreplaqué pour que tout le monde dans la compagnie sache qu'à cause de moi, il était passé pour un incompétent et un imbécile. Me cacher ne me serait d'aucun secours, me suis-je dit. Je voulais en finir au plus vite, donc je suis allé au centre opérationnel et me suis porté volontaire pour remplacer l'adjudant Dole à la surveillance de nuit. Dole a souri, m'a remercié et s'est empressé de sortir avant que je ne change d'avis.

Je n'ai même pas pris la peine de me doucher ou de changer de combinaison, et pourtant je puais. Le quart de nuit me maintiendrait éveillé, tout comme les cloques sous mes yeux qui cicatrisaient vite mais demeuraient douloureuses. Je quitterais le siège de l'officier de quart vers six heures le lendemain matin, j'irais jusqu'à la porte du bureau du commandant et me présenterais pour recevoir un savon à son retour du petit déjeuner.

Je me suis effondré dans le siège à roulettes, me suis approché du bureau, ai tiré un trait dans le cahier de liaison et écrit dessous en lettres capitales : « Moi, lieutenant P. E. Donovan, je prends la relève. Rien à déclarer à cette heure. »

Les sergents se tenaient debout, déconcertés par mon uniforme crasseux et mon odeur nauséabonde. Ils m'ont briefé à tour de rôle. Renseignement. Contrôle des déplacements. Mission logistique. Ils m'ont tous livré un rapport limpide et soigneusement préparé sur la situation opérationnelle.

La plupart des convois sortaient ce soir-là. L'officier de quart représentait la compagnie pendant que le commandant Leighton dormait, prenait la responsabilité des véhicules et du personnel sur la route, et se tenait prêt à tout moment à informer les supérieurs hiérarchiques des opérations en cours.

Après m'avoir briefé, les sergents sont retournés à leurs occupations. L'incompétence de l'adjudant Dole était telle qu'ils avaient appris à diriger seuls le quart de nuit et avaient par conséquent développé un système bien rodé. L'information circulait dans la pièce en quelques mots succincts parfaitement orchestrés. Je n'avais pas grand-chose à faire, alors je me suis calé dans le grand siège en écoutant la rumeur ambiante.

Les écrans des ordinateurs, éparpillés aux différents postes de contrôle à travers la pièce, m'éblouissaient. Je me suis frotté les yeux, évitant les parties encore douloureuses, et j'ai cligné les paupières pour chasser la sensation d'aveuglement. J'ai distingué alors des bannières portant des inscriptions. Au-dessus du bureau des renseignements, on pouvait lire QU'EST-CE QUE JE SAIS ? QUI A BESOIN D'ÊTRE AU COURANT ? AI-JE TRANSMIS L'INFORMATION ? Et au-dessus de la porte : LA COMPLAI-SANCE TUE.

Des téléphones de campagne aux sonneries criardes et agres-sives faisaient trembler les tables pliantes sur lesquelles ils étaient posés. Le responsable des renseignements transmettait des signa-lements sommaires d'activité ennemie au sergent chargé de contrô-ler les déplacements qui, sur la base de l'information, modifiait par radio l'itinéraire des convois. Des annotations apparaissaient au crayon gras sur la carte plastifiée accrochée au mur.

Plusieurs radios, disposées sur une table dans un coin, diffu-saient en crépitant les communications émanant des convois et des patrouilles à pied circulant à la faveur de la nuit. Par bribes, à la va-vite et le souffle court, chacun rapportait dans les haut-parleurs tirs d'armes légères et véhicules suspects. Un soldat de première classe de la section communication s'efforçait de tout noter sur des feuillets jaunes. Une case était inscrite sur chaque page pour indiquer la date et l'heure, une autre pour le pseudo de celui ou celle qui envoyait le message et encore une pour noter le contenu du message lui-même.

Le soldat s'efforçait de relever tous les détails. Le gamin ne comprenait pas la tension, pas encore. Il ignorait comment le chaos sur le terrain déformait tout. Combien la pression rendait chaque message sans importance avant même qu'il soit diffusé. Il essayait de tout comprendre. Il transformait les transmissions confuses en des échanges cohérents, même s'ils étaient contradictoires, et me remettait docilement plus ou moins toutes les heures un paquet de feuilles jaunes.

Je le remerciais et jetais un coup d'œil à chaque message, mais uniquement parce qu'il s'était donné tant de mal. La réalité nous parvenait par ordinateur. Nous chattions en ligne sur un réseau protégé. Les officiers de quart partout dans l'espace de bataille s'en servaient pour coordonner les opérations en temps réel. Celui de Ramadi, un commandant anonyme responsable de tout l'ouest de l'Irak, demandait des rapports à intervalles irréguliers. Il utilisait toujours le même message qui pouvait facilement passer inaperçu : « Ici officier de quart : tous les centres opérationnels au rapport. » Il le faisait toujours de cette façon, discrètement, pour s'assurer que les officiers les moins expérimentés ne s'étaient pas endormis. Si un des centres ne répondait pas dans les trente secondes avec un rapide « RAS », rien à signaler, la sonnerie criarde de la ligne tactique retentissait et c'était un appel déplaisant et accusateur du quartier général de Ramadi.

De l'autre côté du bureau, sur l'écran du terminal de surveillance, les convois et les patrouilles étaient figurés par des icônes se déplaçant sur les autoroutes, ou immobiles aux carrefours. Le terminal émettait un bip pour signaler l'explosion d'un engin improvisé ou l'installation d'un poste de contrôle éphémère et l'icône en question clignotait.

J'ai sélectionné l'icône représentant la section de Cobb et j'ai vérifié depuis combien de temps ils n'avaient plus bougé. Il sécurisait avec ses Marines un carrefour au nord de Falloujah et travaillerait toute la nuit à l'installation d'un poste de contrôle pour l'armée irakienne. Ils disposeraient des gabions Hesco pour protéger la route de part et d'autre, et utiliseraient une pelleteuse pour les remplir de terre. Ils délimiteraient un chemin sinueux en plantant des barrières de sécurité métalliques dans le bitume et les surmonteraient de barbelés.

Lorsque le travail serait achevé, les barrières obligeraient les véhicules et les camions à ralentir pour circuler dans le dédale avant d'atteindre le poste de contrôle proprement dit, ce qui était censé rendre plus difficiles les attaques à la voiture piégée. Mais d'ici là, la section de Cobb restait immobile et constituait une cible de plus en plus évidente au fil des heures.

À trois reprises, les Marines de Cobb ont lancé des fusées éclairantes pour signaler leur présence aux automobilistes. Chaque mouvement, comme les fusées ou l'utilisation de la force, devait être rapporté officiellement au quartier général du régiment dans l'heure suivante. Donc dès que quelque chose se produisait, Cobb appelait sur le téléphone satellite pour me tenir au courant. Le type de voiture. Le genre de provocation. Pour désigner l'ensemble des détails, nous employions l'expression « film des événements ».

La plupart des responsables sur le terrain transmettaient leur rapport par radio, mais Cobb aimait le téléphone satellite. Cela lui donnait l'impression d'être un globe-trotter, un jeune aventurier. La radio l'aurait obligé à s'exprimer succinctement et tout l'espace de bataille l'aurait écouté. Ce n'était pas son truc. Il aimait raconter des histoires et il avait une provision de personnages et de dénouements surprenants. D'une manière ou d'une autre, c'était toujours lui le héros.

Les Marines de Cobb ont fini leur travail vers cinq heures, et l'icône les symbolisant sur l'écran de surveillance a commencé à bouger une demi-heure plus tard, juste au moment de la relève. Wong a pris mon siège et a inscrit son arrivée dans le cahier de liaison. L'équipe sortante l'a briefé comme elle l'avait fait avec moi la veille.

Dégagés de leurs fonctions, les sergents sont partis en traînant les pieds vers le mess, mais je suis resté avec Wong une demi-heure de plus. Lorsque ma présence est manifestement devenue gênante, je me suis éloigné vers le fond de la pièce pour attendre devant la porte du bureau du commandant Leighton.

L'adrénaline qui m'avait animé pendant mon quart me quittait peu à peu. Mes jambes et mes paupières se ramollissaient et je luttais pour rester éveillé. Je me suis écarté de la cloison en contre-plaqué contre laquelle j'étais appuyé de peur de m'endormir. Mes joues étaient râpeuses. Je ne m'étais pas rasé depuis deux jours. L'absurdité de ce que j'envisageais de faire m'est soudain apparue. Non seulement je l'avais humilié devant l'état-major entier, mais maintenant j'avais l'audace de me présenter à lui mal rasé et dans un uniforme sale. J'ai eu envie de courir, d'aller me doucher et me raser pour revenir propre en moins d'une demi-heure. Mais le commandant Leighton est entré dans le centre opérationnel avant que je puisse le faire. Il paraissait inquiet et contrarié, sa tasse de café et un dossier d'informations confidentielles à la main.

J'ai surmonté ma nervosité et me suis redressé.

Il s'est immobilisé et a levé les yeux, l'air perplexe, comme s'il se demandait pourquoi un lieutenant se tenait au garde-à-vous devant son bureau à six heures du matin. Il a attendu que je dise quelque chose.

Je l'ai dévisagé, désarçonné. Je m'étais imaginé le moment plusieurs fois et avais préparé une douzaine de scénarios fâcheux, mais n'avais pas envisagé d'avoir à parler le premier. Pour finir, le commandant Leighton a grimacé comme s'il se souvenait d'une dent dévitalisée. Il a fermé les yeux, a soupiré lentement en serrant les mâchoires, et a désigné son bureau du doigt.

Je l'ai suivi et me suis remis au garde-à-vous devant sa table de travail.

Il n'a ni élevé la voix ni perdu son sang-froid. Il s'est contenté de jeter un coup d'œil à un document imprimé, une lettre officielle parfaitement mise en page, et l'a poussé devant moi. « Signez ça.

– À vos ordres, mon commandant. » Je me suis penché dans une semi-position de repos, une main dans le bas du dos, et j'ai signé de l'autre, sans même lire le contenu de la lettre. Je savais de quoi il s'agissait.

« Vous auriez pu mieux gérer cette situation, lieutenant.

– Oui, mon commandant. » J'ai lâché le stylo et me suis redressé. À nouveau au garde-à-vous. Le regard droit.

« Vous nous avez mis dans l'embarras. Vous m'avez mis dans l'embarras. Les Marines de cette compagnie, vous savez, ils travaillent dur. Vous vous êtes emparé des projecteurs et les avez braqués sur vous.

– Oui, mon commandant.

– Pire que ça, vous avez manqué de discernement. Vous n'avez pas su contrôler vos émotions. Et, je vais être franc, Peter, je m'interroge sur votre capacité à diriger des hommes. » Il m'a regardé de haut en bas. « Votre allure ne vous rend pas non plus service.

– Oui, mon commandant. »

Il s'est levé, a posé les mains sur son bureau et s'est penché vers moi. « Souhaitez-vous vous défendre, lieutenant ?

– Non, mon commandant. » Son haleine sentait les œufs brouillés. « Je n'ai aucune excuse.

– Bien. Faites mieux la prochaine fois.

– À vos ordres, mon commandant.

– Vous pouvez disposer. » Il s'est rassis et a ouvert son ordinateur portable. Un site de sports est apparu à l'écran.

« À vos ordres, mon commandant. » Je savais qu'il ne faisait plus attention à moi, mais j'ai mis un point d'honneur à quitter son bureau dans le respect des formes. J'ai fait un grand pas en arrière et me suis remis au garde-à-vous avant de conclure comme il se devait par un « Bonne journée, mon commandant ».

J'ai fait un demi-tour vers la droite en tournant sur le talon et j'ai marché d'un pas énergique jusqu'à la porte. Une bouteille remplie de sable était suspendue au bout d'une sangle de parachute. Cela faisait contrepoids et la porte s'est refermée toute seule derrière moi.

Wong m'a adressé un petit sourire narquois : « Bonne journée, Donovan. » Du coin de l'œil, je l'ai vu composer un numéro sur le téléphone satellite d'un air réjoui. Il cherchait sûrement à joindre Cobb pour savoir à quelle heure il allait prendre le petit déjeuner.

Dehors, sous l'auvent, je me suis appuyé contre le mur en béton et j'ai tourné mon visage vers le soleil levant à l'est, nauséeux après une nuit sans sommeil. Je me suis efforcé de respirer calmement et de ralentir mon rythme cardiaque. Trois profondes inspirations dans l'air matinal déjà chaud et chargé de gaz d'échappement ont fait l'affaire.

J'ai tiré sur ma casquette militaire et traversé la base avec la visière baissée sur les yeux. Un goût de rance m'a envahi la bouche. Je me suis appliqué à regarder par terre dans l'espoir d'éviter toute conversation avec les autres lieutenants, ou avec l'adjudant Dole, frais et dispo après avoir pris tout son temps au petit déjeuner.

Même le regard rivé au sol, je trouvais le moyen de trébucher. Le bout de mes pieds butait dans la poussière tous les trois pas. Je ne cessais de cligner des paupières. Les trois litres de café qu'il m'avait fallu pendant la nuit, combinés à la fatigue provoquée par les écrans des ordinateurs, avaient eu raison de mes yeux et j'avais l'impression qu'ils s'étaient transformés en éponges trempées dans de l'eau de Javel et essorées. Lettre d'avertissement ou non, j'avais besoin de quelques heures de sommeil. Je ne le méritais pas, mais j'en avais besoin.

Je suis parti vers ma chambre, chancelant d'un pas amorphe à travers les rangées de baraquements, rêvant de l'instant où je tomberais à plat ventre sur ma couchette.

Je me suis immobilisé en entendant une voix. Gomez, plus sévère que jamais, faisait la leçon à un Marine quelque part dans le dédale de longs bâtiments en bois. Je ne savais pas de qui il s'agissait, mais elle le laminait. C'est alors qu'un éclat de rire a retenti ; j'ai regardé autour de moi pour voir d'où il venait, certain de tomber sur une espèce de bizutage. Au lieu de quoi, j'ai trouvé mon unité au complet. Chacun était fraîchement réveillé et de bonne humeur.

« Regarde, le but c'est d'encercler le piquet avec le fer à cheval », expliquait Doc Pleasant à Dodge.

Les autres se prélassaient sur les marches du bâtiment ou étaient appuyés sur les murs en aggloméré. Ils étaient en tee-shirt vert, avaient plié leurs chemises et les avaient soigneusement disposées en trois rangées près de leurs armes empilées. De toute évidence, les Marines s'étaient rassemblés pour faire un jogging matinal, mais Gomez leur avait concocté tout autre chose.

« Si tu tombes à côté mais que ça touche, ça compte aussi, a poursuivi Doc Pleasant. Mais c'est moins de points.

– Je comprends. Comment on fait pour que ça touche ? » Dodge a soupesé d'une main le fer à cheval.

« On s'entraîne, mec. » Pleasant a tendu le fer à cheval à Gomez. « Vous lui montrez, sergent ?

– Moi ? Tu crois que je suis une putain de prof, ou quoi ? Tu me prends pour Mary Poppins ? »

La section a éclaté de rire, soit parce qu'il s'agissait d'une blague qu'elle avait l'habitude de faire, soit parce que l'allusion à Mary Poppins était totalement saugrenue. Je n'aurais su dire.

Gomez a balancé le fer d'avant en arrière, le bras droit et les genoux pliés. « Doucement, Dodge. Le poignet ferme. Faut décrire un arc de cercle avec ce putain de truc. »

Elle l'a lancé trop fort. Le fer a survolé le piquet et est allé heurter le mur en contreplaqué à côté de moi. J'ai esquivé pour le laisser rebondir au-dessus de ma tête.

En découvrant ma présence, ils ont tous eu le souffle coupé en même temps. Le sergent Gomez avait été à deux doigts de me toucher. Hagard, ce que les Marines ont pris pour du détachement, je me suis approché du fer à cheval et l'ai ramassé.

Gomez s'est précipitée vers moi et me l'a pris des mains. « Lieutenant. Désolée, mon lieutenant. Je ne vous avais pas vu, mon lieutenant. Désolée. »

Derrière elle, les Marines riaient malgré eux. Elle a fait volte-face et leur a jeté un regard noir.

« Il n'y a pas de mal, ai-je fait. D'où ça vient ?

– Le jeu de fer à cheval, mon lieutenant ? C'est le père de Doc qui l'a envoyé. Il l'avait chez lui, sur sa pelouse.

– Et c'est ça votre entraînement du matin ? »

Son visage s'est empourpré. Elle avait pris ma remarque anodine comme une critique, son chef faisant allusion à un potentiel manque de fermeté.

« Non, mon lieutenant. C'est juste pour s'amuser. Vite fait. Ensuite je vais les faire courir jusqu'à ce qu'ils en vomissent. Promis, mon lieutenant. » Elle a souri nerveusement.

« Non, ça va aller. Pas la peine d'avoir des malades à cause de la chaleur ici à la base. On en a assez sur la route.

– Oui, mon lieutenant. Évidemment. Je voulais juste dire que… », a-t-elle bégayé avant de se taire.

Sans le vouloir, je l'avais coincée. Je n'ai jamais compris comment je pouvais la rendre nerveuse. Je croyais toujours qu'elle me considérait avec une dérision amusée et rien d'autre. Quelqu'un de l'extérieur, observant la section en dehors de tout contexte, n'aurait eu aucun mal à comprendre qui la dirigeait.

« Pas de problème, ai-je dit, balançant le fer dans ma paume. J'étais juste curieux. » Derrière elle, les hommes ont commencé à se détendre. « Je peux essayer ? »

Son visage s'est illuminé. « Bien sûr, mon lieutenant. Bien sûr. »

Je me suis dirigé vers Dodge et Pleasant. « Je prends le tour de qui, là ?

– Le mien, j'imagine, non ? » Dodge a regardé Doc Pleasant et a haussé les épaules.

Pleasant a opiné du chef. « C'est lui contre moi, lieutenant.

– Donc je joue pour Dodge par procuration, c'est ça ? » J'ai souri, étourdi et sonné. « C'est un bon plan pour lui. L'Alabama domine la Louisiane depuis l'ère de Bear Bryant. »

Ceux qui étaient du Sud ont compris et ont ri, sauf Doc Pleasant.

« C'est méchant, mon lieutenant, a-t-il fait. Méchant. »

J'ai balancé le bras en arrière et fait mine de lancer le fer deux ou trois fois pour me chauffer avant de fermer les yeux et de lâcher mon geste. Fermer les yeux n'était pas une technique. Et je ne cherchais pas non plus à montrer ma maîtrise dans le lancer du fer à cheval. J'étais juste tellement fatigué, je n'ai pas pu m'en empêcher.

J'ai gardé les paupières closes jusqu'à ce que j'entende un bruit sourd et un tintement métallique et que je comprenne que le fer avait atteint sa cible. J'ai ouvert les yeux lentement sous les acclamations. Le fer reposait parfaitement contre le piquet.

Une grosse main s'est abattue dans mon dos. Zahn. « Putain, mon lieutenant ! Vous jouez beaucoup chez vous ?

– Non. C'est la première fois. »

Dodge a ri et a fait semblant de boxer Pleasant dans les côtes. « T'as vu ça, Lester ? Je suis un pro du fer à cheval.

– Comment ça ? a répliqué Doc. C'était le lieutenant qui lançait.

– Le *mulazim* jouait pour moi par procuration. Tu te souviens ? »

Doc Pleasant a haussé les épaules. « Dégage. C'est à moi. »

Tout le monde a sifflé et hué Doc tandis qu'il se frayait un chemin pour se préparer à lancer. Dans une position hilarante, il a grimacé et a fait quelques échauffements. Les Marines ont continué de maintenir la pression, trop ravis de voir leur infirmier toujours débonnaire aussi remonté. Même Gomez a joué le jeu. Elle ne s'est pas jointe aux autres mais les a laissés faire. Elle est restée à l'écart, bras croisés et le sourire aux lèvres.

Les railleries ont paru fonctionner. Doc a rougi, l'air de ne pas savoir comment s'y prendre, s'efforçant en vain de trouver une bonne prise. Après avoir tenté un pied en avant, puis l'autre, il a décidé qu'il était plus à l'aise avec le lancer à deux mains. Chaque fois qu'il modifiait son approche, les sifflets et les huées s'intensifiaient.

J'ai vu la colère remplacer l'inquiétude et les grimaces sur le visage de Doc. Elle s'est répandue sur ses joues, a envahi son corps. La bête qui l'habitait s'est réveillée. Je n'avais jamais vu notre infirmier comme cela. J'ai observé les Marines pour voir s'ils l'avaient remarqué aussi. Mais non. L'intensité des moqueries ne faisait que croître, et les Marines ne voulaient que s'amuser.

Doc a serré la mâchoire et plissé les yeux, seul face aux autres. Plus il repoussait le moment de lancer, plus il paraissait prendre au sérieux l'exercice, et plus la section se déchaînait.

Les quolibets sont devenus plus incisifs.

« Doc Pleasant ! Capitaine de l'équipe olympique du lancer de fer à cheval !

– Qu'est-ce que tu fous, Doc ? Tu fais du yoga, ou quoi ?

– Si tu lances pas ce putain de truc dans les trois secondes, je te le prends. T'es disqualifié. »

À travers le voile de la fatigue, je me suis surpris à sourire. J'ai essayé de redevenir sérieux, j'ai pincé les lèvres et contracté les joues, dans l'espoir de retrouver mon calme d'officier. La maîtrise de moi-même, comme avait dit le commandant Leighton. Mais le sourire refusait de se laisser dompter. Les muscles de mon visage ne pouvaient résister, mus par une force que j'étais trop exténué pour contrer.

J'ai compris qu'il s'agissait d'un sentiment de bonheur. Je ne me rappelais pas de la dernière fois où je m'étais senti heureux. La section, mes Marines, m'avait accueilli. Pour la première fois, ils m'avaient invité à me joindre à eux. En écoutant les huées et les rires, non pas à l'écart ou exclu dans mon Humvee, j'ai souri.

Doc Pleasant a fini par lancer. Les rires se sont éteints et un hurlement collectif s'est élevé tandis que le fer s'envolait vers le piquet. Doc a complètement raté sa cible, et les huées ont repris de plus belle. Ayant renoncé à dissimuler mon engouement, j'ai souri de plus belle en applaudissant pendant que Zahn s'approchait du perdant pour lui taper sur l'épaule en plaisantant.

Doc s'est redressé, a violemment repoussé la main de Zahn en faisant volte-face pour le bousculer. Mais Zahn a reculé avant que Doc ne l'atteigne, et il l'a regardé trébucher maladroitement devant lui.

Doc a repris son équilibre et lâché un « Va te faire foutre ! » à l'intention de Zahn.

Ce dernier a brandi les mains, paumes ouvertes, pour se défendre. « Oh, oh. On joue au fer à cheval, Doc ! »

L'humeur générale a changé. Les rires se sont transformés en une vague de protestations. Chacun s'amusait la seconde précédente, et Doc venait de gâcher ce matin véritablement agréable. Plusieurs Marines se sont avancés pour désamorcer la bagarre naissante.

Gomez est arrivée la première. Zahn a secoué la tête, confus, tandis qu'elle ceinturait Doc à la taille, lui enfonçait une épaule dans la poitrine, et le repoussait. Dodge a voulu s'en mêler aussi, mais il a compris, au comportement de Gomez et de Zahn, qu'il s'agissait d'une histoire de Marines. Ce qu'il n'était pas. Il s'est écarté, les mains dans les poches.

Plusieurs dans la section, sentant que l'entraînement matinal touchait à sa fin, ont commencé à s'éloigner vers les chemises et les fusils. Ils se sont habillés et éclipsés sans attendre la permission, dans l'espoir de pouvoir prendre un petit déjeuner avant la fermeture du mess.

Zahn m'a chuchoté à l'oreille : « Mon lieutenant, vous devriez y aller. On va arranger ça.

– Entendu, ai-je soufflé. Entendu. Bien sûr. Merci, caporal. »

En m'évitant d'assister à quelque chose qui m'obligerait à me plaindre à la hiérarchie du comportement de Doc, Zahn protégeait la section. Il me protégeait de moi-même aussi, au cas où j'aurais eu la mauvaise idée de ne rien dire.

Je suis parti, m'attendant à tout moment à entendre la voix tranchante de Gomez menacer Doc de représailles et de travaux supplémentaires. Mais seul Doc a continué de lâcher un flot d'injures de plus en plus virulentes. Les insultant, elle et Zahn. Criant au monde entier d'aller se faire foutre. J'ai regardé discrètement pardessus mon épaule et j'ai vu qu'elle l'avait obligé à s'asseoir sur les marches du baraquement. Elle maintenait une main sur son épaule pendant que Zahn, à genoux près de lui, scrutait son visage. Ils essayaient tous deux de comprendre ce qui n'allait pas.

J'ai détourné les yeux et j'ai aperçu Dodge qui choisissait de nous éviter, moi et le groupe de Marines en route pour le mess. Il marchait tête basse, en direction du talus qui surplombait le fleuve, seul.

Sur le point d'arriver chez Molly's, j'ai soudain l'impression de dessaouler et je me demande si Dodge a fini par trouver un chez-lui ou quelqu'un qu'il a pu considérer comme un ami. C'est ce dont il a toujours eu besoin, me dis-je. Plus que l'argent. Plus que la sécurité, même.

J'entre chez Molly's, joue des coudes à travers la foule de fêtards ivres un peu moins compacte que dehors et, sans en démordre, parviens à commander une bière et un verre de Jameson à la petite blonde derrière le bar. J'avale le whisky, puis la moitié de la bière et l'anesthésie me gagne. Je me sens tout de suite mieux, et j'ai beaucoup moins envie de me faire envoyer bouler par Paige. Malgré tout, je regarde autour de moi pour voir si elle est là.

L'espace d'un instant, je crois halluciner. Mais je regarde à nouveau et me rends à l'évidence.

Lester Pleasant est là, seul au bout du bar. L'air tellement saoul qu'il pourrait bien tomber de son tabouret.

Hé lester c'est zahn et j'habite chez moi dans le missouri et je vou-
lais te dire que le lieutenant vit à la nouvelle-orléans maintenant
et je l'ai vu il y a quelque temps et il a l'air d'aller bien je sais que
tu habites pas loin si jamais tu passes dans le coin va peut-être
lui dire bonjour réponds-moi et je t'enverrai son numéro et tout
si tu veux

Dégénéré

Ce type arrête pas de me parler et de m'appeler Doc.

« Allez, Doc. Réveille-toi. »

Quand il me parle pas, il parle à cette petite blonde, derrière le bar. Celle que je draguais. Il lui dit que c'est OK. Qu'il va s'en occuper. Qu'il connaît le gars, qu'il va le faire sortir.

Je ne sais pas de qui il parle, mais il met la main sur mon épaule et j'aime pas ça. Pas du tout. Je me dégage, sur le point de m'énerver, et je me retourne. Mais avant que j'aie le temps de dire ouf, il me ceinture et m'emmène dans la rue où tous les connards chantent des trucs à propos de gens qu'ils connaissaient ou je ne sais quoi.

« Allons te chercher un café.

– J'ai pas besoin d'un putain de café, mon lieutenant. Allez vous faire foutre », ai-je dit, sans trop savoir pourquoi je l'appelais « mon lieutenant ». Mes pieds ne marchent pas sur le trottoir comme ils le devraient, donc je les laisse traîner pendant que ce type me porte. Le lieutenant Donovan avait fait pareil le jour où Zahn s'était fait amocher. « Un connard. Exactement comme le lieutenant Donovan.

– Qui ?

– Vous. Vous. Le connard.

– J'imagine que je le mérite. » Il me dépose sur un banc alors que les chanteurs s'égosillent. Ce type s'assied près de moi, et je commence à comprendre où je suis. C'est le petit parc avec la fontaine, près du marché français, où les touristes achètent des boas à plumes et tout le tintouin.

« Encore une fois, Doc, je suis le lieutenant Donovan. C'est moi, Pete.

— Ouais… Zahn m'a parlé de vous. » Je me rends compte à quel point j'ai du mal à articuler. « Zahn m'a dit que le lieutenant vivait par ici. Qu'il aille se faire foutre, ce connard. »

Et là, le mec se met à rire, et je pense que ça y est, je dessaoule, mais c'est pas possible parce que je continue de voir le lieutenant assis près de moi.

« Je suis un connard. C'est vrai.

— Lieutenant ? » Je lui touche le visage du bout du doigt.

Il repousse ma main. « Oui, mais arrête de m'appeler comme ça. Zahn a fait pareil. Passe à autre chose, d'accord ? Appelle-moi Pete. »

Je tends à nouveau le doigt, et quand il me claque la main comme pour se débarrasser d'une mouche, je reprends mes esprits. Il n'y a pas de retrouvailles, ou rien. Pas d'accolades ou de « je suis content de vous voir », ce genre de connerie. Ou peut-être qu'on est passés par là avant, au bar, quand j'étais trop saoul pour comprendre ce qui se passait, mais là on entre directement dans le vif du sujet.

Il m'emmène dans un resto qu'il connaît, au coin de la rue. Je tiens encore à peine debout. C'est mieux, mais je dois m'appuyer sur lui de temps en temps. J'élimine peu à peu le poison pourtant. Et je m'en assure en vomissant un bon coup dans le caniveau. Le lieutenant me fait avancer, de peur qu'un flic ne me voie et ne décide de m'enfermer en cellule de dégrisement.

Il m'installe au comptoir et commande à manger. Il me fait boire de l'eau, on dirait qu'on est de retour dans le désert et qu'il m'oblige à m'hydrater. « Vous allez aussi vérifier la couleur de ma pisse, mon lieutenant ? je lui lance.

— Ne m'appelle pas comme ça. »

Scène suivante : une assiette pleine de frites. Putain ce qu'elles sont bonnes, ces frites. J'ai carrément envie de le dire à tout le monde. Je commence à élever la voix. Le lieutenant arrête pas de me mettre sa main devant la bouche pour me faire taire. J'imagine qu'il croit qu'on va nous mettre dehors, ici aussi. Il a peut-être raison, j'en sais trop rien.

Ça commence à marcher. Le café, l'eau, les frites et la conversation. Je me rends enfin compte que la situation est complètement dingue. Tomber sur le lieutenant par hasard dans un bar un soir de réveillon ? Il est aussi de cet avis.

« Vous étiez vraiment seul un soir de réveillon ? je demande.

– Oui. Et toi ?

– Non. J'étais avec une fille au début. »

Il ne me demande pas plus de détails. « Je pensais à Dodge. Cinq secondes avant d'entrer dans ce bar.

– C'est vrai, mon lieutenant ?

– Oui. Je me demandais ce qu'il était devenu. Où il est maintenant.

– Vous savez qu'en vrai il s'appelle Kateb, hein, mon lieutenant ?

– Non. Personne ne me l'a jamais dit. Mais arrête de m'appeler comme ça. S'il te plaît.

– OK, désolé. » Un doigt sur les lèvres, je m'impose silence à moi-même.

« Qu'est-ce que tu sais d'autre sur lui ?

– Bah, il m'a raconté qu'il aimait des groupes de heavy metal de merde. Mais ça, vous le savez aussi. Il arrêtait pas d'en parler. Et avant de venir travailler avec nous, il vivait au bord d'un lac avec des amis de la fac. Ils essayaient de quitter l'Irak et ils avaient ouvert un bar de plage quelque part. Mais ça a foiré. Je sais pas pourquoi. »

Le lieutenant rit. « Je ne le vois pas du tout faire ça.

– Je sais qu'il a commencé à aller mal. Vraiment mal, après que notre Humvee a été touché, vous vous souvenez ? Quand Zahn était à l'hôpital ? Juste avant Ramadi.

– Ah ouais ? Qu'est-ce qu'il y avait ?

– Les choses ont dégénéré. Un jour sur la route Michigan, quelqu'un de la section construction a tiré sur un vieux taxi qui s'approchait trop près. Un de ces vieux taxis de Bagdad, vous voyez ? C'est pour ça qu'ils l'avaient trouvé suspect. C'était trop loin à l'ouest de la ville pour être normal. Bref, ils ont ramené les deux gars du taxi à al-Taqadoum. Un des deux a tout de suite été emmené en hélico à al-Asad, et il paraît qu'il est mort peu de temps après. L'autre, un géant, ils l'ont réparé aux urgences et ils nous l'ont amené au quartier général de la compagnie.

– Pourquoi ?

– Parce que le commandant Leighton devait lui donner de l'argent. Les affaires civiles s'étaient pointées avec un paquet de fric irakien. C'était notre faute et on devait de l'argent au type, c'est ce qu'ils nous ont dit. Le commandant Leighton y est allé, avec moi et Dodge. Il voulait que Dodge traduise pour lui, et moi, je devais examiner le mec. M'assurer qu'il était en état de voyager, parce que la section du lieutenant Cobb était sur le point de l'emmener à Habbaniyah pour le livrer à la police irakienne. Toute cette histoire a pas mal ébranlé Dodge. Le jeune Irakien, le géant, il avait l'âge de Dodge environ et il était assis dans le camion, bandé de partout. Et Dodge lui a parlé en arabe, il a essayé de lui donner l'argent. Il lui disait beaucoup plus de trucs que ce que le commandant lui demandait de traduire. Mais le géant… Il bougeait pas d'un pouce. Il restait silencieux. Il prenait même pas le fric. Il s'est mis à fixer Dodge avec un putain de regard noir. Et pour finir, Dodge a pété un plomb, il lui a balancé l'argent à la gueule. Comme s'il le suppliait de le prendre. Mais rien n'y a fait. Le géant a pas dit un mot. Ils ont dû forcer Dodge à quitter le camion au bout du compte. »

Je commence à regretter. Je parle trop, je crois. Je tourne en boucle comme les poivrots.

Mais ça n'a pas l'air de déranger le lieutenant. Il m'écoute attentivement. « Est-ce que Dodge connaissait ce type ?

– Je sais pas. Après ça, il est directement allé voir les gars du renseignement dans le bunker près des hangars. Il est parti en permission une semaine. Vous vous souvenez ? Ensuite, à son retour, on a enchaîné avec une mission avant que je puisse lui demander quoi que ce soit. Et après, c'était Ramadi… » Je me tais, croyant qu'il n'appréciera pas si je poursuis sur le sujet.

« Ramadi », il répète, en écho. « Et Gomez. Et quelques semaines après, j'ai dû te signaler à la hiérarchie. »

J'acquiesce. « Oui, mon lieutenant.

– Désolé, Doc.

– C'était pas votre faute. » Je le pense vraiment.

À travers ses voyages et ses aventures, et malgré beaucoup de moments de tristesse et de découragement, Huck refusera toujours la pitié. Il repousse même la veuve Douglas, pour laquelle il a pourtant une affection évidente, lorsqu'elle tente de le prendre en pitié.

« La veuve a pleuré en me voyant, se souvient Huck. Elle a dit que j'étais un pauvre agneau perdu, et elle m'a aussi donné plein d'autres noms, mais sans aucune mauvaise intention. »

Fadi al-Baquii

Mes colocataires passent la journée à préparer le prochain rassemblement grâce au téléphone satellite. Ils parlent à des journalistes en France et en Amérique et me disent que demain, au rassemblement prévu devant le gouvernorat de Sousse, les caméras seront là. Les journalistes occidentaux poseront des questions et je parlerai en anglais au nom du comité étudiant.

Je leur réponds que la dernière fois que j'ai parlé anglais pour le boulot, les choses ont très mal tourné pour tout le monde.

Ils rient comme si je blaguais. Il est téméraire, notre Fadi, on l'aime bien, ont-ils l'air de dire. Il a toujours de bonnes blagues et il essaie toujours de nous insuffler un peu de son courage.

Ensuite, ils me demandent d'écrire une lettre pour la cause. Un communiqué de presse pour les médias américains, annonçant la création de notre petit chapitre de la révolution.

Je refuse d'emblée. Comment pourrais-je rendre publique une telle lettre, le moment venu ? Internet fonctionne de plus en plus rarement maintenant. C'est une question de jours, mais Ben Ali va définitivement bloquer la Toile. Avant d'envoyer l'armée dans les rues, sans aucun doute.

Mes colocataires, les membres du comité étudiant, affirment que je devrais me servir de l'Internet qu'il nous reste pour obtenir des numéros de téléphone. De cette façon, nous pourrons peut-être appeler un ami en Amérique avec le téléphone satellite, peut-être celui avec lequel je communique via Facebook.

« Trouve son téléphone, d'accord ? Tu pourras lui lire la lettre. Et ensuite, il pourra l'écrire et l'envoyer aux médias. »

Pourquoi Lester ferait-il ça pour moi ? Mes colocataires croient à tort que combattre côte à côte crée nécessairement des liens d'amitié.

Je devrais leur parler du passeport du Syrien, originaire du Michigan, appelé Fadi al-Baquii, que j'ai laissé sans réfléchir dans un tiroir de bureau. Je devrais leur raconter al-Taqadoum.

Les Américains dans le bunker m'ont payé ce qu'ils me devaient en dollars. Une somme astronomique, que ces hommes riches sans le savoir m'ont tendue avec indifférence. Assez d'argent pour aller jusqu'en Jordanie, ou même plus loin en faisant attention. Ensuite, ils m'ont dit de profiter de ma famille. De profiter des vacances. Et de revenir sain et sauf.

J'ai signé la feuille de sortie sur le bloc-notes à pince, reposé le tout sur le bureau, et j'ai remonté les longs escaliers pour sortir de là. Une patrouille m'a emmené à Habbaniyah et m'a déposé dans un commissariat de police. « Reviens ici dans cinq jours pour qu'on te ramène », m'a dit le sergent, que je ne connaissais pas.

Lorsque les Américains sont partis, j'ai raconté un mensonge au policier irakien. J'ai prétendu que les Américains voulaient que je dorme là, dans le commissariat, et que je patrouille avec eux pour m'entraîner et obtenir des renseignements dans le quartier. Je me suis donné un air important. Comment auraient-ils pu savoir si je disais vrai ou non ? Les Américains s'adressaient toujours à moi en anglais.

Durant trois jours, j'ai parcouru la ville avec les policiers. Je vérifiais toujours l'allée en terre au bout de laquelle mon père et mon frère vivaient dans cette villa qui n'était pas la leur. Je cherchais le moment où il y aurait le moins de monde à la maison. Pas de miliciens, pas d'ouvriers. Seulement la famille.

Et je leur ai demandé des nouvelles du grand type, celui sur lequel les Américains avaient tiré et qui avait été ramené au commissariat la semaine précédente. Qu'était-il devenu ? Où avait-il été emmené après être arrivé ici ?

« Oh, lui ? » Le chef de la police a souri. « Le grand Moundhir ? Abou Mohammed l'a emmené dans la maison en bas de la rue. Il sera bien là-bas. Abou Mohammed est bon. »

J'ai acquiescé comme si la nouvelle m'importait peu.

Le soir du quatrième jour, j'ai dissimulé mon visage avec un foulard et suis sorti en catimini du commissariat. J'ai traversé un terrain vague protégé par des militaires. La route des rats, comme disent les Américains. Un endroit où les hommes qui ont travaillé pour la base américaine peuvent courir sous la protection de gardes armés postés dans des miradors, et atteindre éventuellement leur maison pour rejoindre leur famille sans que les milices sachent qui ils sont.

J'ai couru avec un groupe d'hommes quittant leur travail et suis arrivé devant le mur de la maison de mon père au crépuscule. Comme un étranger, je l'ai longé jusqu'au portail, à l'affût du moindre bruit, mais je n'ai rien entendu. Aucune voix. Pas de générateurs. Pas de climatiseurs ni de télévisions. Malgré mon cœur qui battait à tout rompre, j'ai escaladé le portail.

La maison de mon père était dans la pénombre, et la vieille Mercedes avait disparu. Des pleurs étouffés ont résonné dans le silence. Une femme sanglotait. J'ai traversé le jardin, cette stupide pelouse, et me suis approché de la fenêtre de la cuisine où j'ai compris qui pleurait. C'était une voix que je connaissais. Il s'agissait de Nasim, la femme de mon frère. Elle pleurait, seule, sur le sol de la cuisine.

Un fusil était posé sur ses genoux, et elle s'en est saisie lorsqu'elle a entendu les craquements de mes pas sur la pelouse desséchée.

« Attends. Nasim. » Je suis entré dans la cuisine. « C'est moi. Kateb. »

Elle s'est levée et m'a enlacé, posant sa joue humide contre mon cou.

« Où est mon père ? Où sont Mohammed et Ibrahim ?

– Je ne sais pas, a-t-elle répondu entre deux sanglots. Ils sont partis la nuit dernière. Ibrahim était malade.

– Quoi ?

– Il s'est mis à avoir de la fièvre dans la nuit. Ensuite, il a vomi, et il a eu la diarrhée. Le choléra, Kateb. C'est le choléra. C'était juste après le couvre-feu, alors Mohammed et ton père se sont fâchés, ils se sont crié dessus. Ton père voulait attendre le lever du soleil, il disait que c'était trop dangereux de circuler la nuit, avec les contrôles. Mais Mohammed a insisté pour qu'ils partent immédiatement. Donc ils ont mis Ibrahim dans la voiture et ils sont partis pour l'hôpital de Falloujah. Ils ne sont pas revenus.

– Mais où sont tous les hommes qui gardaient la maison ?

– Le cheikh Hamza est venu les chercher il y a une semaine. Il avait besoin d'eux pour le garder, lui, c'est ce qu'il a dit. Avec tous les étrangers qui le menacent de mort. » Elle a marqué une pause. « Je croyais que tu savais ? Ce n'est pas pour ça que tu as envoyé ton ami ? Moundhir ?

– Si, ai-je menti. Bien sûr. Où est-il ?

– Sur le toit. » Elle a commencé à s'apaiser. « Il guette la lumière des phares. Peut-être que les hommes du cheikh vont revenir nous protéger. Ou peut-être pas. »

J'ai maintenu son visage dans mes mains en lui promettant que tout irait bien, que mon père et mon frère étaient tous les deux malins et qu'ils ramèneraient vite Ibrahim à la maison. Ensuite, je l'ai laissée dans la cuisine, j'ai traversé à tâtons la maison obscure pour monter les escaliers menant au toit. À l'extrémité de la terrasse, dans la lueur de la lune, j'ai vu Moundhir de dos. Il n'a pas bougé, mais il savait que j'étais là. Il avait dû entendre toute la conversation avec Nasim. La nuit, les voix portent.

« Hani est mort ? a-t-il demandé sans tourner la tête.

– Oui. Les Américains me l'ont dit après t'avoir emmené. » Je me suis approché de lui dans la pénombre, doucement. Quelque chose était posé sur ses genoux, et j'ai pensé qu'il pouvait s'agir d'un autre fusil. « Comment mon père vous a trouvés, toi et Hani ?

– Trouvés ?

– Oui, comment a-t-il su qu'on vous avait tiré dessus ? Comment savait-il que les Américains t'avaient emmené au commissariat de police de Habbaniyah ? »

Je me suis mis à quatre pattes pour le rejoindre au bord du toit terrasse. L'objet sur ses cuisses n'était pas un fusil mais la vieille batte de cricket de mon père.

« Kateb, a-t-il soupiré, il est venu nous chercher le jour où tu as disparu avec les Américains. Pourquoi tu crois qu'on était dans ce vieux taxi, avec Hani ? On travaillait pour lui. Mohammed nous suivait avec les engins, et Hani et moi on était devant en éclaireurs. » Puis, d'une voix stoïque, il a ajouté : « On faisait notre boulot. »

Je suis resté assis et silencieux, mais j'avais envie de lui poser la question.

Moundhir a été gentil et m'a épargné. « Je ne lui ai rien dit.

— Merci.

— Il pense que tu es à Abou Ghraib, vu comment ils t'ont capturé en t'attachant les mains. Il va voir les Américains à Falloujah une fois par semaine pour essayer d'avoir de tes nouvelles. Mais ils affirment que tu n'es pas sur leurs listes. Il croit que tu moisis dans cet endroit.

— Ça te plaît de travailler avec mon père et mon frère ? » ai-je demandé pour changer de sujet. « C'est plus marrant que nos concerts de rock ? » J'ai pensé que cela lui ferait tourner les yeux vers moi. Un bon souvenir.

Mais il a continué de fixer la ville qui s'étalait devant nous et l'autoroute éclairée par quelques phares. « Hani aimait ça plus que moi. Il aimait ton père.

— Est-ce que mon père sait ce qui est arrivé à Hani ?

— Oui.

— Je peux te poser encore une question ?

— Bien sûr.

— Qu'est-ce que tu fais avec cette batte de cricket ?

— J'ai pensé te tuer. » Au bout d'un moment, il a continué : « Tu as préféré voir mourir Haji Fasil et Abou Abdoul ? Et maintenant Hani ? Ça te plaît que les Américains s'en sortent ?

— Non, Moundhir…

— Ton frère m'a raconté le plan prévu ce jour-là au lac. Ça aurait marché. Seuls les Américains seraient morts. On serait restés tous sains et saufs.

— Mon frère te ment. »

Moundhir a serré la main droite autour de la batte. « J'étais ici quand Ibrahim… quand il est tombé malade. Nasim te l'a dit ?

334

C'est moi qui m'en suis rendu compte, le premier. On dort sur le toit quand il n'y a plus d'essence pour les générateurs parce qu'il fait trop chaud dans la maison. Le cheikh Hamza nous a abandonnés et a emporté le carburant avec lui. Mais on a toujours les bordures d'accotement, et ils continuent de payer pour en avoir. Il y en a cinq dans le coffre de la Mercedes. Toutes creuses, prêtes à l'emploi. On devait les livrer le lendemain. Après avoir installé Ibrahim dans la voiture, on les a oubliées, dans la panique. Personne n'y a pensé. Ton père et ton frère sont partis à Falloujah avec Ibrahim et cinq bordures creuses dans le coffre. »

J'ai avalé ma salive. « Il y a combien de postes de contrôle entre ici et l'hôpital ?

– Dix au moins. » Moundhir a haussé les épaules. « Et le coffre aura été fouillé à chaque fois.

– Ibrahim était très malade ? S'il est avec les Américains, tu crois qu'il peut s'en sortir ? S'ils l'ont emmené à l'hôpital ?

– Tu ne le sauras jamais, Kateb. » Moundhir s'est enfin tourné vers moi.

Je me suis levé et j'ai mis les mains dans les poches.

« Si je revois ton père, je lui dirai que tu es venu. Pour qu'il sache que tu es libre. Et rien d'autre.

– Je comprends.

– Pars et ne reviens jamais. Maintenant. Ou je te tue, sur ce toit, sans bruit pour que Nasim n'entende rien. » J'ai ouvert la bouche pour m'excuser, mais j'ai senti Moundhir enfoncer le bout de la batte dans mes côtes. « Ne dis pas un mot de plus. Va-t'en. »

J'ai admiré la vue un instant avant de me tourner pour partir. Au clair de lune, le fleuve serpentait vers le nord à travers le désert.

Doc,

Je te laisse une clé. Reste aussi longtemps que tu veux, prends une douche et fais comme chez toi. Mais pense à revoir cette fille, ne serait-ce que pour t'excuser. Je n'accueille pas les lâches chez moi.

Lieutenant Donovan

Bon pour le service

En début d'après-midi, je descends sans bruit les escaliers et marche jusqu'à ma voiture, laissant Lester Pleasant endormi sur mon canapé miteux. Le temps à La Nouvelle-Orléans change vite, et soudain il fait trop doux pour porter un manteau. On ne dirait pas que c'est le 1er janvier.

Sur les conseils de la sœur de Gomez, je prendrai l'autoroute vers l'ouest, en direction de Baton Rouge, puis je bifurquerai vers Shreveport au nord, puis à nouveau vers l'ouest jusqu'à Dallas. Je vais devoir m'arrêter en chemin pour récupérer sur une aire de repos, mais c'est le trajet le plus rapide.

Elle était plus ouverte à l'idée que je ne l'avais envisagé, la sœur de Gomez. Même si je l'ai appelée le matin du Nouvel An.

« Bien sûr ! Michelle adore avoir de la visite, m'a-t-elle assuré par-dessus la friture sur la ligne.

– Tant mieux, ai-je fait, m'efforçant de prendre un ton enjoué.

– À demain, alors ?

– Oui. À demain. »

Je m'installe derrière le volant et regarde mon téléphone au prétexte de vérifier l'itinéraire, mais me retrouve sur le message de Paige. Après avoir quitté le quartier français avec Doc, l'avoir ramené à la maison et installé confortablement dans le canapé, j'avais envoyé un message à Paige : « Je peux t'appeler ? »

Elle avait répondu *illico*, manifestement réveillée à trois heures du matin, d'un succinct : « Tu peux faire ce que tu veux, Pete. »

Je scrute encore la phrase, comme si les pixels pouvaient m'aider à déceler un sens que je ne parviens pas à saisir dans les mots eux-mêmes.

Je peux faire ce que je veux ? Est-ce que c'est une façon de dire adieu ? Essaie-t-elle de m'épargner ce qu'elle croit être un coup de fil de rupture à l'amiable ? J'en doute, sans trop savoir pourquoi. Peut-être suis-je optimiste, mais j'aime à croire que ses mots sont plutôt encourageants.

« Tu peux faire ce que tu veux, Pete. » Je l'imagine prononcer cette phrase avec douceur.

Je démarre et prends à droite vers l'autoroute.

« Tu peux faire ce que tu veux, Pete. »

Zahn a été transporté à l'hôpital de campagne de la base après que notre Humvee a brûlé, et il y a passé l'essentiel du temps seul, dans une chambre froide et sombre. Le traitement standard pour les commotions cérébrales, nous ont dit les médecins militaires. Quelques jours de repos et il serait sur pied.

Gomez et moi sommes allés le chercher l'après-midi du troisième jour, en empruntant une vieille camionnette Toyota parmi les véhicules de fonction de la compagnie. Doc nous a accompagnés pour demander du matériel médical, mais seuls Gomez et moi sommes allés dans la tente où Zahn se trouvait, pour le ménager.

« Rejoins-nous à la camionnette quand tu as fini », a dit Gomez à Doc.

Mais celui-ci n'a pas pu s'empêcher de glisser timidement quelques conseils professionnels avant que nous ne pénétrions dans la tente. « Lieutenant. Sergent. Euh, assurez-vous qu'il n'a pas les pupilles dilatées dans la pénombre.

– Entendu, Doc, ai-je répliqué.

– Et son pouls, mon lieutenant. Vérifiez qu'il n'est pas trop rapide. Ou trop lent. Je n'étais pas très sûr quand je l'ai examiné sur le terrain, mais ça m'a semblé lent. Il faut juste s'assurer que c'est revenu à la normale, mon lieutenant.

– J'y prêterai attention. Merci, ai-je lancé par-dessus mon épaule.

– Et encore une chose…

– On a compris, Doc, a coupé Gomez. Va t'occuper de tes trucs. On se retrouve dans dix minutes.

– À vos ordres, sergent, s'est-il exclamé, abattu.

– Il va falloir lui trouver un chiot ou un truc, à ce petit merdeux », a marmonné Gomez.

À l'intérieur, une jeune infirmière militaire en tenue de camouflage m'a tendu le formulaire spécifiant que Zahn était bon pour le service et nous a conduits à travers le dédale de tentes communicantes jusqu'au pavillon de fortune réservé aux victimes de commotions cérébrales, au fond du complexe. Vingt lits de camp verts occupaient cette austère grotte de plastique dans laquelle baignait une lueur terne. Un grand ventilateur silencieux faisait circuler de l'air frais.

Zahn était l'unique patient. Allongé sur un des lits, il portait un short de sport, un tee-shirt vert et des sandales. Près de lui, des plateaux-repas vides, soigneusement empilés, attendaient qu'un membre du personnel hospitalier vienne les débarrasser.

« Caporal Zahn, ai-je lancé en m'approchant avec Gomez de son lit de camp. Toute la paperasse est en ordre. Les médecins s'en sont occupés. Bon pour le service, dès maintenant.

– Génial. Lieutenant, a-t-il articulé doucement, je suis content de retourner travailler, vous savez. » Il a fermé les paupières, comme si notre présence ne l'avait pas complètement sorti de sa sieste.

Gomez est intervenue en lançant un sac de paquetage léger à ses pieds : « On t'a apporté un uniforme propre et des bottes, tueur. Et ça… » Elle a donné une claque au fusil supplémentaire qui pendait à son épaule. « Je me le trimballe pour toi depuis un moment, et j'en ai marre. Donc tiens… »

D'un geste fluide, elle a soulevé l'arme de son épaule, l'a prise à deux mains en diagonale devant la poitrine, a tiré sur la culasse, l'a verrouillée, et a regardé l'intérieur du boîtier.

Confirmant l'absence de munition dans la chambre, elle s'est écriée « Vide ! » et a tendu d'une main le fusil à Zahn.

Celui-ci a ouvert les yeux et a regardé l'arme, incertain l'espace d'un instant de ce qu'il était censé faire. Puis un éclair de compréhension a traversé son visage et il s'est redressé d'un coup, a basculé les pieds sur le côté du lit et s'est emparé du fusil des deux mains. Mais ses coudes se sont affaissés lorsque Gomez a lâché l'arme. Il a posé le fusil sur ses cuisses, le tenant comme un bébé.

Instinctivement, j'ai fait un demi-pas en avant pour rattraper l'arme au cas où elle glisserait des genoux de Zahn. Mais Gomez m'a arrêté dans mon élan en posant une main sur ma poitrine.

« Caporal, a-t-elle dit doucement. Vérifie ton arme. »

Zahn a secoué la tête et a marmonné : « Désolé, Michelle. J'ai juste… C'est trop…

– Comment tu m'as appelée, caporal ? a coupé Gomez. C'est *sergent*. Et ce fusil, avec sa culasse ouverte qui attend que tu procèdes aux mesures de sécurité, ce fusil n'est sûrement pas trop quoi que ce soit. Compris ? Cette arme pèse trois kilos. Autant que trois litres de lait, Devil Dog. Lève ce putain de truc. Regarde à l'intérieur. Assure-toi qu'il n'y a pas de munitions dans la chambre et dit *vide* avant de remettre la culasse en place. »

Sans lever les yeux, Zahn a inspiré profondément et a approché avec précaution sa main du boîtier.

« Allez, caporal, a poursuivi Gomez. On n'a pas toute la journée devant nous. »

Elle a maintenu sa paume contre ma poitrine et a pressé plus fort jusqu'à ce que je recule d'un pas. Je l'ai regardée subrepticement. Elle avait les larmes aux yeux.

Zahn a enroulé les doigts autour du boîtier et a glissé l'autre main sous le canon. En se reculant autant qu'en soulevant l'arme, il est parvenu à regarder dans la chambre.

« Vide », a-t-il dit, plus fort que nécessaire, en remettant la culasse en place du plat de la paume. Avec une énergie retrouvée, il s'est levé d'un bond et a passé l'arme en bandoulière sur son épaule. « Désolé, mon lieutenant. Je n'étais pas bien réveillé, c'est tout. »

Zahn a souri et s'est tourné vers Gomez, sur le point de faire une blague. Sur le point de lui assurer que tout allait bien, que tout était revenu à la normale.

Mais elle ne l'a pas regardé. Sans un mot, elle a tourné les talons et elle est sortie de la tente d'un pas décidé.

J'ai pris sa place. « Ça va. Habille-toi, et on te retrouve devant.

– À vos ordres, mon lieutenant », a-t-il bredouillé, son enthousiasme faiblissant au fur et à mesure que Gomez s'éloignait, pour s'éteindre finalement aussi vite qu'il était apparu.

J'ai laissé Zahn seul et couru après Gomez à travers le dédale de tentes, bousculant le personnel médical sur mon passage. J'ai ouvert le rideau en plastique qui menait à l'extérieur, et une fois dehors, ébloui par la lumière du soleil, j'ai entendu sa voix retentir quelque part derrière moi.

« Vous êtes malade, ou quoi, mon lieutenant ? a-t-elle lancé.

– Pardon ? » ai-je fait, tournant sur moi-même pour découvrir qu'elle s'était réfugiée à l'ombre entre deux tentes. En m'approchant d'elle, j'ai compris pourquoi. Elle ne voulait pas qu'on voie ses yeux encore gonflés, même si elle s'était courageusement ressaisie.

« Vous êtes malade, ou quoi ? » a-t-elle répété plus fort pour me provoquer. Dans l'espoir qu'un passant l'entende insulter un officier, pour m'obliger à réagir.

« Sergent, on se calme, ai-je imploré en m'avançant dans l'ombre jusqu'à elle. De quoi parles-tu ?

– Pourquoi vous n'allez pas voir les médecins, mon lieutenant ? Pourquoi vous ne leur dites pas que Zahn a besoin d'un putain de scanner ? Pourquoi vous le laissez reprendre du service aussi vite, bordel ? Pourquoi vous ne lui faites pas obtenir la médaille des blessés de guerre ?

– Sergent, ce n'est pas à moi de décider…

– Mais à quoi vous servez alors ? a-t-elle éructé. Pourquoi vous êtes ici ? »

J'ai cherché une réponse, bouche bée, avant de proposer un dérisoire : « Je suis ici pour diriger des Marines, sergent.

– Eh ben c'est maintenant qu'il faut s'y mettre, mon lieutenant, a-t-elle répliqué froidement.

– Sergent… »

Elle m'a interrompu d'un coup sur l'épaule. « Lieutenant, a-t-elle fait en se penchant vers moi. C'est votre unité. Vous n'avez rien à m'expliquer. Agissez, c'est tout.

– Sergent... » ai-je repris. Je voulais lui dire qu'elle avait raison. Lui dire que je savais ce que j'avais à faire. Lui dire merci. Lui présenter mes excuses. Mais pour finir, je me suis tu.

Dans le silence, elle a répété doucement : « Agissez, mon lieutenant. »

J'ai hoché la tête, et Gomez s'est avancée. Elle m'a frôlé en partant, sûre d'elle, les épaules droites, déterminée à regagner seule et à pied les quartiers de notre compagnie.

Doc Pleasant est apparu dans mon champ de vision alors que je la regardais s'éloigner. Debout près de notre camionnette, il avait l'air dérouté. Son sac médical, sale, pendait à son épaule. Non seulement il était couvert de terre, mais les fournitures qu'il avait récupérées à l'hôpital, compresses, pansements et autres lingettes désinfectantes, dépassaient des pochettes car il les avait rangées n'importe comment à l'intérieur.

Il m'a fixé avec des yeux vitreux et un sourire blasé. Il a indiqué Gomez d'un geste du menton, bouche béante, une question de toute évidence coincée dans la gorge.

Une irrésistible envie de lui foncer dessus, de le mettre par terre et de l'étrangler m'a pris. J'ai serré les poings de rage, mais Doc n'a rien semblé remarquer. Il a conservé son sourire idiot. Tout sentiment d'obligation envers mon infirmier s'est alors évanoui et j'ai poussé le rideau en plastique pour retourner dans la tente médicale.

À l'intérieur, le premier médecin que j'ai trouvé était lieutenant-colonel. Grand, avec des cheveux gris plus longs que la réglementation ne le voulait, il m'a rappelé le premier médecin que j'avais vu enfant. Il paraissait occupé, aussi je me suis planté sur son chemin pour qu'il s'arrête.

« Colonel, puis-je vous parler un instant du caporal Zahn ?

– Pardon, qui ?

– Mon caporal, colonel. Il a été admis ici pour une commotion cérébrale.

– Ah, oui. Zahn. Il va bien. Bon pour le service. Autre chose, lieutenant ? On a un hélicoptère qui arrive.

– Je voudrais qu'il soit réexaminé, mon colonel. C'est tout...

– Lieutenant, votre caporal va bien. Et si c'est tout… »

Il a fait un pas de côté pour me contourner, mais je l'ai retenu. « Non, mon colonel. Il y a autre chose. » J'ai prononcé la phrase suivante sans même l'avoir décidé. « Je crois qu'il faut vérifier le stock de médicaments de mon infirmier. »

Le médecin a froncé les sourcils, surpris. « Ah bon ?

– Oui, mon colonel. Je crois qu'il faut que quelqu'un vienne jeter un coup d'œil. »

Il a acquiescé gravement. « Régiment du génie, c'est bien ça ? Merci de me le signaler. » Il s'est éloigné vers les urgences. « Je vais le noter et je vous tiens au courant dès que possible. »

L'officier enquêteur est arrivé deux semaines plus tard.

Après Ramadi.

Dodge. Alors tu vas bien ? Bonne nouvelle. Je ferai tout ce que je peux pour t'aider. Mais il faut que tu saches que je ne suis peut-être pas la personne idéale pour ça. Tu étais déjà parti, mais je me suis fait virer de l'armée. Je me sens mieux maintenant, mais ce genre de truc reste. Je connais quelqu'un qui serait peut-être mieux placé.

Une interprétation

Je lève les doigts du clavier et réfléchis un instant. La dernière fois que j'ai vu Kateb et le lieutenant ensemble, ils cherchaient à s'entretuer. Zahn et moi, on a dû les séparer.

Je quitte ma chaise et marche jusqu'à la fenêtre. Celle de l'appartement, il n'y en a qu'une. Plutôt bizarre que le lieutenant habite dans un endroit aussi triste et petit. J'ai toujours pensé que ceux qui faisaient des études s'en sortaient autrement. Sinon, à quoi bon ? Mais il vit là, comme s'il essayait de faire tenir tout son monde dans un canot de sauvetage.

Pourtant, même si c'est étriqué et miteux, on se sent bien dans cette chambre. Il en prend soin, tu vois ? C'est propre et dépouillé, sauf la pile de livres près de son bureau. Qui sait ce que ça veut dire ? Avec tout qui est parfaitement organisé, le désordre de cette pile, peut-être que c'est voulu.

Je me dirige vers le frigo. Suivant les conseils du lieutenant, je fais comme chez moi. C'est là qu'on voit que c'est un étudiant aux goûts raffinés. Son frigo est rempli de bières, comme celui de Paul et Landry, sauf que celles du lieutenant ont l'air beaucoup plus chères.

Ma gueule de bois commence à se calmer. Mais c'est pas encore ça, donc je m'oblige à contempler toutes ces bières de luxe parfaitement alignées. Je vais peut-être finir par faire le lien, tu vois ? Pas besoin d'aller aux Alcooliques Anonymes, si je fais gaffe de me souvenir de l'état dans lequel je suis.

Mon téléphone vibre. Un message de Lizzy qui enfonce le clou : « C'était... flippant. Mais bon. Appelle-moi, mec. »

Je lis, ne ressens rien et retourne à l'ordinateur du lieutenant pour finir mon e-mail : « Je ne sais pas comment fonctionnent les téléphones satellites. Mais voilà un numéro que tu peux appeler. » Je m'interromps pour trouver le papier que le lieutenant a laissé, avec son numéro au dos.

Dodge venait de rentrer de sa permission, et le lieutenant de l'hôpital avec Zahn et, je ne sais pas pourquoi, mais pendant une semaine ils ont été tous les deux de super mauvaise humeur.

Dodge ne me parlait même plus. Peu m'importait au fond. Je crois même pas que je l'aie remarqué ? Je prenais toute une panoplie de trucs à ce moment-là. Des trucs très puissants.

Pour notre mission suivante, le commandant Leighton nous a envoyés à Ramadi.

Le lieutenant a essayé de refuser, je le sais, parce qu'il est sorti du centre opérationnel furieux pour nous donner les ordres. Il était tellement en colère, tellement hors de lui, que les lieutenants Cobb et Wong ont rappliqué pour assister à la scène, comme si c'était un putain de sketch.

En quittant al-Taqadoum, quand on s'est retrouvés sur la route, j'ai compris pourquoi.

« La route Michigan est bloquée, a dit le lieutenant à Zahn. Cet itinéraire bis qu'on va prendre, il y a de sérieux problèmes.

— Comment ça, mon lieutenant ? a demandé Zahn en crachant dans sa bouteille.

— D'abord, c'est trop étroit au nord de la ville. Ensuite, il y a un pont que je ne sens pas beaucoup. Et ce virage, ici, a l'air trop serré pour un sept tonnes. » Le lieutenant a désigné la route sur la carte. « Le commandant Leighton ne veut rien savoir. Si un de nos camions bascule et bloque le pont, l'accès est de Ramadi sera coupé. Pire, ça va bloquer Hurricane Point, donc ils n'auront aucun moyen de faire venir la force d'intervention rapide s'ils en ont besoin.

— Est-ce que je peux faire quelque chose, mon lieutenant ? a proposé Zahn.

— Non, putain, a lâché le lieutenant. Je veux juste que tu sois au courant, caporal. Montre-moi que tu comprends la situation, nom de Dieu. » C'était la première fois que je l'entendais gueuler sur Zahn comme ça.

Zahn a fait comme si de rien n'était. « Bien reçu, mon lieutenant. » Il en avait entendu d'autres, j'imagine.

Mais Dodge a alors marmonné quelque chose entre ses dents, et Donovan lui a sauté dessus. « Il y a quelque chose qui te gêne, Dodge ? Qu'est-ce que tu dis ? Si tu as un commentaire à faire, je te conseille de parler plus fort.

— Pauvres Américains, voilà ce que j'ai dit. Je vous plains, d'avoir à utiliser nos ponts irakiens minables. De l'ouvrage à la va-comme-je-te-pousse pour vous, c'est ça ? Hein ? Vous n'avez pas apporté vos ponts ? Vous pouvez atterrir sur la lune mais vous ne savez pas construire un simple pont ?

— Va te faire foutre, a lancé Donovan sans hésiter. Et ferme-la. Tu parleras quand je te le dirai.

— Va te faire foutre ? Va te faire foutre ? Allez *vous* faire foutre, oui !

— Qu'est-ce que je viens de dire ? »

Zahn est intervenu. Timide devant son lieutenant, mais il se devait de maintenir l'ordre dans son véhicule. « Messieurs. On respire. Surveillez vos secteurs. S'il vous plaît. »

Ils se sont tournés chacun dans leur coin pour ruminer, mais l'atmosphère dans le Humvee était devenue lourde. Quoi qu'il en soit, on n'a pas eu beaucoup le temps d'y penser. Parce qu'on est très vite arrivés au pont qui inquiétait tant le lieutenant.

Il a annoncé à la radio : « Gomez, dis à tes gars de faire très attention dans le virage. »

Ensuite, comme s'il venait de jeter un sort, le sept tonnes qui se trouvait deux véhicules devant nous a basculé. Des étincelles ont jailli du châssis et, comme dans un mauvais rêve au ralenti, le camion est tombé sur la barrière de sécurité du pont.

Gomez a surgi du Humvee devant nous avec deux autres Marines et a couru pour s'assurer que personne n'était blessé. Les deux gars se sont extraits de la cabine. Ça allait. Mais il n'y avait aucun moyen de bouger le camion. Le pont était complètement bloqué.

Le lieutenant Donovan s'est pris la tête dans les mains. « Putain. Il nous faut une dépanneuse maintenant.

– Des ordres, mon lieutenant ? a soufflé Zahn.

– Je ne sais pas, putain, Zahn ! a hurlé le lieutenant. D'accord ? Merde ! Fais sécuriser le périmètre ! Fais preuve d'initiative ! Fais quelque chose sans que j'aie besoin de te le dire ! »

Dodge, à l'arrière, a ri.

J'ai cru que Donovan allait le tuer. Genre, *vraiment*. « Tu trouves ça drôle, connard ?

– Oui. Drôle, c'est une interprétation, oui. Mais interpréter, c'est pour ça qu'on me paie, non ?

– Descends », a rétorqué le lieutenant, s'apprêtant à débarquer avant d'avoir complètement déverrouillé sa ceinture. « Descends de ce véhicule, Dodge.

– Pas de problème, mec. Je suis un Irakien libre qui sort se balader sur l'autoroute dans son propre pays. »

Deux hélicoptères se sont approchés à basse altitude, deux appareils d'attaque des Marines de l'escadron d'al-Taqadoum. Je les ai vus par la trappe de la tourelle et les ai entendus sur les ondes alors que leurs moteurs vrombissaient au-dessus de nos têtes.

La radio a crépité : « Hellbox Five-Six, ici Profane Two-Four. Que se passe-t-il ? Il vous faut une évasan ? »

Ils appelaient notre convoi par son pseudo, et voulaient savoir dans quel état était notre camion couché sur le côté à l'entrée du pont. Et s'il y avait eu des blessés dans l'accident.

« Lieutenant, ai-je dit, lieutenant, je crois que cet hélicoptère vous appelle. »

Mais le lieutenant n'avait pas lâché Dodge, et n'écoutait personne. « Vas-y, petit con. Répète.

– Répète quoi, *mulazim* ? a raillé Dodge. Que vous êtes incompétent ? Que vous devriez rentrer chez vous immédiatement ? Pour niquer votre propre pays peut-être ? »

Les choses allaient vraiment dégénérer. Je me suis détaché, j'ai quitté le véhicule et j'ai ceinturé Dodge. Zahn a fait la même chose avec le lieutenant et on les a maintenus un moment à distance comme on a pu.

Mais ils ont continué de se crier dessus. De s'insulter à tour de rôle, jusqu'à ce que les hélicoptères reviennent et que le bruit des moteurs recouvre leurs voix.

Un des pilotes est resté en vol stationnaire au-dessus de nos têtes. Il a tourné la tête vers l'accident comme s'il voulait jeter encore un coup d'œil au bordel qu'on avait causé sur ce pont, puis il a mis les gaz pour repartir vers le centre de Ramadi.

J'ai observé l'appareil tout du long, jusqu'à ce que le missile, avec sa traînée blanche, surgisse de quelque part en ville et le fasse exploser en plein vol.

Le héros de Profane Two-Four

Commandant de la coalition militaire occidentale
à l'officier enquêteur
Objet : Mission d'enquête sur la perte de Profane Two-Four

---

1. Selon l'article 2a, je vous charge par la présente d'enquêter sur les circonstances de la perte de Profane Two-Four, un hélicoptère de la coalition, qui s'est produite près de Ramadi en Irak suite à une attaque ennemie.

2. D'enquêter sur les circonstances de cette attaque, qui a provoqué la perte de l'appareil, et la mort de deux (2) Marines.

3. De relever toute faute, négligence ou responsabilité éventuelle, et de préconiser la réponse administrative ou l'action disciplinaire appropriée. Veuillez rapporter vos conclusions, avis et propositions sous forme de lettre deux semaines maximum après réception de cet ordre de mission, à moins qu'un délai supplémentaire ne vous soit accordé.

Officier enquêteur
au commandant de la coalition militaire occidentale
Objet : Rapport préliminaire, mission d'enquête sur la perte
de Profane 24

Ci-joint
(1) Compte-rendu d'incident sérieux, en date du 31 août
(2) Transcription d'entretien avec le caporal-chef Walter Zahn
(3) Transcription d'entretien avec « Dodge », citoyen irakien
    employé de la coalition militaire occidentale
(4) Transcription d'entretien avec l'infirmier militaire Lester
    Pleasant
(5) Compte-rendu extrait du dossier médical du sergent
    Michelle Gomez
(6) Proposition d'attribution de la médaille de l'étoile de bronze
    en faveur du lieutenant Peter Donovan

Mission d'enquête, pièce jointe 1 :
Compte-rendu d'incident sérieux, objet : attaque ennemie sur
Profane 24

Patrouille aérienne de combat, pseudo Profane 24, attaquée par
un missile sol-air. Un hélicoptère d'attaque AH-1 détruit. Deux
(2) alliés morts au combat.

Commandant (nom confidentiel), numéro matricule ED431,
mort au combat. Capitaine (nom confidentiel), numéro matricule ED561, mort au combat.

Hélicoptère d'attaque, aviation légère des Marines – escadron 435.

1455 ZULU.

Position exacte inconnue à cette heure. Ramadi.

Approximativement 1 500 mètres au nord du pont traversant
l'Euphrate dans la zone.

Mission de recherche et de sauvetage entreprise immédiatement pour retrouver l'appareil et le personnel à bord. Une sec-

tion du régiment du génie, non impliquée dans le crash initial, a délimité un périmètre de sécurité et a récupéré les dépouilles des militaires alliés morts au combat.

Les dépouilles ont été rapatriées à la base militaire d'al-Taqadoum.

Pas d'autres remarques à faire.

Mission d'enquête, pièce jointe 2 :
Transcription d'entretien avec le caporal-chef Walter Zahn

OE : Avez-vous vu l'impact, quand le missile a touché l'hélicoptère ?

Cch Zahn : Oui, mon commandant.

OE : Que faisiez-vous à ce moment-là ?

Cch Zahn : J'essayais de mettre fin à une bagarre, mon commandant.

OE : Qui se battait ?

Cch Zahn : Notre interprète et le lieutenant, mon commandant.

OE : Pourquoi ?

Cch Zahn : Mon commandant, sauf votre respect… (inaudible)… Ils n'étaient pas d'accord à propos d'un accident de la route, mon commandant.

OE : Que s'est-il passé quand vous avez assisté au crash de l'hélicoptère ?

Cch Zahn : Eh ben, ils ont arrêté de se disputer. On est restés tous les quatre sidérés pendant une seconde. On l'a regardé tomber. Ensuite le lieutenant m'a attrapé par le gilet pare-balles et m'a montré du doigt un coin de désert vide à côté de la route. Il m'a dit de prendre quelques Marines avec moi et d'aller là-bas pour sécuriser le périmètre. Qu'on en aurait besoin comme zone d'atterrissage.

OE : Et c'est ce que vous avez fait ?

Cch Zahn : Oui, mon commandant. C'est ce que j'ai fait. Je suis parti en courant là-bas avec le sergent Gomez et quelques autres. Quand j'ai revu le lieutenant, il courait vers nous avec Doc Pleasant, et le Huey était en train d'atterrir.

OE : Et vous avez embarqué à bord de l'hélicoptère ?

Cch Zahn : Oui, mon commandant. Le lieutenant, l'interprète, Doc Pleasant, le sergent Gomez et moi.

Mission d'enquête, pièce jointe 3 :
Transcription d'entretien avec « Dodge », citoyen irakien employé de la coalition militaire occidentale

OE : Pourquoi le lieutenant Donovan vous a-t-il emmené avec lui ?

« Dodge » : Vous lui avez posé la question ?

OE : Oui, mais j'aimerais entendre votre version.

« Dodge » : Il a dit qu'il aurait peut-être besoin de moi parce que l'hélicoptère s'était écrasé dans un quartier résidentiel. Genre un jardin avec une grande maison. Il a dit qu'il aurait peut-être besoin que je parle à la famille qui vivait là.

OE : Quand vous êtes arrivé sur les lieux du crash, avez-vous parlé aux occupants ?

« Dodge » : Oui.

OE : Que leur avez-vous dit ?

« Dodge » : Je leur ai dit de s'enfuir.

OE : Une fois la maison vide, qu'avez-vous eu d'autre à faire ?

« Dodge » : Ils m'ont donné une arme.

OE : Et vous vous en êtes servi ?

« Dodge » : (inaudible)

OE : Je ne vous ai pas entendu. Pouvez-vous répéter ?

« Dodge » : Oui. J'ai tiré avec.

Mission d'enquête, pièce jointe 4 :
Transcription d'entretien avec l'infirmier militaire Lester Pleasant

---

OE : Où vous trouviez-vous lorsque le sergent Gomez a été touchée ?

IM Pleasant : Elle était debout, à contrer le feu adverse par-dessus le mur. J'étais au sol avec le lieutenant, j'essayais de soigner sa blessure au visage pendant qu'il parlait à la radio.

OE : Je repose la question : Où vous trouviez-vous ?

IM Pleasant : Juste en dessous d'elle, mon commandant. Comme je l'ai dit, j'ai senti son poids sur moi, c'est tout. Elle s'est effondrée et elle est tombée sur mon dos. Ça tirait tellement, il y avait tant de balles qui fusaient et qui crépitaient contre ce mur, je n'ai pas entendu celle qui l'a touchée. J'ai cru qu'elle avait perdu l'équilibre et qu'elle avait glissé. Donc, je lui ai demandé si ça allait. Mais à ce moment-là, j'ai senti son sang dans mon cou. Vous voyez ? Ça coulait à l'intérieur de mon gilet pare-balles.

OE : Qu'avez-vous fait ?

IM Pleasant : Quand j'ai su qu'elle était touchée ?

OE : Oui.

IM Pleasant : Je l'ai allongée par terre à côté du lieutenant. J'ai vu qu'elle avait pris une balle dans la tête, donc je n'ai pas touché son casque et j'ai commencé à faire un massage cardiaque. Je n'ai pas levé les yeux, mon commandant. J'ai juste continué le massage cardiaque, pour essayer de lui faire reprendre connaissance. Je n'ai pas entendu les coups de feu diminuer. Pas entendu l'hélicoptère atterrir non plus. J'ai rien entendu jusqu'à ce que l'infirmier d'intervention me dégage d'elle.

Mission d'enquête, pièce jointe 5 :
Compte-rendu extrait du dossier médical du sergent Michelle Gomez
Transmis immédiatement au commandant du corps des Marines, Washington, DC
Informer les personnes concernées
Confidentiel

1. Sgt/Michelle/Luz/Gomez

2. Corps des Marines des États-Unis, blessée au combat

3. Blessure par balle à la tête

4. 1815/Ramadi, Irak

5. Pénétration du crâne par une munition de calibre 7,62, provoquant jusqu'à 40 % de perte des tissus cérébraux de la patiente. Premiers soins fournis par le personnel médical sur le terrain, assistance cardiovasculaire et respiratoire jusqu'à ce que la patiente puisse être évacuée de la zone de combat vers le service de réanimation. Stabilisation de la patiente aux urgences chirurgicales et traumatologiques de l'hôpital, suivie d'un rapatriement vers l'Allemagne puis vers les États-Unis. Troubles importants des fonctions cognitives et du contrôle musculaire. L'état d'invalidité complète de la patiente nécessitera une prise en charge médicale à vie.

6. Avant de partir en mission, la susnommée a demandé que toute notification officielle soit transmise à sa parente la plus proche, Denise Gomez, sa sœur, qui vit à Dallas, au Texas.

Mission d'enquête, pièce jointe 6 :
Médaille de l'étoile de bronze, avec une mention spéciale pour bravoure, en faveur du lieutenant Peter Donovan

---

Pour héroïsme au combat durant l'opération « Liberté pour l'Irak ». Alors qu'il dirigeait une patrouille de soutien logistique s'apprêtant à traverser Ramadi, le lieutenant Donovan a assisté, avec les Marines sous ses ordres, à une attaque ennemie au missile sol-air sur un hélicoptère de la coalition engagé dans un vol de surveillance de la position de son convoi près du pont qui traverse l'Euphrate dans la zone. Touché irrémédiablement, l'hélicoptère s'est écrasé non loin de là, dans un quartier résidentiel de la ville. Sachant que la force d'intervention rapide basée à Hurricane Point mettrait au moins une heure pour arriver sur les lieux, le lieutenant Donovan a compris que sa section était la seule de la coalition en mesure de porter secours aux deux pilotes. Sans hésiter, le lieutenant Donovan a pris contact avec le second hélicoptère participant au vol de surveillance et a improvisé une zone d'atterrissage d'urgence. Lorsque l'hélicoptère rescapé de Profane Two-Four a atterri, le lieutenant Donovan, en coordination avec les pilotes et le chef d'équipe, s'est porté volontaire pour pénétrer dans la zone du crash avec quelques hommes et mettre en place un ultime rempart de défense pour protéger le site du crash en attendant l'arrivée des renforts. Sans attendre l'accord de sa hiérarchie, le lieutenant Donovan a embarqué à bord du Huey UH-1 avec deux autres Marines, un infirmier militaire et un interprète citoyen irakien. Le lieutenant Donovan a observé en vol les débris de l'appareil touché et a pénétré la zone aussi près du crash que possible, là où le Huey pouvait atterrir en toute sécurité. Son équipe a immédiatement dû faire face à une opposition ennemie organisée alors qu'ils avançaient pour sécuriser les décombres de l'hélicoptère et les pilotes. Après s'être frayé un chemin jusqu'au site du crash lui-même grâce à des tirs coordonnés d'armes légères, le lieutenant Donovan et ses Marines ont sécurisé ledit site pendant que leur infirmier militaire et leur interprète extrayaient les pilotes des restes de l'appareil. En se rendant compte que les deux pilotes étaient morts dans l'accident, le lieutenant Donovan a déployé son équipe le long du mur du jardin de la maison contre lequel l'hélicoptère était venu s'écraser, et il s'est employé à défendre à tout prix la carcasse de l'appareil et les dépouilles de ses compagnons d'armes. Durant les deux heures suivantes, le lieutenant Donovan a dirigé ses hommes avec courage pour défendre le site du crash. Alors que l'assaut ennemi venait de toute part, le lieutenant Donovan et ses hommes ont habilement maintenu leur position, alors que leurs réserves de munitions diminuaient. L'ennemi, pressentant la possibilité de tuer ou de capturer un petit groupe isolé d'Américains, a engagé toutes ses ressources dans l'attaque. Des barricades impromptues de pneus en flammes et de carcasses de voitures, ainsi que des embuscades avec explosion d'engins improvisés, ont bloqué les Marines s'efforçant de traverser la ville pour leur venir en renfort. Le courage au combat et le savoir-faire du lieutenant Donovan dans l'exercice de l'autorité ont permis à ses Marines de maintenir leur position sur le site du crash. Il a ordonné à plusieurs reprises de mitrailler l'ennemi et, même blessé par des fragments de balle suite à un tir de sniper qui a ricoché non loin de lui, il a continué de défendre le site jusqu'à l'arrivée des renforts. Le courage du lieutenant Donovan, son sens de l'initiative, sa persévérance et son dévouement absolu sont tout à son honneur et dignes du corps des Marines, conformément aux plus hautes traditions de l'armée américaine.

Nous vous accordons par la présente une période de vingt et un (21) jours de congé avant que vous ne soyez définitivement relevé de vos obligations militaires. Vous avez l'ordre de rester en contact avec le commandement dont vous dépendez jusqu'à ce moment. Un exemplaire de votre formulaire DD214 sera envoyé à votre adresse à Birmingham, en Alabama. Présentez-vous au centre administratif du personnel, à Camp Pendleton, en Californie, au plus tard le 30 octobre avant minuit, pour le traitement de votre dossier.

Un peu de tenue

Denise Gomez a une chambre à l'arrière de sa maison avec un lit médicalisé et tout l'équipement nécessaire pour que sa sœur ne s'étouffe pas.

« Le service de santé des anciens combattants envoie un kiné ici une fois par semaine, me dit Denise. Michelle est courageuse, mais vous le savez déjà. Elle progresse beaucoup aussi. Vraiment. » Denise touche les cheveux sur le front de sa sœur. « Elle est contente de vous voir, j'en suis sûre. Ses yeux se sont illuminés dès que vous êtes entré dans la pièce. Elle est tellement contente de voir son ancien lieutenant. C'est pas vrai, frangine ? »

Je souris et hoche la tête. « Je suis très heureux de la voir aussi. De vous voir toutes les deux. Merci de votre accueil. »

Je suis arrivé dans la matinée après avoir conduit presque toute la nuit et dormi quelques heures dans ma voiture. Denise m'a accueilli avec une tasse de café et une accolade. Je m'étais préparé à des reproches ou du ressentiment, mais les choses s'étaient déroulées bien différemment. Cette femme est tout amour. Son sens de l'hospitalité n'a pas faibli alors que nous nous dirigions vers la chambre de Michelle. Elle m'a même épargné l'incontournable discours sur l'état de Michelle, et les avertissements de rigueur.

J'ai d'abord remarqué les cheveux de Michelle. Je ne les avais jamais vus autrement qu'en chignon serré et leur longueur m'a stupéfait.

Denise a ri. « Je parie que vous ne saviez pas qu'elle était si féminine. »

Ensuite, j'ai remarqué les tatouages sur ses avant-bras. Les oiseaux et les serpents les poursuivant s'étaient flétris et estompés à cause de l'atrophie de ses muscles, et ne semblaient plus lui appartenir.

Au bout de deux heures, c'est comme si je m'étais fondu dans le calme de cette maison. Nous sommes assis et nous parlons tandis que Denise fait les ongles de Michelle et lui masse les pieds. On dirait parfois que cette dernière me regarde et parvient à se concentrer. Je m'étais autorisé à espérer qu'elle me reconnaîtrait, mais j'étais loin du compte. Je ne perçois pas non plus la douleur et le désespoir que j'avais craints. Elle gémit de temps à autre lorsqu'elle veut changer de position, et quand Denise la tourne, ses longs cheveux noirs tombent sur le côté et le trou sur son front surgit là où une partie de son crâne a disparu.

« Il faut que j'y aille, dis-je à Denise comme le crépuscule s'annonce. J'ai de la route à faire.

– Eh bien, j'ai été heureuse de vous recevoir ! » lance-t-elle en se levant pour m'enlacer. Les bras autour de mon cou, elle murmure : « Vous serez toujours le bienvenu ici. Vous le savez, n'est-ce pas ? »

J'essaie d'acquiescer, de la remercier, mais je ravale mes mots. Mes paroles ne feraient que rendre la situation embarrassante pour elle comme pour moi.

Lorsqu'elle relâche son étreinte, je m'approche du chevet de Gomez et lui prends la main. Elle reste immobile. « Sergent », dis-je, m'efforçant de ne pas craquer. Puis je me détourne pour partir.

Une fois en voiture, je tourne au coin de la rue et continue sur environ un kilomètre avant de me garer et de pleurer. Il ne faut surtout pas que Denise Gomez me voie. Je ne devrais pas me le permettre, mais je pose la tête sur le volant et reste ainsi pendant une heure au moins. La nuit est complètement tombée lorsque je me ressaisis enfin.

Ils m'ont décerné une médaille pour bravoure.

Le commandant Leighton me l'a épinglée sur la poitrine lorsque la compagnie est rentrée à Camp Pendleton. Après la cérémonie dans son bureau, le commandant Leighton m'a demandé de prendre la parole et de faire quelques commentaires. J'ai remercié tout le monde d'être là. J'ai remercié mes compagnons d'armes, les lieutenants Cobb et Wong, pour leur soutien durant notre longue mission. J'ai remercié le commandant pour avoir cru en moi. Je n'ai pas dit un mot sur Gomez, ni sur qui que ce soit d'autre.

Mes papiers de fin de service sont arrivés une semaine plus tard, si vite après le retour du bataillon au pays que je n'ai même pas eu besoin de récupérer mes affaires qui étaient restées stockées près d'un an à la base. Je me suis contenté de remplir les documents pour me faire envoyer les cartons directement chez moi à Birmingham, et j'ai accepté l'invitation de Cobb qui m'avait proposé de dormir sur son canapé.

Les choses ont changé avec Cobb, Wong et les autres lieutenants après Ramadi. Ils se comportaient différemment en ma présence. Se montraient presque respectueux, ce que je n'ai jamais compris. Cobb, en particulier. Ou peut-être me suis-je fait des idées. C'était peut-être moi. J'avais peut-être changé.

J'ai eu l'impression qu'il eût été grossier de décliner son offre. Pendant une semaine, nous nous sommes couchés tard, avons regardé des films et des trucs nuls à la télévision, sans nous dire grand-chose. Nous ne sommes pas devenus amis et savions que ce ne serait jamais le cas, mais j'ai quasiment oublié ce que je n'aimais pas chez lui.

Le soir de mon dernier jour de service effectif, Cobb m'a conduit à l'aéroport de San Diego pour que je rentre dans l'Alabama. Pour mon mois de vacances, je n'avais pas d'autre projet que de dormir une semaine entière sur le canapé de ma sœur.

Comme je sortais de la jeep de Cobb, mon paquetage sur l'épaule, il s'est penché pour me serrer la main. « Content de t'avoir vu. Bonne chance, Pete. »

Pris au dépourvu devant cet élan de sincérité, j'ai marmonné quelque chose d'incohérent avant de retrouver mes esprits et de lâcher un brusque : « Merci. À toi aussi. »

Une vague de nostalgie m'a submergé alors que ses feux arrière disparaissaient, et j'ai soudain compris que mes vrais derniers moments en tant que Marine étaient derrière moi. J'étais seul, tout à coup, et il ne me restait que des histoires. La vérité s'était évanouie avec Cobb.

Dans le terminal, j'ai regardé l'écran des départs. Mon vol y figurait en rouge. Mauvais signe. Il était annulé, avec une douzaine d'autres. La femme au comptoir des réclamations ne pouvait rien faire pour moi. Une météo mauvaise à Chicago avait perturbé les correspondances à l'ouest des Rocheuses. Il n'y avait plus une place disponible pour Birmingham, ou quelque autre destination que ce soit, avant le lendemain matin.

Tout ce que je possédais était déjà en transit. Pire, je n'avais pas pris le temps de remplacer le téléphone que j'avais désactivé avant de partir en mission. Ne voulant pas déranger Cobb ou provoquer d'autres adieux sincères, j'ai transféré mon billet sur un vol du lendemain matin, et je suis parti dans le hall des départs pour trouver un endroit à l'écart où m'allonger et dormir. Mais il fallait que j'appelle ma sœur, et peut-être même mes parents. Donc j'ai bifurqué vers le centre réservé au personnel militaire.

Dans l'aéroport, ce centre sert principalement de point de rencontre durant les périodes de recrutement, lorsque les Marines arrivent des quatre coins du pays en pleine nuit pour se rendre au camp d'entraînement. Par chance, l'armée était entre deux vagues de recrutement, et j'ai pu profiter seul du petit espace. Un vieil homme était assis derrière le bureau d'accueil, bras croisés et menton rentré dans la poitrine. Il portait une casquette à l'effigie des Marines et paraissait assez vieux pour avoir combattu en Corée.

Ne sachant s'il dormait ou pas, je me suis approché doucement, tête baissée et inclinée sur le côté.

« Je peux t'aider, jeune homme ? a-t-il fait, parfaitement réveillé, sans l'ombre d'un mouvement.

– Oh. Désolé de vous déranger, monsieur, ai-je répondu, surpris. Je me demandais s'il y avait un téléphone que j'aurais pu utiliser ?

– Là-bas. » Il a opiné du chef, s'est levé et m'a fait signe de le suivre tandis que, trottinant sur ses petites jambes, il se dirigeait vers une table où étaient empilés des téléphones portables en mauvais état. Des dons, probablement. Il en a saisi un et a levé les yeux vers moi, attendant manifestement que je lui indique un numéro.

« Je peux le faire moi-même, monsieur. C'est juste pour un coup de fil rapide. »

Il a secoué la tête. « Non, non. Il faut faire un code spécial. C'est mieux que ce soit moi.

– Une seconde. » J'ai laissé tomber mon sac, incapable soudain de me souvenir du numéro de ma sœur. Je savais que je l'avais dans un carnet d'adresses au fond de mon paquetage, mais je ne voulais pas tout vider et fouiller dans mes sous-vêtements au milieu du centre pour mettre la main dessus. Le numéro de chez mes parents, le premier que j'aie eu à apprendre par cœur, m'est venu à l'esprit.

« Indicatif deux, zéro, cinq... » J'ai regardé ses curieux doigts épais pianoter sur les touches.

« OK. Deux zéro cinq... après ?

– Vous savez quoi ? » J'ai ramassé mon sac. « Merci beaucoup, mais en y repensant je préfère ne pas les déranger.

– Tes parents ?

– Oui, monsieur. Avec le décalage horaire, il y a quelques heures de plus là-bas.

– Tu es sûr ? Je parie que ta mère se demande ce que tu deviens.

– Non, je suis sûr. Mais merci de votre aide, monsieur. » J'ai tourné les talons pour partir.

Il m'a arrêté. « D'où viens-tu ?

– De Pendleton.

– Non, je veux dire, a-t-il précisé avec un sourire entendu, où étais-tu en mission ?

– En Irak. » Après un moment d'hésitation, j'ai ajouté : « Je rentre tout juste d'Irak, monsieur », comme si c'était la routine. Rien d'extraordinaire.

« Bienvenue au pays, alors. »

Il m'a tendu la main et je l'ai serrée en comprenant enfin pourquoi j'avais remarqué ses doigts boudinés. Ils n'étaient pas seulement bizarres ; ils avaient disparu. À l'exception des pouces, il ne lui restait que les premières phalanges.

Il s'est rendu compte que je les observais. « Le réservoir de Chosin. Des milliers de Chinois qui braillaient et il n'y en a pas un qui m'a touché, mais ce froid, mon gars… » Il a gloussé et secoué la tête. « Ce froid, c'était une sacrée saloperie. M'a bouffé les doigts. J'ai de la chance d'avoir gardé ce qui reste. Je m'appelle Tippet, au fait.

– Oh. Content de vous rencontrer. Moi, c'est Peter.

– OK. Bon, Peter, a-t-il enchaîné comme si c'était inévitable, allons boire une bière. »

Il a fait un geste en direction du bar de l'autre côté du hall et m'a fait signe de le suivre tandis qu'il s'éloignait.

Je me suis dépêché de lui emboîter le pas pour tenter de décliner sa proposition. « Merci, monsieur, mais ça va aller. Je vais juste me chercher un coin de moquette pour passer la nuit.

– N'importe quoi, s'est-il contenté de répondre. Tu bois une bière avec moi, Peter. J'ai une femme horrible qui m'attend à la maison et c'est l'heure de la débauche.

– Encore une fois, monsieur. Merci. » Mais je me suis aperçu que nous étions déjà dans le bar. Déterminé, Tippet avait parcouru la distance à une vitesse surprenante malgré sa démarche malhabile.

Il a hélé le serveur et a désigné la bière pression la plus proche du moignon de son index. « Deux, Mark », a-t-il dit, sans faire vraiment attention à ce qu'il avait choisi.

Je me suis résigné. « Juste une alors, monsieur. »

Tippet a ri. « Appelle-moi encore une seule fois monsieur et je te bouffe les dents.

– OK. Merci, Tippet. Mais juste une.

– Tu es lieutenant, c'est ça ?

– Je l'étais jusqu'à il y a quelques heures. Comment l'avez-vous deviné ?

– J'ai rien deviné. C'est évident comme le nez au milieu de la figure. Difficile de le rater. Mais le plus important, c'est qu'un lieutenant ne peut pas partir après la première tournée. La deuxième est pour toi. Donc ça fait deux, au moins. »

Nous avons trouvé une table de quatre vide dans un coin et nous nous sommes assis comme nos bières arrivaient. Une pinte pour moi et une chope pour Tippet. Il a glissé sa main mutilée dans l'anse en la maintenant avec le pouce. Le fruit d'un long entraînement.

« À nos compagnons d'armes, a-t-il lancé en levant son verre.

– À nos compagnons d'armes. » J'ai laissé la première gorgée me chatouiller les lèvres. L'alcool m'a piqué la langue. La bière était tellement meilleure que dans mon souvenir.

Nous avons vidé la première tournée en moins de cinq minutes, et au plus grand plaisir de Tippet j'ai commandé la deuxième sans hésitation.

« Pas besoin de te faire prier, hein, lieutenant ? s'est-il exclamé en riant.

– C'est ma première bière depuis longtemps. Autant en profiter, non ?

– Je ne te le fais pas dire. Tu l'as bien mérité. »

La deuxième tournée était identique à la première. Une pinte pour moi et une chope pour Tippet. J'ai regardé ses doigts amputés envelopper le verre, convaincu que je ne méritais rien du tout. Mais avant la fin de la troisième tournée, tout cela m'était devenu indifférent. La bière devant moi avait cessé de symboliser ce qui m'était dû ou ce que je méritais. Je ne pensais plus qu'à la lourdeur de mes paupières et à l'engourdissement de mes jambes. Je commençais à me sentir tellement mieux.

« Tu as une petite amie qui t'attend, lieutenant ? a demandé Tippet alors que nous venions de vider notre cinquième verre.

– Non. Pas en ce moment. » J'essayais de retrouver des sensations dans mes joues.

« Putain ! Faut t'en trouver une. » Tippet s'est levé et a disparu dans le bar soudain bondé. Je ne l'ai pas suivi, mais peu importait. Alors que j'avais déjà bu la moitié de ma sixième bière, il est revenu à notre table, flanqué de deux jeunes femmes.

Elles étaient grandes et brunes, avaient environ mon âge, et tenaient chacune un verre de vin blanc à la main. Elles portaient des talons, un pantalon soigneusement repassé et un chemisier en soie. Souriantes, visiblement sous le charme de Tippet, elles ont baissé les yeux vers moi, arborant ce qui ressemblait à un mur de dents blanches.

« Voilà le jeune homme dont je vous ai parlé. Il s'appelle Pete, c'est mon ami. Il rentre juste d'Irak. Et quelques minutes en votre compagnie ne lui ferait pas de mal, c'est moi qui vous le dis.

– Oh, waouh, a fait l'une d'elles, pressant son verre contre sa joue.

– C'est tellement impressionnant, s'est exclamée l'autre. Merci pour ce que tu as fait là-bas. » Elle a tendu la main d'une étrange façon et je n'ai pas compris si elle voulait que je la lui embrasse ou la lui serre. Dans mon état d'hébétude grandissante, j'ai attiré sa main à moi et l'ai posée sur mon front.

« Ha, hé ! Pete. » Elle a ri. « On a un peu bu, hein ?

– Un peu de tenue, ai-je entendu Tippet dire d'une voix austère. Un peu de tenue, lieutenant. »

J'ai lâché la main de la brune et me suis levé de la chaise sur laquelle j'étais vautré.

Les brunes se sont présentées, mais je ne parvenais pas à retenir leurs noms. Elles me rappelaient des filles que j'avais connues à la fac. Parfaites et bien élevées. Elles allaient se marier incessamment sous peu, et la conversation que nous étions sur le point d'avoir deviendrait une histoire à raconter en soirée. Elles se tiendraient près de leurs maris à parler d'un gars qui rentrait d'Irak, qu'elles avaient rencontré une fois dans un aéroport. Et qui était complètement saoul.

La nausée m'est montée à la bouche. J'ai senti ma langue pâteuse, et les filles ont ri de quelque chose que disait Tippet.

« Désolé. » Je les ai poussées pour me frayer un passage, traînant mon sac par la sangle. « Désolé. »

J'ai cherché un endroit, en guise de toilettes, pour vomir sans trop attirer l'attention. Une poubelle. Un chariot de ménage. La nausée s'est un peu calmée tandis que je fonçais à travers le hall, et j'ai soudain songé que j'avais peut-être juste besoin d'air. La sortie s'est matérialisée devant moi. Au-delà, je le savais, se trouvait une porte menant à l'extérieur, dans l'air nocturne de San Diego, dans l'air océanique de la baie toute proche.

J'ai accéléré le pas, filant droit devant moi, et j'ai réussi à quitter le terminal sans vomir. J'ai traversé la rue et suivi l'odeur de l'océan jusqu'à ce que je trouve un banc vide près de la baie. Le monde a basculé et je me suis endormi, la tête sur mon paquetage.

Je me suis réveillé avec le lever du soleil et me suis redressé. La baie était pleine de voiliers. Quelques-uns se dirigeaient vers le large, toutes voiles dehors, gîtant légèrement sous un vent d'ouest. Libres.

Un peu de tenue, ai-je pensé.

Assis dans ma voiture, sur le bas-côté d'une impasse dans Dallas, je pense à mon père. Nous pourrions parler de tout et de rien et je lui en serais reconnaissant. Nous pourrions parler football. Il pourrait me dire combien de balles de foin il a coupées dans ses prés. De balles rectangulaires ou de balles rondes. Je pourrais jouer avec mon neveu et donner une bonne poignée de main à mon beau-frère.

Je ne mérite rien de tout cela, mais j'en ai envie. Et je ne mérite certainement pas Paige, mais je sors mon téléphone et compose son numéro.

Elle répond immédiatement.

Zahn,
Merci pour l'info sur le lieutenant. Je l'ai vu et ça a l'air d'aller.
C'est un idiot, bien sûr... Mais il est pas méchant.
Donc c'est bon si je viens te voir ? Et ça t'irait si je restais un
moment ? J'ai besoin de changer d'air, si tu as de la place pour
moi.
Doc

Lattes de parquet

Je suis resté chez le lieutenant environ une semaine. J'ai perdu mon boulot, mais tant pis. J'ai assez d'argent de côté pour tenir six mois sans problème, je crois.

Le lieutenant m'a raconté sa visite chez le sergent Gomez et sa sœur, et il a pas arrêté de s'excuser. Je lui ai dit d'arrêter. Ensuite, il m'a demandé si j'avais un moyen de contacter Dodge, et j'ai menti. Je lui ai dit que j'en savais rien.

Dodge a disparu de toute façon. Il n'a pas répondu depuis une semaine et n'a plus l'air de vouloir rester en contact. Il ne parle même plus de son visa. Juste des nouvelles de Tunisie. J'arrive pas à suivre tout ce qu'il dit, pourtant j'aime bien savoir ce qu'il devient.

Le lieutenant m'a aussi parlé des problèmes de Zahn. Comme s'il s'agissait d'un Marine dans la section avec un sale champignon au pied, et qu'il voulait que j'y jette un coup d'œil. Que je prescrive une crème antifongique ou que je rappelle combien il est important de changer de chaussettes. Comme s'il pensait que j'étais toujours son infirmier, ou qu'il voulait que je le sois.

Ensuite, il m'a présenté à une jolie étudiante avec laquelle il sort je crois, elle avait l'air sympa. Je les ai aidés à déménager une vieille épave de voilier avec ma camionnette pour la mettre dans un atelier couvert près du port. Elle m'a rappelé un peu Gomez, avec ses cheveux tressés et son bandana rouge. Pendant qu'on installait le bateau, elle m'a donné toutes sortes de conseils pour Lizzy. Elle m'a dit que je devrais passer la voir, pour calmer le jeu au moins.

Le lieutenant a dit la même chose. Mais je leur ai répondu que ça devrait attendre. Un autre moment. Que je devais d'abord aller voir mon père à Houma.

Je suis dans ma chambre maintenant, en train de rassembler mes affaires. Ça fait un bout d'aller dans le Missouri pour voir Zahn, et je pourrai pas faire demi-tour si j'oublie quelque chose, donc je fais attention de bien prendre tout ce dont j'ai besoin pour un long séjour. Mon père est dehors, dans le couloir, juste devant ma porte. Je le sens. Il se demande s'il doit frapper. Il absorbe tout l'air, à rester debout comme ça. Ma chambre rétrécit. Je sens la porte grincer sur ses gonds ; elle est prête à exploser en mille morceaux.

Il s'éloigne, et les lattes de parquet parlent sur son passage.

Il sort sous la véranda, la moustiquaire de la porte rebondit en se fermant. Je sens la maison qui se penche vers lui. Cette maison est pleine de fantômes qui radotent et j'en ai ras le bol.

Il traverse la pelouse pour aller travailler à son tracteur dans la remise. Il fait trop froid pour ces conneries, c'est trop tard, et sans vraiment savoir pourquoi je me mets en tête de le lui dire. Donc je sors. Je suis à mi-chemin, dehors, quand je me rends compte que je porte mon sac d'urgence dans la main droite.

Je lâche le sac, le laisse où il est, marche jusqu'au chêne pour m'asseoir. La lumière est allumée dans la remise, et j'écoute mon père travailler. Peu après minuit, il sort, s'essuie les mains sur le pantalon, et s'achemine vers la maison. Il s'immobilise en me voyant et cligne des yeux pour s'assurer qu'il ne rêve pas. Il me fait un signe, raide et gauche, avant de s'approcher de moi. Debout, les mains sur les hanches et les sourcils froncés, il me regarde en silence.

« Je voulais être sûr que tout allait bien, je fais au bout d'un moment.

– Tout va bien, Les. » Il s'assied et pose la main sur mon épaule. Il inspire profondément, sans bouger, comme s'il allait dire quelque chose. Mais il se contente de soupirer.

« Il est resté au sol pendant six heures, papa, je dis après un certain temps. Il était allongé là, et personne n'a pu s'approcher de lui. Ils ont dû faire appel à une autre équipe pour déclencher des explosions en série et dégager un couloir de vingt mètres de large. Y'avait des bombes partout. »

Après une longue pause, assis là dans le calme de la nuit, je lui ai raconté le reste.

« Stout. Il s'est tourné. Tout le monde a dit que je m'étais fait des idées, mais je l'ai vu. Il était sûrement conscient. Il savait qu'il était salement touché, mais il a dû penser que j'arrivais. Pour lui faire des garrots sur les bras et les jambes. Il est mort en pensant qu'il se réveillerait en Allemagne. Mais ça s'est pas passé comme ça. Il s'est vidé de son sang, là, sur ce putain d'asphalte bouillant. Même pas sur la terre. Y'avait juste une tache. »

C'est tout ce que je lui ai dit. On est restés assis encore un peu, et tout du long il a gardé la main sur mon épaule. Il ne m'a posé aucune question. Il a pas dit un mot.

Mais Huck ne peut pas rentrer chez lui. Il a grandi en préférant la liberté au droit chemin. « Je crois bien que je vais devoir me tirer dans les Territoires avant les autres, dit-il, pasque tante Sally, elle veut m'adopter et me civiliser, et ça, je peux pas le supporter. Je connais déjà. »

Les gens ont rarement cette chance

« Notre révolution est votre révolution ! » Je le crie à la caméra. « Il faut que chacun se mobilise ! »

Derrière moi, mes colocataires et leurs copines m'acclament à chaque fois que j'élève la voix, même lorsqu'ils ne comprennent pas ce que je dis. Ça n'en finira donc jamais, cette foi absurde qu'on place en moi ?

« Regardez derrière moi, tous ces gens, je poursuis face à la caméra. Ils ont tous décidé de mourir dans la rue avec leurs amis et leurs concitoyens plutôt que de passer une nuit de plus chez eux, seuls et terrorisés. »

La lumière est aveuglante. Je ne parviens pas à voir qui me filme derrière la caméra. Un journaliste anglais me posait des questions avant, mais je crois qu'il est parti. Ou peut-être me laisse-t-il parler sans m'interrompre ? Quel idiot, si c'est le cas.

« Est-ce que vous comprenez comment tout ceci a commencé ? je demande au reporter invisible. Est-ce que vous comprenez ce qui s'est produit à Sidi Bouzid ? Un jeune homme nommé Mohamed vendait des fruits qu'il avait achetés à crédit. Il avait une femme et des enfants, et juste une charrette de fruits pour les faire vivre. Une policière. Elle lui a confisqué sa charrette pour une raison fallacieuse et, ce faisant, a plongé Mohamed et sa famille dans la misère. Mais elle ne s'est pas arrêtée là. Quand il est venu réclamer sa charrette, elle l'a giflé et lui a craché dessus. Sans aucune raison, sinon de l'humilier. Juste pour lui montrer qu'elle et le président Ben

Ali étaient forts et qu'il était pauvre, fragile et faible. Qu'est-ce qu'il pouvait faire, cet homme, Mohamed ? Rentrer chez lui ? Se résigner à la honte et à la pauvreté ? Regarder ses enfants grandir la faim au ventre ? Allait-il attaquer cette policière avec toute sa rage et subir une terrible vengeance avant d'être jeté dans un donjon sans autre forme de procès ? S'il avait fait quoi que ce soit de ce genre, les gens ordinaires que vous voyez ici n'auraient jamais entendu parler de lui. Ils ne seraient jamais venus sur cette place risquer leur vie pour cette révolution. Non. Il a fait quelque chose de beaucoup plus courageux. Il a riposté non pas avec sa force, mais avec sa fragilité. Il est allé devant la préfecture, s'est arrosé de white-spirit et a mis le feu à son propre corps. Il s'est immolé sous les yeux de la policière, pour lui montrer combien il était fragile. Et il a survécu un moment à l'hôpital. Il n'est mort de ses blessures que le lendemain matin. Avec la miséricorde de Dieu, il a vécu assez longtemps pour voir ses concitoyens descendre dans la rue grâce à ce qu'il avait fait. Pas parce qu'on admire sa force, mais parce qu'on partage sa faiblesse et sa fragilité. Elles nous unissent. »

Je m'interromps pour reprendre mon souffle. Je sens mes amis derrière moi, m'acclamant de plus belle.

« Et j'ai aussi pris cette décision, je poursuis. De mourir dans ces rues si nécessaire, même si je ne suis pas tunisien. Je ne vous l'ai pas dit ? Je ne suis pas non plus syrien, même si c'est écrit sur mon passeport. Et je ne suis pas irakien… »

Je me tais et inspire profondément une dernière fois avant d'achever ma pensée.

« Je suis faible. Et c'est tout. Mais ce n'est pas comme si je n'avais pas de foyer. Être faible ? Avoir peur et se sentir fragile ? C'est ça mon toit. Ces gens derrière moi sont tous très faibles, et ils ont tous très peur. Nous sommes si faciles à tuer. Le président Ben Ali a fait en sorte de nous le rappeler. Mais mourir ici ? Dehors, dans le froid ? Ce serait comme mourir chez soi, pour nous. Et les gens ont rarement cette chance, de mourir chez eux. »

Pour finir, je me tus.

Le journaliste anglais, dissimulé derrière son projecteur aveuglant, a pris la parole. « Le président Ben Ali affirme qu'il enverra demain l'armée dans les villes tunisiennes si la foule ne se disperse pas. Allez-vous rester ici même si l'armée arrive ?

– Évidemment, ai-je ri. Où voulez-vous que j'aille ? »

La foule se déplace à nouveau, fuyant quelque danger. Les objectifs se braquent ailleurs. Il y a quelque chose de plus intéressant à filmer. De la violence peut-être. J'aperçois la lumière de la caméra avancer parmi les protestataires avant que mes colocataires m'entraînent ailleurs. Ils me poussent dans une ruelle adjacente et nous nous cachons derrière une benne à ordures.

Nous restons là toute la nuit, à veiller et dormir à tour de rôle, en nous demandant si nous mourrons avant le lever du soleil.

Je m'endors peu avant l'aube et me réveille alors qu'on me glisse un téléphone satellite dans la main.

« C'est le moment, me dit un de mes colocataires. Les militaires ne sont pas venus. Ils ont refusé d'obéir. Ben Ali est fini. Appelle ton ami américain. Lis-lui la lettre. »

Le numéro a été programmé dans le téléphone depuis des jours. Il ne me reste plus qu'à rassembler assez de courage. Mes amis ont raison. C'est le moment. Il faut que j'appelle.

J'enfonce un doigt dans mon oreille pour étouffer les cris d'allégresse et attends une réponse.

Une voix familière et surprise répond. « Allô ? »

Je ravale ma peur. « Lester ?

– Non, c'est Pete. Vous devez avoir un mauvais numéro... attendez. Qui est-ce ?

– C'est Kateb. Je cherche à joindre Doc. Vous pouvez me le passer ? »

Il y a un long silence.

« Je vous entends à peine. Vous pouvez répéter ? Qui est-ce ? »

Là, je reconnais sa voix. « *Mulazim*.

– Dodge ? » fait-il. La ligne est mauvaise. « Attendez. Qui êtes-vous ? Vous n'êtes pas en train de me faire une blague, hein ?

– S'il vous plaît, *mulazim*. S'il vous plaît, dépêchez-vous, prenez un papier et un stylo. J'ai quelque chose à vous lire. Il faut que vous écriviez. »

J'ai sorti une feuille chiffonnée de la poche avant de mon jean, prêt à démarrer.

Remerciements

Les personnages de cette histoire sont fictifs, mais leurs combats sont réels. Parmi les milliers d'Irakiens et d'Américains qui ont vécu la guerre dans la province d'al-Anbar, il y en a quelques-uns auxquels je dois beaucoup plus que je ne saurais le dire : les adjudants Anderson et Priester, qui ont été merveilleusement patients avec leur jeune lieutenant ; les sergents Bouttavong, McBride, Dixon et Alviderez, dont le savoir-faire dans l'exercice de l'autorité ont été des leçons d'humilité au quotidien ; Jack Dietrich, Autumn Swinford, Joslyn Hemler, Rachel Forrest, Steve Ekdahl, John Sorenson, Brad Aughinbaugh, Eric Beckmann, et Ed Donahoo, qui m'ont honoré de leur amitié ; Jaguar, dont je n'ai jamais connu le véritable nom, mais dont le courage va au-delà de toute description ; le colonel James Caley, qui m'a enseigné la nécessité de penser clairement ; et ces Irakiens qui ont tout risqué pour vivre en paix et pour connaître une société plus libre. Une génération de Marines vieillira en souhaitant vous avoir donné plus.

Si j'avais la place, je citerais les noms de plusieurs dizaines d'autres personnes. Mais vous savez qui vous êtes. Je pense toujours à vous.

Par chance, j'ai rencontré un groupe d'écrivains lorsque je me suis installé à La Nouvelle-Orléans. Je n'aurais jamais fini ce livre sans l'aide et les encouragements de lecteurs de la première heure tels que Nicholas Mainieri, Rush Carskadden, Brock Stoneham, David Hoover, John Van Lue, David Parker et Cullen Piske.

Rob McQuilkin, merci d'avoir cru en moi. Kathy Belden, tu m'as protégé et m'as donné ce dont j'avais besoin pour achever cette histoire. Je vous en serai éternellement reconnaissant.

Un grand merci, tout spécialement, à Joseph et Amanda Boyden, qui aident tranquillement à grandir la prochaine génération d'écrivains de La Nouvelle-Orléans. Amanda, accepter de lire mon manuscrit n'est qu'un seul des innombrables gestes de générosité que tu as eus envers moi. Joseph, ton humilité, ta force, ton intelligence et ta spiritualité enrichissent la vie de ceux qui te côtoient. Je chéris notre amitié.

J'ai aussi une famille remarquable, un frère et une sœur qui sont mes meilleurs amis, et des parents qui ont toujours encouragé nos rêves les plus fous. Papa et maman, vos enfants construisent leur vie avec la certitude inconsciente que tout est possible. Mon grand frère, Brian, et ma petite sœur, Julie, grandir entre vous deux a fait de moi qui je suis.

Enfin, par-dessus tout, je veux remercier ma femme, Erin, à laquelle je dois tout ce qui peut être jugé bon dans ce livre et en moi-même. Mon existence tourne autour d'un double mystère : qu'est-ce qui t'a poussée à accueillir chez toi l'épave humaine que j'étais, et comment pourrai-je un jour te revaloir ça ? Je t'aime tant.

Note sur l'auteur

Michael Pitre est diplômé de Louisiana State University, où il a suivi un double cursus en histoire et en création littéraire. En 2002, il a rejoint le corps des Marines, est parti en mission en Irak à deux reprises, et a obtenu le grade de capitaine avant de quitter l'armée en 2010 pour passer son master en administration des affaires à Loyola. Il vit aujourd'hui à La Nouvelle-Orléans.